VÍCTOR MORA | Los plátanos de Barcelona

Título original: *Els plàtans de Barcelona*

Traducción: Armonía Rodríguez

1.ª edición: enero 2007

Bailén, 84 - 08009 Barcelona (España)
www.edicionesb.com

Diseño de cubierta: Estudio Ediciones B
Fotografía de cubierta: © Corbis / Cover
Diseño de colección: Ignacio Ballesteros

Printed in Spain
ISBN: 978-84-666-3142-6
Depósito legal: B. 52.149-2006

Impreso por LIBERDÚPLEX, S.L.U.
Ctra. BV 2249 Km 7,4 Polígono Torrentfondo
08791 - Sant Llorenç d'Hortons (Barcelona)

Víctor Mora

Los plátanos de Barcelona

0

—¡Tere, Tere! ¡Están quemando las iglesias! —exclamó Artur Martí.

Su hijo Lluís, sentado en el balcón, cara a los cactus y a los geranios, se entretenía en recortar soldados de cartón. Eran soldados italianos y abisinios y, al traérselos, Artur le había dicho que cuando jugase con ellos tenía que procurar que ganasen siempre los «buenos», es decir, los negros. Aquello a Lluís le chocó: en el cine del barrio los «buenos» siempre eran los blancos y los negros los «malos». Pero para el niño su padre siempre tenía razón. E hizo como le había indicado.

Más allá de los barrotes oxidados del balcón, más allá de la pulpa verde y los pétalos rojos, Lluís había visto cómo su padre, al dirigirse hacia casa, atravesaba la plaza del Pedró, mitad en sol, mitad en sombra. Cerca de la fuente coronada por la estatua de santa Eulalia, Artur, deslumbrado, hubo de pararse unos segundos: un coche negro pasaba a todo gas. Subidos al estribo, tres hombres unían sus voces a las voces de los que iban dentro. Cantaban, gritaban, agitaban los puños cerrados. El señor Rossend, el carnicero, salió espantado a la puerta de su establecimiento. Había, tras su figura regordeta, bañada por el sol, carne ensangrentada en la penumbra de la tienda, roja sobre el mostrador blanco y pulido como un mármol funerario.

Artur Martí desapareció pronto del ángulo de visión de su hijo. Lluís le oyó silbar como de costumbre en la escalera y corrió a abrirle la puerta. Su padre ni siquiera le miró. Y fue entonces cuando dirigiéndose a su mujer, que acababa de aparecer en la puerta de la cocina con un trapo sucio entre las manos mojadas, dijo:

—¡Tere, Tere! ¡Están quemando las iglesias!

Hacía ya tres años que vivían en aquel piso de la plaza del Pedró. Lo habían alquilado en el momento en que Artur Martí ingresó en la policía de la *Generalitat* de Cataluña. Fue un tipo que conoció mientras veían un partido de fútbol quien le sugirió que entrase en la policía. El hombre en cuestión quería ser guardia de asalto, pero, como era medio analfabeto, pidió a Artur que le redactase la instancia solicitando el ingreso. En aquellos momentos Artur se ganaba mediocremente la vida trabajando como relojero. Su amigo Puig le había enseñado el oficio, en Francia, cuando Artur desertó en 1921 para no ir a la guerra de Marruecos. Puig tenía una relojería-joyería en el Boulevard des Italiens, en París, y Martí le nombraba siempre cuando se hablaba de alguien que había tenido éxito en la vida.

—Mira, Tere —había dicho Artur—, eso de la policía es una cosa segura, ¿sabes? Cada final de mes cobraremos algo fijo y todavía tendré tiempo para ir arreglando algún reloj. Y cuando me muera, el Estado te pagará una pensión.

—¡No digas eso, Arturu!* —había exclamado Tere.

—No hay que dormirse en las pajas, chica. Hay que pensar en todo.

—Muy bien, muy bien, como quieras, Arturu. Pero ¿tendrás que ir persiguiendo gánsters?

—No, mujer; no. ¡Ni hablar! ¡Estaré siempre en los archivos, mujer!

* Típica pronunciación catalana de los nombres castellanos acabados en «o». Impropiamente, y como mucha gente de las capas populares, Tere castellaniza ciertos nombres.

¡Artur tenía que mantener a tanta gente...! La mujer, el niño, su hermano Andreu, la tía Margarida, el ruso, el señor Manolo y su mamá...

Artur siempre decía que el señor Manolo era «todo un caballero». Eso sí, había que animarle, ayudarle un poco. Se lo había encontrado una noche por la calle. El señor Manolo iba con su mamá, dos maletas, un colchón y un canario. El señor Manolo se acercó a Artur y le preguntó con cara de lástima si podía recomendarle un sitio para dormir, un sitio que no fuese caro. Explicó que atravesaba un momento difícil —se dedicaba a los negocios— y que los habían echado, a él y a su mamá, del hotel donde vivían. La viejecita se puso a sollozar y Artur, conmovido, les ofreció que pasasen la noche en su casa.

Hacía ya dos años y medio que vivían en la plaza del Pedró y el señor Manolo todavía no había conseguido encontrar un trabajo estable.

—¿Y sabe por qué? —decía doña Leonor, en castellano, a la madre de Lluís—. ¿Sabe qué le ocurre a mi Manolo? Pues que le cogen ojeriza. ¡Es tan bien plantado, tan educado, tan culto, que quienes le reciben, cuando va a buscar trabajo, tienen miedo de que los desbanque! ¡Ésta es la madre del cordero, señora Tere! ¡Ay, Manolo, Manolo! ¡No tendría que haberte parido tan perfecto! Con perdón. En este mundo no hay nada peor que excitar la envidia de los demás, créame, señora Tere. En fin, qué vamos a hacerle... ¿Y qué, querida? ¿Qué sorpresa nos ha preparado hoy? ¿Qué hay para cenar?

Habitualmente, el señor Manolo se levantaba tarde. A veces, en pantalón de pijama y con la toalla al cuello, se disponía a lavarse cuando ya Artur regresaba jadeante de la comisaría. Casi sin descansar, Artur iba a sentarse ante su mesa de trabajo —se la había hecho él mismo— e intentaba ganar algún dinero extra con sus relojes.

—Pero oye, Arturu, ¿no ves que este tipo es un gandul de marca mayor? ¿No ves que todo es inútil? —decía

Tere—. ¡Madre de Dios! ¡Si parece que se ha tragado el molinillo del chocolate!

—Bueno, bueno... No hace falta que chilles tanto, que asustas al canario. Lo que le pasa es que tiene mala suerte, pobre. Pero ya falta poco: esta mañana me ha dicho que puede que le den un empleo de director en una fábrica de Tarrasa. Es todo un caballero... ¡Y con lo culto que es...!

Por las noches, cuando volvía, Artur iba a ponerse las zapatillas y, cómodamente instalado en su butaca de mimbre, no soltaba el periódico hasta la última línea. Si lo dejaba, aunque sólo fuera un segundo, para ir a buscar las zapatillas, por ejemplo, el señor Manolo se apoderaba de él e iba a tumbarse en la cama para leerlo.

Andreu era el hermano menor de Artur. Artur se había hecho cargo de él al morir su padre —gerente de importantes navieros de Barcelona—, gracias a lo cual habían tenido los hermanos una infancia y una adolescencia «regalada», como decía Tere.

Andreu tenía la reputación de vivir siempre sin dar golpe, reputación que no demostraba gran interés en desmentir. Durante la Dictadura de Primo de Rivera, siempre mantuvo que no trabajaría mientras durase un régimen que pisoteaba las libertades del pueblo. Y a partir del 14 de abril, se volvió monárquico. No obstante, Artur siempre le defendía de los ataques de los otros miembros de la familia y sin desanimarse le buscaba trabajo. Una vez consiguió hacerle trabajar durante doce días seguidos.

Margarida Martí —«Silvia Pozoblanco» para el mundo de la farándula— había sido una gloria de la escena española. Durante su juventud viajó por todas partes con la compañía de Rosario Pino. Y la familia se embelesaba con sus excentricidades. Al parecer, en trenes y paquebotes sentaba a la mesa a su perro boliviano, *Sucre*, para que le sirvieran el plato preferido del animal: *l'omelette flambée*. Igualmente decían que, un día, en alta mar, durante una tormenta espantosa que amenazaba con enviar el barco al fondo del Atlántico, su agente teatral, aterrorizado, comenzó a dar puñetazos a la puerta de su camarote gritando:

—*Doña Silvia! Doña Silvia! Que ens enfonsem! Surti pel que més vullga! Surti, xe!, que ens enfonsem!**

Margarida Martí, envuelta en una *negligée* llena de volantes y plumas de avestruz, cogió el perro por el collar y abrió la puerta.

—*¡Tadeo, haga usted el favor!***

—*Però, doña Silvia, che* —lloriqueó Tadeo—. *Si ens enfonsem! Si ens enfonsarem d'un moment a l'altre, si la Verge dels Desemparats no ho remeia!****

El barco gemía. Su destrucción parecía inminente. La tía Margarida dio un taconazo impaciente y contestó:

—*¡Pero Tadeo...! ¿Está usted en Babia? ¿Cuántas veces he de decirle que no me hable más que en castellano? ¿Quiere que se me pegue algo de su horrible deje valenciano y lo suelte estando en escena?*

Otra vez, mientras atravesaban a lomos de unas mulas el valle de Urabamba, Tadeo gritó:

—¡Oh, mire doña Silvia! ¡Vuélvase a mirar lo que hay ahí abajo, sobre aquellas rocas...! ¡Qué maravilla! ¡Es la ciudad inca de Macchu-Picchu!

La tía Margarida no se volvió.

—¡Pero doña Silvia, vuélvase a mirar! ¡Si es la ciudad inca de Macchu-Picchu!

Fue inútil.

* —¡Doña Silvia! ¡Doña Silvia! ¡Que nos hundimos! ¡Salga, por lo que más quiera! ¡Salga, che, que nos hundimos!

** En castellano en el original. Como norma en toda la novela, las frases en castellano en letra cursiva, van en este idioma en el original catalán.

*** —Pero, doña Silvia, che —lloriqueó Tadeo—. ¡Si nos hundimos! ¡Si nos hundiremos de un momento a otro si la Virgen de los Desamparados no lo remedia!

Un gran duque se saltó la tapa de los sesos por culpa de Silvia Pozoblanco y también se decía que había provocado, en París, una crisis ministerial. A fin de cuentas, don Vicentito, un indiano pobre, la supo encandilar de tal forma que acabó volviendo a Galicia hecho un indiano rico.

Ahora, ya anciana, enferma, con una úlcera en una pierna que nunca más se cicatrizaría, arruinada, Margarida Martí era más Silvia Pozoblanco que nunca. Se aferraba a sus fotografías, a sus recuerdos, a cuatro harapos deslucidos con olor a naftalina y a dos o tres joyas falsas que había hecho reproducir para proteger las auténticas. Adoptaba actitudes altivas y le gustaba dar chascos. Cada jueves iba a su tertulia de viejos actores y actrices del Café Glaciar, en las Ramblas. Se iba de la plaza del Pedró a las cuatro de la tarde.

—Sobre todo, Arturo, no te olvides de venir a buscarme, ¿eh?

Hablaba siempre en castellano.

—A las nueve, tía, como siempre. Que se divierta.

—Haremos una cosa: como el tiempo no está muy católico, ven con el paraguas.

—Como quiera, tía.

A las nueve en punto, Artur llegaba al Glaciar y hacía avisar a la dama por un camarero. La primera vez que vino a recogerla se fue directamente a ella. ¡Nunca lo hubiera hecho! A la tía Margarida le sentó muy mal que sus contertulios —excesivamente bien peinados, bien maquillados, con la piel lisa y como reblandecida de los actores viejos— pudieran verla con un sobrino tan poco distinguido, un hombre tan manifiestamente falto de calidad.

El ruso era un emigrado que había venido de Francia a buscar trabajo de lo que fuera. Era bajito y delgado. Tenía unos ojos grandes y azules, siempre húmedos, y un bigote rubio de puntas caídas. Artur le había conocido en casa de uno de los relojeros que le daban trabajo. El relojero le dijo confidencialmente que el ruso, que vivía en la misma escalera donde él tenía su pequeño quiosco, había intentado matarse abriéndose las venas con una navaja. Tenía, era cierto, vendas en torno a las muñecas. El relojero opinaba que sólo había una forma de devolver la alegría de vivir a un hombre tan deprimido: ofrecerle una estancia en el seno de una verdadera familia. Él lo sentía mucho, pero era soltero y vivía en una pensión.

Artur dijo a su mujer:

—Vamos a tener un operario, ¿sabes?

—¿Qué quieres decir?

Artur explicó que había decidido tomar un operario que le ayudaría con los relojes. Al mismo tiempo, se alojaría en la casa y pagaría por estar en pensión. Para vencer las objeciones tímidamente formuladas por Tere, Artur intentó adoptar la actitud más bien hosca y altiva que tenía su padre e insinuó la posibilidad de un taller lleno de operarios que trabajarían para ellos, lo que les permitiría vivir sin casi dar golpe y tener una vejez dorada. Y, al día siguiente, llevó al ruso a su casa.

El emigrado era demasiado bien educado, o demasiado hábil, para discutir con Artur, que no disimulaba nada sus simpatías por los soviets. No pagaba, claro está, ni cinco, pero aprendió pronto a montar y desmontar despertadores. Bebía mucho té y de vez en cuando se entristecía hasta el extremo de encerrarse en su habitación. El señor Manolo y su mamá le oían llorar al otro lado de la pared. A veces sentaba a Lluís en las rodillas y le hacía saltar mientras tarareaba:

Kalinka, Kalinka
Kalinka maiá...

Artur hasta trabajaba los domingos. Pero a pesar de ello la compañía de electricidad cortó la luz del piso por falta de pago. Esto sucedía en 1934 y, en aquel momento, Artur estaba de muy mal talante: poco tiempo antes se había dormido en un tranvía —siempre andaba muerto de sueño— y le habían quitado el revólver. Estuvo a punto de quedar cesante. Para acabarlo de arreglar, llegó el 6 de octubre* y tuvo que ir a presentarse a Jefatura, en la Vía Layetana. Allí, un policía («De la *Generalitat* no, ¿eh? Del Estado», aclaraba Artur con rencor) le recibió amablemente, en un principio. Pero cuando Artur enseñó la placa de la *Generalitat* de Cataluña que llevaba al dorso de la solapa, el policía del Estado se la arrancó, gritando:

—*¡Traiga esa mierda!*

Y le pegó una bofetada. Artur se quedó sin saber qué hacer después de aquel doloroso estallido de luces. Enseguida le inmovilizaron brutalmente y comprendió que le iban a tratar según los viejos métodos de tal gente en tales lugares. Por suerte, otro policía del Estado —Artur siempre le corregía las faltas de ortografía en las declaraciones— entró y dijo:

—*Pero ¿qué hacéis, hombre, qué hacéis? Éste es un buen tipo... Inofensivo... ¡Hala, venga, que pago cafés!*

A Artur le dieron un cigarrillo. Sólo pasó seis horas en uno de los calabozos del subterráneo.

Más tarde, hablando del hombre que le había pegado, Artur amenazó:

—¡Si me tropiezo con él un día de éstos, le pelo, mira lo que te digo, le pelo!

De reojo miró a su mujer para ver la impresión que le habían hecho aquellas palabras.

—¡Ay, Dios mío, Arturu! —dijo ella—. ¡No digas eso ni en broma! ¡Olvídate de ello! ¡Olvídate!...

* La entrada de la CEDA en el gobierno, que significaba una tentativa de instaurar el fascismo por la vía legal, originó la huelga general desencadenada por las fuerzas obreras y democráticas. Los acontecimientos más notables fueron la insurrección en Asturias y la tentativa de insurrección de la Generalitat de Catalunya contra el gobierno central de Madrid.

Magnánimo, prometió olvidar.

Así pues, cuando cortaron la luz, Artur se enfadó de verdad y dijo chillando, de cara al pasillo:

—¡Ya estoy harto! ¿Me oís? ¡Aquí sólo trabajo yo! ¡Y eso no es justo, no señor! ¿Queréis que os diga lo que pienso? ¿Acaso os interesa, por casualidad? Pues es bien sencillo, hombre: ¡de ahora en adelante, que cada palo aguante su vela y el que quiera comer que trabaje! ¡Hala, ya está! ¡Ya lo he dicho!

Cuando se hubo calmado, el señor Manolo y su mamá, con las dos maletas, el colchón y el canario, atravesaron el pasillo hacia el recibidor. Tía Margarida los seguía, cojeando, con una maleta llena de polvo y etiquetas de colores marchitos, y tres cajas de sombreros mal atadas con cordel.

Parece que el escándalo no había conseguido despertar ni a Andreu, ni al ruso.

—¿Adónde vais? —preguntó Artur con una vela encendida en la mano, saliendo de la cocina, donde sollozaba Tere. No se atrevía a mirarlos a la cara.

El señor Manolo dijo en un castellano de Alcalde de Zalamea:

—Querido amigo, hasta ahora hemos aceptado la hospitalidad que nos ha ofrecido de una manera tan noble y desinteresada. Pero aunque mi mamá y yo le estamos infinitamente agradecidos, comprenderá usted que cierto tipo de insinuaciones... ¡No, no, por favor! Déjeme acabar, se lo ruego. Que cierto tipo de insinuaciones, digo, es muy desagradable. *Shocking*, como diría un inglés. *Shocking*, sí. Y, ¿por qué no decirlo con toda franqueza? ¡Inadmisible! Sí, querido, sí, inadmisible. Es cierto, desdichadamente, que la desgracia me persigue, que un Destino cruel se ceba en mí y en mi pobre mamá... Es un hecho, ¡ay! Mas esta triste evidencia no le autoriza, don Arturo, a pensar que a mí me complace una situación tan desairada. Además, ha de saber que...

Artur se excusó. Todos volvieron a sus habitaciones.

—¿Y por qué queman las iglesias? —preguntó Lluís, todavía enfadado por la falta de atención de su padre.
—¿Quieres callar? —replicó Tere Soler.

—¡A ver si todavía se hundirá el balcón con tanto peso...! —dijo Tere. Temerosa, cogió a Lluís por el brazo y tiró de él hacia atrás.
—Pero mamá, si el balcón no se hunde —protestó Lluís.
—¡Calla! ¿Quieres que te dé una torta?
—Pero mamá, es que así no veo nada de lo que ocurre en la plaza.
Artur se volvió hacia su mujer y dijo:
—Anda, déjale, mujer. El balcón no se hundirá.
Y como para probar la resistencia, pisoteó los pocos centímetros que le tocaban.
—Para el carro, chico, que mi hermana tendrá razón —dijo Ernest Soler—. Y no tenemos paracaídas.
Todos rieron.
—Papá, papá, ¿un día me harás uno?
—¿Un qué?
—Un paracaídas.
—Sí.
—Sí, para que calles —añadió Ernest.
—Andreu, Andreu —murmuró Tere.
—¿Qué? ¿Qué te ocurre ahora? ¿Es por culpa de la colilla?
—No, no es por culpa de la colilla, que ya estoy acostumbrada a encontrármelas por todas partes... Es que acabarás chafándome los geranios. ¡Ten cuidado, hombre, por favor!
—¡Está bien! ¡Está bien!
Todos hablaban en voz más alta que de costumbre por culpa del jaleo que había, abajo, en la plaza del Pedró.
En la silla de mimbre donde se sentaba siempre que venía a casa de su hija, Miquel Soler refunfuñó:

—¡Francamente, no me explico vuestro interés! Ya sabéis que a mí todo eso de la iglesia y de los santos me importa un pito. ¡Pero esto, «esto» es una barbaridad, hombre!

Había retirado ostensiblemente la butaca de mimbre del balcón.

—Papá, ¿qué es una barbaridad?

—¡Calla, niño! —dijo Tere.

Por entre la pierna derecha de su padre y la pierna izquierda de su tío Andreu, Lluís miró de nuevo hacia abajo. La plaza estaba llena hasta los topes. Todas las miradas iban hacia dos hileras de hombres, en mangas de camisa, que tiraban con todas sus fuerzas, en un vaivén acompasado y poderoso, de dos gruesas cuerdas. Las cuerdas estaban anudadas alrededor de la cintura y los tobillos de santa Eulalia.

—¿Quieres un poco más de café, padre? —preguntó Tere.

—No, que tengo miedo de no poder dormir —dijo el viejo. Se movió, haciendo gemir el mimbre.

En la plaza se oyó un crujido.

—¡Ya está! ¡Ya está! —exclamó Andreu. Se puso a aplaudir. Lluís le imitó.

—Niño, no aplaudas —riñó Tere, temiendo la venganza de santa Eulalia. En la plaza llena de sol, la gente enmudeció de pronto. Se oyó de nuevo el chillar de las golondrinas.

Atraído sin duda por el silencio, el ruso salió de su habitación y miró hacia la plaza sin mucha curiosidad.

Santa Eulalia se hizo trizas contra el empedrado. Hubo aplausos, aclamaciones. Entre el yeso de la estatua, Lluís vio los hierros oxidados de la estructura metálica.

—En definitiva —dijo el ruso, con la dificultad habitual que tenía para expresarse en castellano—, ¿quién creéis que ha pagado esta estatua? El pueblo.

Artur y su hermano intercambiaron una mirada que quería decir: «¡Claro! ¿Qué otra cosa podía decir éste?»

—Es lo que digo yo —añadió Miquel Soler—. Confunden la magnesia con la gimnasia.

—¿Qué? —preguntó el ruso. Artur quiso explicárselo, pero no encontró el modo de hacerse entender.

Ernest Soler ya se iba. El viejo dijo que le esperase, que él también bajaba.

—¡Total, que he tenido suerte al pasar por aquí! —dijo Ernest—. He visto el espectáculo gratis y desde primera fila.

—Desde palco —corrigió Andreu.

—¡Sí, chico! ¿Qué? ¿Y tú y yo cuándo vamos a dar una vuelta y a tomar unos tragos, y...? ¡Je, je, je! —dijo Ernest, dándole un golpecito, con el codo, en el estómago. Guiñaba un ojo.

—Cuando quieras. Ya sabes que yo siempre estoy a punto, ¡je, je, je!

—Un día de éstos, entonces. ¿Qué, Lluís? ¿Te gusta el tebeo que te he traído?

Lluís quiso saber si los extraños guerreros con cabeza de animales matarían a Tim Tyler y a Spud.

—Chico, has de esperar a la semana que viene —dijo Ernest.

—¡Es que se fija en todo! —dijo Tere, orgullosa.

—Y estos negros, ¿cómo puede ser que sean malos? —preguntó Lluís.

—Porque no son abisinios, hombre —dijo Andreu.

—Todo lo pregunta... Parece una máquina de preguntar —se quejó Artur—. A veces tengo que decirle que está escrito en inglés, porque, si no me pasaría el día leyéndole cosas.

El gentío abandonaba la plaza en grupos alegres. Algunos chicos jugaban ya, entre los trozos de yeso, con los hierros oxidados. Lluís los miró con envidia.

—¡No os hagáis daño! —los avisó Tere, gritando.

—De cualquier modo —dijo Artur—, el abuelo tiene razón: todo esto no conduce a nada.

Desde el recibidor llegó la voz de Ernest.

—Bueno, chicos, ¡hasta la vista!

—Adiós —respondió su hermana—. Recuerdos a Aurelia y al niño. Oye, Lluís...

—¿Qué, mamá?

—¿Ya le has dado un beso al abuelo, que se va con el tiíto Ernest?

Los bombardeos de Barcelona todavía no habían comenzado cuando Artur Martí fue trasladado a Camprodón, al servicio de Fronteras y Puertos.

Dejaron el piso de la plaza del Pedró a Andreu y a la tía Margarida: el señor Manolo, su mamá, el canario y el ruso, continuaron viviendo allí pero, poco después, el propietario inició los trámites de la expulsión de todos ellos por falta de pago.

En Camprodón, los Martí se instalaron en una casa requisada. Era una casa muy grande y eso la distinguía de las otras que bordeaban el río: viejas edificaciones con tejados de pizarra, avezadas a la nieve, al hielo y a las riadas. En diversas ocasiones, durante las guerras carlistas, la casa se había convertido en hospital. En lo alto del portalón de piedra había un escudo nobiliario que, muy pronto, Artur hacía notar a todos los que entraban.

En Camprodón, Lluís tenía pocos amigos de su edad: Bernardo y Paquito, los dos hijos de policías, compañeros de su padre, y Jaume, hijo único de una obrera de la gran fábrica de galletas del pueblo. Jaume vivía en las afueras. En su casa no había electricidad, todo despedía olor a leña quemada y las paredes estaban ennegrecidas por el humo. Jaume tenía dos años más que Lluís y soportaba amablemente sus cambios de humor de niño mimado.

Jaume comentaba a veces, con una sonrisa dulce y triste:

—¡Qué suerte tienes de tener tantos juguetes y de vivir en una casa tan bonita!

A su madre, delgada y menuda, vestida de negro, sólo la veía por las noches.

En cambio, Lluís tenía muchos «enemigos». Chicos que le tiraban piedras y procuraban pegarle. Se pasaba días enteros sin bajar a la calle. Él y Jaume jugaban en la gran galería cubierta con los juguetes que desbordaban de un baúl de mimbre amarillento. Situaba sus soldados de plomo en orden de batalla y todos aquellos que se mostraban poco dispuestos a combatir contra los ejércitos del Caudillo (papel que Jaume se conformaba en representar) eran «detenidos» y «fusilados».

—No los fusiles, hombre —rogaba casi siempre el Caudillo—. No los fusiles, que me dan lástima... ¡Ya verás cómo no lo harán más!

Lluís no se dejaba convencer. Castigaba implacablemente. Y los cadáveres de los «cobardes» y de los «enchufados» eran lanzados al río.

Una mañana, Lluís y Jaume vieron a tres chicos que, con el agua hasta las rodillas, buscaban soldados «muertos» en el cieno. Lluís ofreció:

—¿También queréis éste? Le acabamos de fusilar porque se quería pasar.

Los tres chicos le miraron con rencor. Dos de ellos eran hijos del propietario de un hotel requisado. Todos decían que el padre del tercero, un médico, había pasado a Francia por los caminos secretos de la montaña. De los dos hermanos, el mayor respondió:

—¡No queremos nada del hijo de un rojo!

—¡Ladrones! —gritó el hijo del médico—. ¡Todo lo robáis!

—¿Qué? ¿Qué es lo que robamos?

—¿Es vuestra esta casa, ladrones? ¡La habéis robado!

—¡El ladrón lo serás tú!

—¡Tu padre, rojo de mierda!

—¡Fascista! ¡Alemán! ¡Espera! ¡Se lo diré a mi padre, ya verás!

Agarrado a la barandilla, Lluís repitió lo mismo mientras los otros salían corriendo.

—¡Se lo diré! ¡Se lo diré! ¡Fascistas, fascistas! ¡Que hacéis cruces gamadas con hierros ardiendo en la cabezas de las mujeres! ¡Que bombardeáis escuelas! ¡Iréis a la cárcel!

Jaume le pasó un brazo por los hombros.

—Venga, déjalo ya, déjalo ya... ¿No ves que son unos tontos? Venga, déjalo ya, hombre. Ven, que jugaremos... ¡Ya verás la ofensiva que te preparo! Y sobre todo no digas nada, ¿eh? ¡Ya verás cómo no lo harán más!

Cuando Jaume se fue, Lluís se sentó sobre los mosaicos de la galería, en pleno campo de batalla. Con la cabeza recostada contra los barrotes de la barandilla, miró correr el agua terrosa del río. Pensaba en los insultos de los «fascistas» y descubría que lo que le hería más era la parte de verdad que, le parecía, contenían aquellos insultos. Le hubiera gustado vérselas a puñetazos con los tres chicos, y esta vez sin contemplaciones.

—Si te pegan una vez, tú pegas dos —le recomendaba siempre su padre. Pero cuando Lluís conseguía situarse encima de un adversario, cuando podía pegarle tanto como quisiera, había algo que le frenaba. «Si le pego ahora, podría hacerle mucho daño. Vale más que le deje.»

»Los suelta y entonces, los otros, le atizan —decía el padre, burlón—. ¡Qué burro eres, Lluïset!

Pero le miraba tiernamente como si, en el fondo, aquella conducta no le desagradase por completo.

Un día, mientras a Lluís le sacudían dos grandullones —el hijo del farmacéutico y el del fotógrafo—, un hombre que llevaba bata blanca acudió a toda prisa y cogió a los dos atacantes por el brazo. Era el farmacéutico.

—¿No os da vergüenza pegar de esta manera a uno más pequeño que vosotros? —se indignó. Su hijo le miró, boquiabierto.

—Pero papá, ¿no ves quién es? Es el hijo del pol...

—¡Calla, animal! ¡Calla! ¡Vete a casa, cabeza de chorlito! ¡Y tú también, si no quieres que se lo diga a tu padre!

A través de las lágrimas, Lluís le distinguió vagamente. Alzaba la cabeza para que la nariz no le sangrase más.

—Venga, pequeño —dijo la gran mancha blanca, moviéndose—. Vale más que vuelvas a casa... Y no digas nada, ¿eh? Hay que perdonar. Recuerda lo que dijo Nuestro... Quiero decir que hay que perdonar, ¡rediós! Mira, ¿sabes lo que vamos a hacer? Si mañana vienes a casa, a la farmacia, te daré una caja de pastillas Valda... De aquellas verdes... ¿Verdad que te gustan? ¡Sí, ya me acuerdo que te gustan! ¡Hala, adiós y no llores más! Que los hombres no lloran. ¡Esto no es nada, hombre! ¡Esto no es nada!

Lluís movió la cabeza afirmativamente y dio media vuelta. Algunos pasos más allá oyó al farmacéutico, aunque hablaba en voz baja:

—¡Precisamente por eso, idiotas! ¡Porque es el hijo del policía! ¡Sólo falta que demos pretextos a esta gentuza! ¿Queréis que nos jodan a todos?

Lluís explicó en casa el episodio de los soldados. Pero nadie se interesó por él, ni por lo que contaba. Artur estaba muy inquieto. El comité local de la FAI —en casa, Lluís había oído hablar tan mal de la FAI como de los partidarios del Caudillo— había amenazado con liquidar en bloque a la policía de Camprodón si continuaba protegiendo a burgueses y curas.

—No sois más que cuatro gatos capones —había dicho el responsable anarquista al jefe de policía—. ¡Procurar no obstaculizar la justicia popular, o iréis a parar al río!

A menudo, Lluís dibujaba escenas de guerra: trenes atacados por tanques, combates aéreos... Sobre las alas, sobre el timón de los aviones que se estrellaban, envueltos en llamas, esparciendo tirabuzones de humo negro, siempre había una cruz gamada y los colores verde, blanco y rojo de la bandera italiana.

Cuando hizo con su padre el viaje de Camprodón a Barcelona, Artur se lo llevó al barrio de la Barceloneta. Lluís pudo ver allí bloques de casas obreras reventadas, hierros retorcidos, vigas rajadas, sangre seca, en manchas marrones, sobre las ruinas...

—Lluís —le dijo Artur—, te he traído aquí para que puedas ver qué es el fascismo. Esto lo han hecho los mismos aviones que tú dibujas. Procura no olvidarlo nunca.

Todos los italianos, todos los alemanes no eran iguales sin embargo, explicó Artur. Había alemanes e italianos que luchaban por la libertad. Le habló de un italiano que tenía un nombre que a Lluís le hacía mucha gracia: Nino Nanetti. Y de un alemán que se llamaba Hans Beimler.

—Figúrate —le dijo más tarde a Artur un hombrecillo que llevaba mono azul—, figúrate, camarada inspector, que cuando la bomba cayó, un viejo que se encontraba cenando en el segundo piso salió disparado por la ventana. La bomba le desnudó completamente, pero aparte de eso, resultó ileso. ¡No tenía nada roto! ¿Tienes un cigarrillo, camarada inspector?

En la Mutua de la policía comieron lentejas y un estofado con manzanas, en lugar de patatas. Se encontraban en la Vía Layetana, en el Café Ski, cuando las sirenas se pusieron a sonar. Atravesaron una calle para entrar en el edificio donde estaban los servicios de la policía. Los compañeros de Artur festejaron a Lluís. Jugaron todos al escondite por los viejos despachos donde se amontonaban armarios cargados de papeles polvorientos. A lo largo de los pasillos, sentados sobre bancos de madera abrillantada por el uso, bajo la luz triste de bombillas con telas de araña y cagadas de mosca, personas inquietas y fatigadas esperaban la victoria del Caudillo. Sus ojos enrojecidos y sin brillo seguían a Lluís con asombro, mientras oían, incrédulos, las risas del niño, tan inesperadas en tan siniestro lugar.

Las bombas no cayeron. Era una falsa alarma.

Un locutor decía por radio:

—¡Catalanes! ¡Pasó el peligro de bombardeos...!

Lluís y su padre salieron para ir a cenar. Después, fueron al cine.

La locomotora llegaba a la estación, arrastrando un convoy blindado. Gente escondida como podía por los andenes, gente armada con fusiles y revólveres, esperaba sin hacer ruido. Miraba ansiosamente entrar el largo tren de acero. En el tren no se veía a nadie. Un gran silencio reinaba, pasaba de la pantalla a los espectadores. Y, de pronto, alguien surgía de una puerta, una figura fuerte y enérgica llenaba la pantalla, una voz poderosa rompía el silencio:

—*¡Somos bolcheviques...!*

Era el delirio: los que esperaban en los andenes abandonaban toda precaución, se lanzaban hacia el tren con gritos de alegría. La estación se volvía un caos de alegría y la alegría desbordaba el rectángulo iluminado, llenaba la sala oscura. Un viejo se levantó delante de Lluís, alzó el puño y gritó:

—¡Camaradas! ¡Viva la República! ¡No pasarán!

Lluís y su padre caminaban hacia el hotel.

—Papá, ¿qué son los bolcheviques?

—¡Calla, Lluís! ¿Qué? ¿Cómo? ¿Qué me dice, señora? ¿Que han tomado Málaga? Deme cualquier diario. Sí, este mismo. ¡Gracias!

—Papá...

—Calla, Lluís, déjame leer, ¿quieres? ¡Cerdos! ¡Cerdos! ¡Han tomado Málaga!

Aquella noche, en la cama del hotel, Lluís gritó:

—¡Papá! ¡Papá!

Las casas reventadas revoloteaban lentamente, como hojas de papel de fumar Carlet's. Los escombros revoloteaban y caían, finalmente, por una sima al fondo de la cual estaba el río Ter. En los despachos de la policía, los compañeros de Artur jugaban con Lluís, le perseguían, le empujaban, le dejaban escribir a máquina... Daba dos golpes a la L, un golpe a la U, un golpe a la I. La máquina se deshacía, se convertía en un hombre viejo, desnudo. Surgía una locomotora. Más casas se hundían y, sobre cada trozo, la locomotora escribía una letra.

La luz se encendía. Brillaba débilmente en el techo.

—No es nada, no te asustes —dijo Artur—. No llores. Estoy aquí.

Lluís comenzaba a vomitar.

En el lado francés, de pie bajo un farol encendido, Lluís miraba cómo el gentío atravesaba el puente Internacional.

—¡Sobre todo no te muevas de aquí! —le había recomendado su madre—. Papá y yo volvemos enseguida.

Pasaban niños. Reían, lloraban o, como Lluís, miraban medio divertidos, medio asustados, la confusión de los mayores. Parecía como si los mayores hubieran renunciado, de pronto, a la seriedad. Parecía como si, inquietos, espontáneos, ruidosos, los mayores hubieran decidido volver a ser niños. El ambiente se le antojaba a Lluís propio para mil diabluras que quedarían sin castigo.

Un niño que ayudaba a una mujer mayor a empujar un carretón cargado con una máquina de coser, batería de cocina y dos colchones, enseñó a Lluís una bolita de vidrio y le gritó, en castellano:

—¡Eh, tú! ¡Te la cambio por algo de comer!

Lluís le sacó la lengua.

Hombres uniformados se esforzaban por canalizar, sin muchas contemplaciones, la riada humana que fluía hacia Francia.

—¿Te has perdido?

Lluís miró a la mujer. Era vieja, sí; al menos tenía treinta años, como su madre.

—No. Mi madre vendrá enseguida.

—¿Quieres chocolate?

—¡Sí!

—¿Qué se dice?

—¡Gracias!

—Así me gusta. ¡Hala, adiós, guapo!

El chocolate olía bien. Buscó entre el papel de plata que lo envolvía. No había cromo. Iba a comerse un trozo, cuando apareció Tere. Le tiró el chocolate al suelo.

—¡Deja eso! ¡Puede estar envenenado!

Lluís sabía lo que quería decir «envenenado». Había visto ratas, grandes ratas grises, panza arriba, en la escalera de la plaza del Pedró. Subían de las cloacas y las habían envenenado con unos polvos amarillos. Estaban muertas. Las habían matado porque eran malas, porque traían la peste. «¿Las personas también traen la peste?»

—Mamá, ¿las personas también traen la peste?

—¿Qué? ¿Qué líos te haces?

Tere hizo un gesto de impaciencia.

—¿Y papá? ¿Dónde está papá?

—Ahora vendrá. Por favor, Lluís, por favor, calla y estate quieto.

Se calló, se estuvo quieto. ¡Lástima de chocolate! El tránsito del puente continuaba. Un gran moscardón volaba alrededor de la luz del farol.

La calle principal de Bourg-Madame estaba llena de hombres, de mujeres, de niños, de equipajes. Había escaparates iluminados —¡qué ocasión para los comerciantes!— y en uno de esos escaparates Lluís vio pan blanco. Tere compró un kilo. Era un pan muy bueno. «¡Esto no parece pan!», se extrañó Lluís.

Los hoteles, las pensiones, todo estaba lleno de bote

en bote. Pero Artur había encontrado una solución: dormirían, con otras familias, en un establo.

—Papá, papá... ¿un establo de verdad? ¿Un establo de verdad?

—¿Quieres callar? —gritó Tere. Estaba nerviosa. Tenía los ojos encarnados, hinchados, y la piel ajada, como aquel día en que, viniendo de la calle, había anunciado a Artur y a Lluís la caída de Barcelona.

—¡Es que no puede! —dijo Artur, enfadado—. ¡Es que no puede estar callado ni un momento!

Afligido por la manifiesta injusticia de aquella observación paterna, Lluís calló, casi lloró. Pero pronto acabó por tararear:

—Iremos a un establo... Dormiremos en un establo...

Era un establo de verdad, con vacas de verdad y montones de heno de verdad. Olía a ganado, a forraje, a leche recién ordeñada. El dueño del establo, un francés gordo y sonriente, dio a cada niño un vaso de leche. En el vaso de Lluís flotaban trocitos de paja.

—¡Mira qué bigote! —dijo Tere. Por fin sonreía. Lluís se miró en el espejito de la polvera de su madre y, al verse una pequeña franja blanca en el labio superior, se rió mucho.

Recibió una bofetada: con los otros niños, se acercaba demasiado a las vacas, según Tere.

Le dijeron que durmiera, pero estaba demasiado excitado para conseguirlo enseguida. Fingió dormir. Escuchó el murmullo de las conversaciones de los mayores.

—¿Ya están en Puigcerdá...?

—Dicen que llegarán de un momento a otro.

Con los ojos cerrados, iba cambiando de posición sobre la paja, divirtiéndose mucho con la idea de que engañaba a todos.

—Mañana —decía Artur— nos iremos de aquí. Nos llevarán a La Tour de Carol.

—Y de allí, ¿no sabes adónde?

—No quieren decir nada. Se comprende. Están desbordados.. Quizá ni ellos mismos lo saben.

Los párpados se le cerraban. Ya no era necesario que se esforzase en tenerlos cerrados.

Dos hombres discutían sobre el precio de un anillo que uno le vendía al otro.

—María —decía un hombre—. María... ¡Nos hemos dejado la gabardina de Pepe...!

—¿Lo has mirado bien? ¡Habría jurado que estaba en la maleta!

Otro decía:

—En estos momentos me gustaría estar en casa para ver la cara que pondrán si intentan tocar el piano. Antes de irme he cortado las cuerdas. ¡Je, je! ¡No tocarán el *Cara al Sol* en mi piano!

—¡Vaya! —decía Artur—. ¡Ya no tengo tabaco! Y eso que...

Una explosión lejana. Lluís se estremeció. Quizá más allá del puente, en el Puigcerdá oscuro y silencioso, un gigante fascista había inflado, con su aliento, una bolsa enorme para hacerla explotar, seguidamente, entre las manazas...

—¿Qué es eso, mamá?

Durante algunos segundos, sólo se oyó el crujir de la paja bajo los cuerpos inquietos.

—¡Ya están aquí! —dijo un hombre, riendo. Consiguió romper la tensión naciente.

—¿Qué pasa, mamá? ¿Qué pasa?

Lluís estaba a punto de llorar.

—¿Quieres callar y dormir?

En las ventanas del establo, los vidrios vibraban todavía.

Era de día y Artur volvía de la calle.

—¿Qué? ¿Nos despertamos? —Pasaba la mano por los cabellos de Lluís—. Están en Puigcerdá, Tere.

Se les veía tristes, marchitos, fatigados.

Llegaron unos gendarmes. Se formó un grupo a su alrededor. Hablaron en francés. Artur tradujo. Se acercaba el momento de partir.

«¡Con tantas cosas, seguro que no se acuerdan de lavarme la cara!», pensó Lluís.

Mediodía. Dentro de una hora, tendrían que subir a los grandes camiones del ejército francés. Desde el piso del dueño del establo se veía Puigcerdá: los aviones del Caudillo volaban sobre las casas de rojos tejados, brillaban como si fueran de plata al sol del invierno. La bandera republicana ondeaba todavía sobre la gran torre de Puigcerdá. Se oían explosiones y, aquí y allá, sobre la ciudad, humaredas negras subían al cielo.

—¿Los aviones están bombardeando, papá?

—Todo está minado —decía Artur al francés—. Una casa puede volar cuando alguien toque un timbre, cuando enciendan una luz, cuando abran un grifo...

Explicaba su última visión de Puigcerdá: tiendas saqueadas, *pacos* en las azoteas, bibliotecas enteras tiradas a la calle, archivos que ardían delante de los locales oficiales...

Lluís se entretenía toqueteando el interruptor, para ver si volaba la casa del francés. Corrió hacia la cocina. Abrió el grifo.

—¡Booom!

—¡Lluís! ¡Ven aquí inmediatamente! —ordenó Tere.

Artur, con los codos en la ventana, cerca del francés y de dos españoles más, decía:

—... ¡y ametrallan a la gente que huye! ¡Las carreteras están llenas de cadáveres!

Cuando llegaron a una plaza de La Tour de Carol Artur cogió a Lluís en brazos y le bajó del camión. Su madre le dio un bocadillo. Los gendarmes insistían: no había que alejarse mucho de los camiones, ya que dentro de dos horas tendrían que encontrarse todos en el mismo sitio.

—¿El hospital, por favor? —pidió Artur a un gendarme.

—Cerca de la estación. Mire, tuerza a mano derecha y después...

Lluís y sus padres fueron hacia la estación. Desde una ventana un francés gritaba, cuando pasaban unos refugiados:

—¡Eh, rojos! ¡Ahora las pagaréis todas juntas, puercos! ¡Así aprenderéis a fusilar a Cristo!

La estación era bastante grande. Había muchos refugiados, descuidadamente vigilados por gendarmes. Soldados fatigados, sucios, se despiojaban al sol. Monjas blancas y azules, humildes y eficientes, recorrían los andenes.

Unas personas miraban algo, entre dos vagones de mercancías.

—¿Qué miran?

—Una desgracia, Lluís.

—¡Un muchacho! Cayó del tren y el tren le ha cortado la cabeza —decía un soldado jovialmente. Hizo un gesto muy expresivo con la mano.

—¿Qué? Papá, papá... este soldado... dice que el tren ha cortado la cabeza a un muchacho... ¿Como si fuera un cuchillo?

—¿Quieres callar? Anda, Tere, que apenas si tenemos tiempo de ver a aquel pobre chico.

La pequeña iglesia se había convertido en pequeño hospital. Había dos hileras de jergones de paja. Se oía, a intervalos regulares, un estertor extraño.

—¿A quién vamos a ver, papá?

—Calla.

Tere hablaba en voz baja: la iglesia continuaba siéndolo. El señor Manolo se rascaba mucho y espantaba las moscas con gestos pacientes, tranquilos, como los de un animal. Una monjita, con la cara pálida y la frente sudorosa, se acercó:

—¿Se encuentra mejor ahora?

—No la entiendo, pero gracias de todas maneras, hermana —dijo, en castellano, el señor Manolo.

No pareció muy sorprendido al verlos. Dijo:

—Buenos días.

Ya no se oía el estertor. Al fondo, hacia el lado del altar, unas religiosas estaban atareadas junto a un jergón, se llevaban una forma humana envuelta en una manta.

—¿No sabéis nada de mamá?

—No —mintió Artur.

La madre del señor Manolo había sido decapitada por una bomba, en la plaza de España. La bomba había arrancado, también, la cabeza de otra vieja. En el momento del entierro aquello había planteado todo un problema de identificación.

—No —repitió.

—¿Quién podía imaginarse una cosa así? —dijo el señor Manolo, espantando distraídamente una mosca que no existía.

—Nadie —afirmó Artur.

Callaron. Tenían cara de haber hablado de alguien muy querido, ya muerto.

El señor Manolo miró a Lluís y sonrió.

—Y el canario, Lluís, ¿te acuerdas?

—Ya lo creo —dijo Lluís. Quiso añadir alguna cosa más, pero Tere se llevó un dedo a los labios. El señor Manolo tenía los ojos extrañamente fijos; seguramente veía cosas que ya no existían.

—¡Sí, mira...! —dijo con los labios apretados y meneando la cabeza.

Añadió con una media sonrisa:

—Yo... Ya lo estáis viendo...

Hizo un gesto cansado, señalando su cuerpo bajo la manta. Lluís se dio cuenta entonces de que no se veía el volumen de las piernas del señor Manolo, bajo la tela parda. El señor Manolo alzó la mano derecha y la dejó caer seguidamente.

—Si por casualidad tuvierais noticias de mamá, sobre todo no le digáis nada de esto, ¿eh?

En la plaza, Artur tradujo lo que el gendarme acababa de decir:

—Los hombres, a un lado. Las mujeres y los niños, al otro.

Los camiones cargados de hombres arrancaron. Muchas mujeres y niños lloraban.

—¡Adiós! ¡Adiós! —gritaba Tere. Artur se alzaba sobre las puntas de los pies, en la parte trasera del camión. Agitaba un pañuelo.

—¡Adiós, papá, adiós!

Los camiones se alejaban en medio de una gran polvareda.

Los trenes corrían bajo la lluvia, llenos de mujeres y de niños españoles. De noche, los gendarmes hacían guardia, iluminaban los oscuros compartimentos con las linternas.

—¿Qué pasa? ¿Qué pasa? ¿Ya hemos llegado?

Hacia delante, hacia atrás, hacia delante, hacia atrás.

El tren maniobraba a la entrada de cada estación. Luces amarillas brillaban sobre el estuario, malva y azul, del Garona. Era casi de día. Unos senegaleses arrastraban grandes bidones a lo largo de andenes y pasillos. Dentro de los bidones había un líquido terroso que distribuían en viejos botes de leche condensada.

—Gracias —dijo Tere. Lluís bebía achicoria. Una mujer gritó, de pronto, espantada. El senegalés la miraba, sonreía, no entendía lo que pasaba. Le ofrecía un bote de leche condensada lleno de achicoria.

—¿Ésta no quiere café? —preguntó amablemente, mirando a las demás. La mujer sollozaba. Tere intentó calmarla. El negro acabó por comprender. Estaba consternado.

—No le he hecho nada... No le he hecho nada... ¿Por qué llora?

Empezaba a asustarse. Temía que el incidente le trajese alguna complicación. Salió, vacilante. La mujer dejó de llorar. Decía:

—¡Quiero volver a España! ¡Quiero volver a España...!

—Volveremos juntas —dijo Tere—. ¿Se cree que esa gentuza estará en el poder más de tres meses?

En el viejo molino de Confolens, la nieve atravesaba el tejado por varios sitios y caía sobre los jergones. Los adultos estaban en la planta baja, alrededor de un viejo bidón lleno de brasas. Un gendarme decía:

—¡Ah! Los inviernos aquí, en la Charente Inferior, son duros... ¡Esto no es España, evidentemente!

Otros chicos dormían en la paja, al lado de Lluís. Había una lámpara de petróleo en el suelo, al fondo de la gran sala. Copos de nieve brillaban fugazmente y desaparecían. Una pequeña forma gris atravesó el espacio iluminado y desapareció.

—¡Ratas! —exclamó Lluís—. ¡Hay ratas!

Pero los otros continuaban durmiendo.

Cuando Tere volvió, intentó tranquilizarle:

—¿Ratas? No hombre, no. Lo has soñado.

Artur, desde el campo de concentración de Bram, donde se las compuso para arreglar relojes, enviaba dinero. «El niño debe ir a la escuela», escribía. Hizo todas las gestiones necesarias y Lluís pudo ir a la escuela.

—Sí —decía Lluís, como podía, a los chicos franceses—, soy español. Pero, cuidado, ¿eh? Nosotros no somos de esos que sacan enseguida la navaja y se pasan el día tocando la guitarra, ¿eh? Nosotros somos catalanes.

—Libertad, igualdad, fraternidad... ¡Menuda gracia! —refunfuñó Andreu Martí con voz débil.

—Tómese una aspirina e intente dormir —respondió el doctor Ripoll, sin demasiada convicción. Desde que había llegado, él mismo no había conseguido dormir. Iba de un lado a otro, por entre los heridos y los enfermos, sentados o tendidos en la nieve, en torno a hogueras miserables donde se quemaban cosas insólitas.

Miró hacia las barracas de los gendarmes.

—No es posible que nos dejen siempre así, tirados por el suelo.

Las luces de las barracas brillaban con un resplandor cada vez más vivo en el crepúsculo. Una pata de caballo salía de la nieve, tiesa, como un extraño arbusto.

—¡Menuda gracia! —repitió Andreu con una mueca de dolor—. ¡Me parece que lo que es yo, no voy a trabajar mucho en este país!

—Mañana habrá que tomar una decisión —dijo el doctor Ripoll—. ¿No cree usted, Martí? Le digo que mañana habrá que tomar una decisión. Haremos alguna cosa, todos juntos. Martí, ¿se ha dormido ya? ¡Eh, Martí! ¡Martí!

Después de buscar en vano el pulso de Andreu, el doctor Ripoll se levantó. Extendió su puño hacia las barracas de los gendarmes y empezó a renegar.

De las barracas llegaba una canción:

... que chantent les «señoritas»,
si brunes,
quand luit sur la «plaza»
la lune...

En la estación de Tarbes, Artur cogió a Lluís en brazos y le estrechó con fuerza. Besó a Tere. El coche los llevó hasta la torre del señor y la señora Hautbel. A pesar de que eran de las Croix de Feu,* habían aceptado dar trabajo a un refugiado español: se decía que entre aquellos bolcheviques había, pese a todo, personas decentes que habían sido embaucadas por cuatro lobos. Personas decentes que trabajaban bien, y a precios muy razonables.

Los Hautbel tenían un gran establecimiento de relojería en la Avenue du Maréchal Foch. En la torre, Tere lavaba, barría, cocinaba. Al anochecer, *monsieur* y *madame* Hautbel volvían a casa, en coche, con Artur.

Monsieur Hautbel enseñaba, de buen grado, su mano izquierda y decía, guiñando un ojo:

—Durante la guerra del 14-18, me declararon inútil, gracias a un «accidente» que... ¡je, je!... tuve. ¡Preferí perder dos dedos que ir a parar al matadero!

Le ahogaba una risa de hombre gordo. Estaba contento de haberle hecho aquello a *la France*. En Verdún, en las riberas del Marne, en el bosque de la Grurie, había muchos hombres enterrados, muchos hombres que no habían sabido componérselas, los muy estúpidos. Madame Hautbel hacía todo lo posible por llevarse a la cama a Artur, sin conseguirlo. Abusaba de las ciruelas en aguardiente y, a veces, alcanzaba momentos de una rara felicidad: tenía la impresión de que ya no existía.

En Tarbes, en su tienda, *monsieur* Hautbel examinaba el reloj de un posible cliente.

—Le costará cuatrocientos francos, señor.

El posible cliente torcía el gesto.

—Me parece un poco caro. Gracias, de todas formas.

—De nada. Como usted quiera.

Dejaba el reloj sobre el mostrador para que el cliente

* Organización ultraderechista francesa.

lo cogiera. El reloj estaba sobre una hoja de papel. El papel disimulaba una plaquita metálica.

—... y cuando un reloj está imantado —explicaba Artur a su mujer— ya lo puedes tirar a la basura, ¿comprendes? Porque cuesta un ojo de la cara desimantarlo, pieza a pieza, ¿comprendes? No, Tere, no... No quiero hacer cosas así. El otro día ya le dije que conmigo no contase para hacer estas putadas.

Se disponían a abandonar Tarbes. Irían a Limoges, más bien a la aventura. *Madame* Hautbel miraba a Tere de arriba abajo.

—Espero —decía— que no me habrán dejado ustedes ningún artefacto bajo la cama...

En Limoges, los Martí hicieron amistad con los vecinos del rellano. Se llamaban Goldmann.

El señor Goldmann, alto, delgado, con bigote negro y sonrisa indulgente, un poco triste, se informaba:

—A ver, Lluís, ¿a ver qué has dibujado aquí? ¡Ah! ¡Ya lo sé! ¡Es un típico artrópodo con un caparazón quitinoso!

Bajo la sombra del tilo del patio, el señor Goldmann comentaba con Artur el pacto germano-soviético. Artur se había quedado estupefacto. El señor Goldmann decía:

—¿Acaso Stalin podía hacer otra cosa? ¡Todas las cancillerías le han mandado a hacer puñetas! Y no ha tenido más remedio que acabar por comprender lo que, en el fondo, quieren los gobernantes de las democracias burguesas: matar dos pájaros de un tiro. Asistir, como espectadores, a un combate a muerte entre la URSS y la Alemania nazi.

—¡De todas formas...! ¡Pactar con esos asesinos...! ¡Con semejantes canallas...! Si yo fuese comunista rompería hoy mismo mi carnet.

—No es la primera vez que los comunistas las pasan moradas con Stalin, ¿sabe usted?... Pero en esta ocasión, créame, el viejo zorro tiene razón.

Goldmann era médico. Él y su familia pasaban muchos apuros porque, en Francia, no podía ejercer. Habían huido de Austria después del Anschluss, y si el doctor había cavilado un poco antes de hacer amistad con Artur era porque imaginaba que, siendo español, era posible que, pese a su condición de refugiado político, fuese igualmente católico. Para justificar aquella actitud tan rígida, invocaba el Concordato (que calificaba de «siniestro»), firmado el año 1933 entre la Santa Sede (el cardenal Pacelli, futuro Pío XII) y el Estado Nacionalsocialista (Franz von Papen, futuro «camarero secreto» del Papa). Recitaba de memoria, en un tono «pastoral» burlón, la llamada «Declaración solemne» hecha por los metropolitanos austríacos en 1938:

«Con profunda convicción y de una forma completamente voluntaria, Nosotros, los abajo firmantes, obispos de la Iglesia austríaca, declaramos, en ocasión de los grandes acontecimientos en la Austria alemana, que...

(Al llegar aquí el señor Goldmann alzaba la mano derecha y subrayaba con el índice las palabras siguientes):

»... reconocemos con alegría el movimiento nacionalsocialista que ha rendido y rinde todavía apreciables servicios al Reich y al pueblo alemán en el terreno de la edificación nacional y económica y en el de la política social, notablemente por lo que hace referencia a las capas pobres de la población. Estamos, por otra parte, convencidos de que la acción del movimiento nacionalsocialista ha apartado el peligro del bolchevismo destructor y ateo. Los obispos acompañan su acción futura con sus mejores votos y exhortan a los fieles en este sentido. El día del plebiscito será para Nosotros, obispos de Austria, un deber nacional de alemanes dar nuestra adhesión al Reich alemán y esperamos de todos los cristianos fieles que tomen conciencia de sus deberes hacia el pueblo.»

Deseando igualar esta pequeña proeza mnemotécnica, Artur probó a aprenderse de memoria cierta declaración hecha por Pío XII. Pero no consiguió nunca ir más allá del primer párrafo:

«Con inmensa alegría, Nos, nos dirigimos a vosotros muy estimados hijos de la España católica, para expresaros nuestras felicitaciones paternas por el don de paz y victoria con que Dios se ha dignado coronar el heroísmo cristiano de vuestra fe y de vuestra caridad, puestas a prueba en tan numerosos y generosos sufrimientos...»

Cuando llegaba el *Yom Kippur*, el día del Gran Perdón, después de un día de ayuno la señora Goldmann preparaba sabrosas golosinas para la noche de la fiesta. Rita, su hija, tenía la misma edad que Lluís. Un día que quería enseñarle los dos volúmenes de *Vingtmille lieues sous les mers* que su padre le acababa de comprar, Lluís abrió bruscamente la puerta del piso de los Goldmann y, desde el umbral, la vio completamente desnuda dentro de un barreño: su madre la estaba lavando. Lluís cerró enseguida, murmurando una excusa. Durante una semana, cuando encontraba a Rita por la calle, se escondía.

Otra vez la sorprendió en su habitación, leyendo un libro muy grueso. Cuando se acercó, ella guardó precipitadamente el libro en un cajón. Le dijo que no se lo podía enseñar, que era un libro sagrado.

—Pero, vamos a ver, ¿ni siquiera me lo puedes enseñar a mí, que soy tu amigo? —se extrañó Lluís, algo enfadado. Había entrevisto una imagen, al principio del libro, donde había un viejo venerable y barbudo, con una especie de triángulo resplandeciente detrás de la cabeza.

—Ni tan siquiera a ti, Lluís. Porque, ¿sabes?, es un libro sagrado y no puedo enseñártelo.

Estaban en la habitación, solos. Los ojos negros de Rita se llenaron de lágrimas. Bajó la cabeza para que Lluís no la viera llorar. Oscurecía, todo se volvía gris azulado, y el único color vivo era el rojo de los pantalones del Mickey Mouse de peluche, sobre la cama de Rita. Desde la ventana se veía brillar el sol tras el tilo del patio.

—¡Vete! —dijo ella—. ¡Vete!

Lluís olvidó su enfado para consolarla.

—No llores, Rita. Anda, no llores. No hace falta que me enseñes tu libro sagrado, si no quieres...

Rita escondió la cara entre las manos y se puso a sollozar. Entonces Lluís la abrazó y le dio un beso en la mejilla. No se atrevió a darle más. Estuvieron con las caras juntas hasta que Lluís notó las lágrimas de ella en la piel.

—Anda, no llores —murmuró sin apartarse—. Mira, mira qué bonito está el tilo. Parece que se quema...

Sintió aquella emoción súbita, inesperada, que ya había sentido otra vez, en Camprodón, al lado de una niña disfrazada de campesina rusa. Él iba disfrazado de *mujik*. La niña era hija de un compañero de su padre que, tras recomendarles que alzasen bien el puño, los había fotografiado. «Sólo falta el tractor», comentó Artur. Después se fueron todos al cine. Y fue cuando estaban a oscuras cuando Lluís acercó su cara a la de la niña. Estuvieron, mejilla contra mejilla, algunos minutos de una dulzura vivísima y extraña que a Lluís le produjo como un dolor en el pecho y le despertó, al mismo tiempo, una cierta vergüenza. Hasta que Natalia se retiró.

Lluís, en aquellos días de Camprodón, hubiera dado cualquier cosa por saber por qué las niñas tenían, entre las piernas, una cosa diferente a la que él tenía. Una cosa que, por otra parte, sólo había podido ver, furtivamente, en la escuela, en los jardines públicos, y nunca tan detalladamente como él deseaba, tanto, que había noches en que soñaba que sí, que la veía en detalle. Y la cosa tenía las formas más extrañas e inesperadas. Lluís intuía que una petición de información hecha a cualquier adulto sería mal recibida.

La tarde de aquel día de la foto, él y Natalia se la pasaron jugando. Lluís se inventó un juego según el cual se tenían que agachar los dos, muy a menudo. Lo malo es que la niña llevaba bragas.

El tilo se había apagado y alguien subía la escalera. Rita se apartó de Lluís y se secó furtivamente las lágrimas. Encendió la luz.

Era después de la retirada de Dunkerque: en el barrio, todos hablaban mal de los ingleses, y los alemanes se acercaban a Limoges. Una noche, el señor Goldmann llamó a la puerta de su vecino español. Muy inquieto, habló largo rato con Artur, que estaba en cama a causa de un ataque de hígado. Al día siguiente, Artur se levantó, fue a casa de uno de los relojeros-joyeros que le daban trabajo y le vendió un anillo que llevaba siempre. Acto seguido le dio el dinero a Goldmann. También él estaba mortalmente inquieto por el avance de los alemanes, pero, después de pensarlo mucho, concluyó:

—¿Sabéis lo que os digo? ¡Que ya estoy harto de huir siempre! Nosotros nos quedaremos. Prefiero correr el riesgo de que esos cerdos me cojan y me envíen a España.

Volver a España, consideraba, era lo peor que podía pasarle en el mundo. Y aún más porque en Limoges se ganaba la vida bastante bien como relojero. A menudo decía:

—¡A mí tendrán que arrastrarme, si quieren que vuelva mientras mande esta gente!

También decía:

—¡Vale más ser chino que español!

En aquellos momentos, su inquietud había aumentado porque, días antes, un hombre y una mujer habían venido a pedirle refugio. El hombre había sido un importante político de la *Generalitat* y la mujer, ex *vedette*, muy conocida, era, decía Artur, su querida. Artur tenía miedo de las desagradables consecuencias que podía tener, para él y su familia, la posible detención de la pareja en su propia casa. Una mañana, al volver de la calle, donde le habían dicho que los *panzers* alemanes estaban a doscientos kilómetros de Limoges, afirmó:

—Me acaban de decir que están muy cerca de aquí... Es muy posible que lleguen esta misma noche. Parece que ya sólo les quedan cincuenta kilómetros de trayecto.

La pareja dejó Limoges después de comer. Tere tiró a la basura una maquinilla de afeitar que se había olvidado la *vedette* y comentó, escandalizada:

—¡Mira que afeitarse los sobacos...!

Los Goldmann decidieron marcharse aquella misma tarde. El doctor abrazó largamente a Artur y los dos hombres se miraron en silencio, con lágrimas en los ojos.

Cuando los Martí salieron para decir adiós a los amigos, Lluís vio a los vecinos franceses abrir trincheras en el jardín. Un gendarme retirado, con grandes bigotes blancos bajo una nariz violácea, dirigía las operaciones. La propietaria de la casa, la anciana *madame* Dulac, presenciaba aquella tentativa de fortificación.

—¡Avisadme si encontráis petróleo! —dijo con una sonrisa que le torcía la boca. Cuando salía a pasear por el jardín, *madame* Dulac lo hacía siempre con un paraguas abierto, como temiendo que sus inquilinos (a quienes la dama acusaba de haber matado, con lejía, todos los árboles frutales del jardín) le tirasen algún proyectil desde lo alto.

Lluís la oyó decir:

—¡Qué caray! ¡Si los *boches* traen mantequilla, que sean bienvenidos!

—¡Calla, mala puta! —escupió *monsieur* Boulier, el vecino del tercero, azada en mano.

Pero los alemanes estaban tan cerca que nadie se atrevió a añadir nada más. *Madame* Dulac, no obstante, se retiró prudentemente con su paraguas, limitándose a responder:

—¡Ya verás, ya! ¡Ya verás lo que harán los *boches* contigo, comunista de mierda!

Con los mismos fardos y las mismas maletas que habían arrastrado por media Europa, los Goldmann se iban hacia la estación. Rita besó a Lluís, que se puso encarnado, y le regaló el Mickey Mouse de peluche y un libro grande de fábulas de La Fontaine, con la encuadernación algo estropeada. También le dio una mariposa clavada dentro de un estuche de cartón y papel celofán.

—¡Guárdala bien! —le dijo el doctor Goldmann, con los ojos húmedos—. Es un *heliconius doris-viridis* del Perú, un lepidóptero realmente notable.

—¿Escribirás? —preguntó Lluís, llorando—. ¿Me escribirás, Rita?

—¡Claro que sí! —respondió Rita, que reía con los ojos llenos de lágrimas—. No llores, hombre, no llores.

Lluís les dijo adiós con la mano hasta el momento en que doblaron la esquina y desaparecieron para siempre.

Rita no escribió. Muy pronto, no quedó de ella más que un poco de humo negro en el cielo de Polonia... Un poco de ceniza en las aguas del Vístula.

Lluís volvía de la escuela. Entró en la habitación de sus padres.

Artur había tenido otro ataque de hígado. Echado, temblaba de frío bajo tres mantas y dos abrigos.

—¡Papá, oye, papá! ¿Sabes lo que he visto en la plaza Jourdan, cerca de la Kommandantur?

Su padre murmuró algo ininteligible.

—Una inscripción... Una inscripción con pintura negra, papá... *Pour enlever le vert-de-gris, employez la pâte De Gaulle.** ¿Qué quiere decir, papá?

—Pero Lluís, ¿no ves que papá está enfermo?

Lluís se sentó al lado de la cama. La puerta de la calle

* Para quitar el verdín, emplead la pasta De Gaulle. (Alusión al color del uniforme alemán.)

se cerró detrás de Tere. Lluís miró a su padre. Artur le devolvió la mirada desde el fondo de un mundo privado, secreto, donde las cosas empezaban a verse extrañamente desdibujadas.

—Lluís —dijo—. Lluís... De ahora en adelante has de ser buen chico, ¿eh? No enfades a mamá. Papá se morirá.

Estuvo veinte días en el hospital, antes de que se decidiesen a operarle. Nunca estuvo solo, sino entre otros enfermos, en una sala grande y clara, con ventanas que daban a los castaños bordes de la plaza del Hôtel de Ville. Tere le iba a ver cada día. Lluís no tan a menudo, porque cada vez tenía que pedir permiso en la escuela. «La escuela es antes que nada —decía Artur—. Bastante nos veremos cuando salga.»

Artur se quejaba de las monjas y, también, de un checo de las Brigadas Internacionales a quien, de cuatro a seis de la tarde, le dejaban tocar el violín.

—¡Ya estoy hasta la coronilla de su violín! —protestaba Artur. Con la complicación de la flebitis, habían transcurrido dos meses y había perdido unos cuantos kilos más.

Tere estaba más bien inquieta, pero «aunque todos han creído siempre que soy de pasta flora, supe hacerme la valiente», explicaría muchas veces, tiempo después. Se hizo la valiente y realizó, además, verdaderas filigranas con los pobres ahorros que tenían. Lluís miraba a su padre, durante las visitas, sin saber qué decir. Por las ventanas subían los gritos de los niños que jugaban en el patio de un colegio próximo.

—Anda, Lluís —decía Artur—, sal al jardín a jugar. Déjale, Tere, que esto no es sano para un niño.

Lluís perseguía libélulas por el jardín del hospital, bajo las miradas graves de hombres sentados al sol. Hombres a quienes el pijama que llevaban les venía, cada día, un poco más ancho.

Artur se quejaba, sobre todo, de *soeur* Renée, que le arreglaba la almohada con energía y le hacía comer, sin miramientos, con una sonrisa de resignación altiva. Un día, cuando le cambiaban las sábanas, Lluís vio a su padre desnudo, peludo y delgado. Los ojos del niño encontraron los ojos avergonzados y hundidos de un hombre tan acabado que ya no tenía ni el gesto instintivo de taparse el sexo. Lluís desvió la mirada. Una vez la ropa cambiada, Artur puso una mano sobre el brazo de su hijo y dijo a su mujer:

—¡Menos mal que te queda el niño, Tere! Menos mal.

Habían operado al checo y ya no tocaba fragmentos de *La zorrita astuta*, de Jan Kubelik... «Ahora —decía Artur— da la murga a base de quejarse y pedir agua a cada instante.»

Como no se la daban, una noche se levantó sin permiso y fue a beber al grifo del lavabo. Murió sin poder volver a la cama.

En casa, Lluís cantaba, reía, corría, silbaba...

—Lluís —decía Tere—, parece que ya ni te acuerdas de papá.

»Se morirá —decía cuando iba a dar noticias de él a los relojeros que le habían proporcionado trabajo—. Se morirá.

—¡No diga eso, *madame* Martí! —decían los relojeros.

Uno de ellos le dio quinientos francos.

Una tarde, al volver del hospital, Tere dijo:

—Ya está, Lluís. Ya está.

Tenía los ojos muy encarnados, pero ya no lloraba.

—Se ha muerto esta madrugada, mientras dormía, me han dicho. Dicen que no ha sufrido.

Buscando dentro de él un nuevo dolor, Lluís sólo sintió lo que ya había sentido aquellos días. Sobre todo, el día que su padre le había dicho: «Papá se morirá.»

Y se fue a jugar.

Miquel Soler escribía a su hija:

«... y si te decides a volver, haré todo lo que pueda para comprar una tienda como la que teníamos, antes, en la carretera de Mataró, ¿te acuerdas? Eras todavía una niña, con aquellos tirabuzones y tu madre, pobrecita, que Dios la haya perdonado, podríamos vivir juntos. De momento, vosotros podríais ir a vivir a casa de Ernest, yo vivo en un cuarto y no puedo deciros que vengáis a vivir conmigo. Ya sabes lo que pienso de Ernest y también de Aurelia, pero no creo que se atrevan a decir que no, vamos, digo yo...»

—¡Volvemos a España! —dijo Lluís muy excitado a *monsieur* Demaison, su maestro—. Mi abuelo comprará una tienda y podremos vivir juntos.

—¿Y los fascistas no os harán nada?

—El abuelo dice que no... Que no hacen nada a las mujeres y a los niños que vuelven.

—Sí, claro, eso debe de ser a según qué mujeres —dijo *monsieur* Demaison—. ¿Y dónde viviréis?

—Iremos a casa de mi tío Ernest. Es hermano de mi madre. Es muy bueno. Y muy bromista. ¡Hace una gracia...!

Se fueron de Limoges en tren. Lluís estaba muy contento. Tere le reñía:

—Sólo hace un mes que papá se ha muerto y, hala, tú te pones a cantar como si nada...

Llevaban ropa teñida de negro deprisa y corriendo. Tere estaba inquieta: albergaba muchas inquietudes con respecto a Ernest.

Explicó a Lluís que su tío, desde muy joven, empezó a no entenderse con el abuelo Miquel. Que el abuelo le había echado, a los dieciocho años —algunos días después de haberle encontrado con la mano dentro de la caja—, cuando le sorprendió orinando en una de las palanganas donde se ofrecían, a la clientela de la tienda, garbanzos y judías cocidas. «¡Era una broma! ¡Era una broma!», parece que se disculpó Ernest, bajo un chaparrón de pescozones.

La abuela, que Lluís había conocido gracias a fotografías amarillentas, lloró y suplicó, pero, como de costumbre, Miquel Soler no cedió. Ni siquiera quiso acompañar a su hijo el día en que, vestido de caqui y calzado con alpargatas, le embarcaron en un barco de mala muerte que zarpaba hacia Melilla. Parece ser que aquel día Ernest no tenía ganas de hacer reír a nadie. Movía tristemente la gruesa cabeza pelada al cero y decía a quien quería escucharle:

—¿Qué os parece esto? ¡Me llevan al matadero! ¡Me llevan al matadero con todos estos murcianos!

En Melilla se convirtió en el ordenanza del capitán don José Panduro Heredia, y cuando le desmovilizaron obtuvo, a través del padre del capitán, el general don Pantaleón Panduro Lasplazas, héroe de la guerra de Filipinas, un empleo de contable auxiliar en las oficinas de Can Bartrina, la enorme fundición de Pueblo Nuevo. El general tenía un cargo importante en la administración de la empresa, a la cual el gobierno encargaba sustanciosos pedidos de material de guerra.

Gracias a la abuela, Ernest acabó por reconciliarse con su padre. Alquiló y amuebló, con ayuda de sus protectores, un piso en la calle Pedro IV y se casó con Magdalena Piñeiras, una chica gallega muy mona que había sido doncella en casa del general.

Tres meses después, Magdalena tuvo un niño.

Panduro Heredia, ascendido mientras tanto a comandante y a punto de casarse con una de las herederas Bartrina, aceptó ser el padrino del nuevo cristiano. Cuando la ceremonia del bautizo se acabó, el viejo general tomó al bebé de manos de su hijo y dijo, en voz alta:

—¡Y ahora, que seas un valiente y que ganes muchas condecoraciones, como tu abuelo! ¡Que guerras no han de faltar!

Los bigotes, que llevaba a lo káiser y llenos de pomada, le temblaban de emoción.

Con un sentimiento mezcla de miedo, de burla, y de cierta ternura, Ernest explicaba, a veces, que un día, en el curso de una recepción en los jardines de la Granja, cuando la mujer de un diplomático sudamericano le preguntó por qué le habían dado una de sus numerosas medallas, el general respondió, agitando un puño cerrado.

—¡Porque los tengo así, señora mía, porque los tengo así! Y esta otra, mire usted bien, me la han dado por haber obstaculizado el informe Picasso.

José —a quien llamaban Papitu— ya tenía siete años cuando Magdalena Piñeiras cayó enferma, poco después de que se exiliase el general Panduro Lasplazas. Comprometido en la tentativa del general Sanjurjo, se había ido a París. Allí vivía en el mismo lujoso hotel donde, algunos años antes, había ido a residir don Miguel Primo de Rivera para comer el negro pan del exilio. Don Pantaleón murió una noche en la cama, a consecuencia de un infarto que le fulminó al descubrir que la bella *demimondaine*, de una cierta edad, que había conquistado en el casino de Enghien era, en realidad, un *travesti* de Pigalle.

Magdalena Piñeiras tenía un cáncer en el pecho. Compadecida, Aurelia Martínez, vecina de rellano y viuda reciente de un estibador del puerto, tuvo a bien ocuparse de Ernest y Papitu, a quien, en Can Bartrina, las malas lenguas llamaban el Generalito. Magdalena murió simulando que no se había dado cuenta de la naturaleza de las relaciones que se habían establecido, rápidamente, entre Ernest y la vecina.

Cuando, al volver del entierro, Tere, escandalizada, habló con su padre de aquellas relaciones, aquél se limitó a responder:

—¡El muerto al hoyo y el vivo al bollo!

Ernest y Aurelia no tuvieron hijos.

El comandante Panduro tenía grandes proyectos con

respecto a su ahijado. Pero el 18 de julio de 1936 se sublevó contra el gobierno de la República. Capturado tras dura resistencia, pasó al barco-prisión *Uruguay* y de allí al tribunal que le condenó, por rebelión militar, a morir en los fosos de Santa Elena, en el castillo de Montjuïc. Durante los días que precedieron a la ejecución de la sentencia, pidió que le dejasen ver a un hijo que, al parecer, tenía... El niño en cuestión vivía en casa de cierta pareja, en la calle Pedro IV. Pero a los agentes del SIM que le interrogaron, el supuesto padre adoptivo negó toda relación con el comandante.

Reconfortado con los santos sacramentos, José Panduro Heredia hizo frente a los fusiles del pelotón de ejecución un poco antes del alba de un día de septiembre.

La lluvia que había caído se había llevado el bochorno nocturno.

—¿Quiere algo especial, mi comandante? —preguntó el joven teniente que mandaba el pelotón.

—No, gracias.

—¿Un cigarrillo?

—Tengo los míos.

El comandante Panduro sonrió, vaciló un poco, sacó un cigarrillo. El teniente le dio fuego. El comandante fumó en silencio durante algunos segundos. El cigarrillo no tiraba.

—Por lo menos, ya no hace tanto calor, ¿no?

—Sí, mi comandante.

El cigarrillo se apagó. El teniente intentó volverlo a encender.

—No, deje, es igual. No fumaba mucho, ¿sabe? Hala, vamos a ello.

La luna se reflejaba en los charcos. Cuando el comandante, de espaldas a la pared acribillada de agujeros, miró las caras pálidas de los presentes, dijo algo —humorístico, sin duda, ya que sonrió— que nadie oyó.

Pidió que no le vendasen los ojos y pidió, también, que

le dejaran dar la orden de disparar. Y aunque las piernas le temblaban, abombó el torso y, para dar ánimo a los que quedaban en los calabozos, queriendo contribuir así, en la medida de lo posible, a evitar que alguien pudiese dar un espectáculo cuando le llegase la hora, gritó con voz fuerte:

—*¡Arriba España!*

Con una vehemencia desconocida hasta aquel momento, deseó que el Dios de su infancia existiera. Y ordenó:

—¡Fuego!

En el suelo, mordiéndose los labios para no gritar, tuvieron que descargarle dos tiros de gracia porque no se acababa de morir. Las últimas palabras que oyó fueron las del teniente. Trémulo, salpicado de sangre, murmuró entre los dos tiros:

—¡Perdón, perdón, mi comandante!

Ernest pasó los años de la guerra civil en Can Bartrina, donde Papitu había encontrado trabajo de aprendiz en el taller de ebanistería.

Para contribuir al triunfo de la causa republicana y no tener remordimientos de conciencia cuando veía uno de aquellos severos carteles que decían:

Y TÚ, ¿QUÉ HAS HECHO POR LA VICTORIA?

Ernest denunció a un compañero de trabajo que había escondido a un cura en su casa. Pero, en el despacho, todo el mundo (y sobre todo el responsable anarquista) encontró muy mal aquel proceder y, por fin, arrepentido, Ernest hizo incluso un viaje a Camprodón para pedir la intervención de Artur.

Acabó por obtener la liberación de los dos detenidos.

Cuando las tropas del Caudillo ocuparon Barcelona, Ernest se escondió en casa del primo Ferrán, guarnicionero de oficio.

Tanto en tiempos de la Dictadura de Primo de Rivera como en tiempos de la República, el primo Ferrán se había mantenido al margen de toda actividad que, de cerca o de lejos, pudiera ser considerada política. El primo Ferrán decía a quien quería escucharle:

—Yo tengo mi lema; tú verás: ¡Ferrán, Ferrán, pase lo que pase, no te metas en líos!

Pero el primo Ferrán tenía que agradecer a Miquel Soler algunos favores: entre otros, el haberse podido establecer por su cuenta. Fue, pues, por agradecimiento por lo que, en aquel caso, hizo abstracción de su sentido inhibitorio. No obstante, avisó a Ernest con toda franqueza:

—¿Verdad que no hace falta decirte que esto lo hago por el abuelo? Puedes estar aquí, pero el tiempo justo y basta, ¿de acuerdo? Te las piras en cuanto puedas, porque no quiero jaleos, ni quiero saber nada de esa gente, ¿sabes? Si quieres que te sea franco, me pone la piel de gallina esa gente.

Dos meses después, tras prometer al primo Ferrán y a su mujer (que no cesaba de llorar de miedo) que les pagaría hasta el último céntimo de lo que habían calculado que costaba su alojamiento y comida, Ernest se decidió a salir a la calle e incluso a volver a su casa. Allí encontró una carta que le habían enviado de Can Bartrina.

Después de haber sido colectivizada, la fundición había retornado a sus legítimos propietarios que, precisamente, acababan de volver de las penurias del exilio en Estoril y en Saint-Jean-de-Luz. Ernest fue al despacho, con la muerte en el alma.

Al verle, el compañero de trabajo a quien había denunciado le abrazó largamente. Le dijo que le perdonaba de todo corazón, que había que perdonar siempre porque Dios es amor y la venganza no es cristiana... En aquellos días —continuó— el deber de todos los españoles *bien nacidos* era el de perdonarse unos a otros y ponerse a trabajar, unidos todos, para construir una España grande y fuerte, libre de influencias *extranjerizantes*. Una España sin derechas ni izquierdas —nociones superadas—, sin partidos donde pudieran encarnar las *banderías* y la *corruptela de los politicastros*. Una España donde se implantaría la verdadera justicia social que definen tan bien la *Rerum Novarum* y la *Quadragesimo Anno*...

«¡Qué contentos se pondrían, si escucharan esto, los que están en chirona y los que se están cargando a manta!», pensó Ernest.

Hasta se le escaparon unas lágrimas de emoción.

Después de esto, el jefe de personal le notificó su despido.

—¡Y ya puedes decir que has nacido de pie! —le dijo, ominosamente, el responsable anarquista, muy estirado dentro de su camisa azul.

—¡Mamá, mamá! Mira... ¡El mar! —decía Lluís.

Poco después, el tren entró en la estación de Portbou.

En la estación de Portbou, el funcionario de la policía les dijo que Artur Martí no era objeto de ninguna *orden de busca y captura* y que podían continuar el viaje hasta Barcelona. Tere se sintió muy aliviada, casi contenta.

—Ya lo sabía yo —dijo—. ¡Si él nunca se metió en nada!

—Ahora, saliendo a mano derecha, vayan a la «desinfección» —dijo el policía—. Y después, allí mismo les dirán dónde pueden encontrar un restaurante de Auxilio Social, por si quieren comer algo.

—¡Muchas gracias! —replicó Tere.

El gran vestíbulo de la estación estaba desierto. Sentado en un rincón, un limpiabotas, con el cráneo rapado cubierto de pústulas tratadas con tintura de yodo, comía un trozo de pan amarillo. Medio cerraba los ojos por culpa del sol.

—¡Mamá! —dijo Lluís—. ¿No nos harán nada?

—Ya ves que no. Han estado muy correctos... ¡Como papá nunca se había metido en nada...!

—Mamá... ¡Mira qué pan tan raro, es amarillo!

—¡Calla y no señales con el dedo! No sé cómo tengo que decírtelo...

Colgados del muro había dos grandes retratos grises. Lluís reconoció al Caudillo. Pero no al otro hombre.

—Mamá, ¿quién es ése?

—¿Éste? Es el jorobado.

—¿Qué jorobado?

—Pero, bueno, ¡ni que estuviéramos infectados! —dijo Tere.

—¿Qué jorobado, mamá?

—El jorobado, hombre, el jorobado. ¡No me des más la lata!

Lluís miró el retrato con atención. Joven, el hombre tenía unos ojos grandes, oscuros, una cara fina, cabellos negros y brillantes peinados hacia atrás, a lo Rodolfo Valentino... Llevaba una camisa oscura de cuello abierto, con el emblema de la Falange —el yugo y las flechas— sobre el pecho. Lluís se esforzó por adivinar el nacimiento de una chepa.

—Pero... ¿era jorobado de verdad?

—¡Qué pesado eres, Lluís, qué pesado!

Desde el muro, el Caudillo y el Fundador los miraban, desaprobadores.

—Mira, mamá, mira qué letreros... ¿Qué quieren decir?

—¿Los letreros verdes? Es que hay el tifus, ¿sabes? Por eso vamos a la desinfección... ¡Sólo faltaba esto! Tendremos que hervir siempre el agua.

—¿Por qué?

—Para matar los microbios.

—Mamá —dijo Lluís de repente, cuando ya iban a entrar en la «desinfección».

—¿Qué?

—Mamá... ¿Por qué hablamos tan bajito?

1

Llaman a la habitación y Lluís se despierta.

«Las cuarenta pesetas», piensa.

La puerta se abre un poco. Entrevé la silueta delgada de Aurelia Martínez en la penumbra que se produce, en el recibidor, cuando encienden la luz del comedor.

«Las cuarenta pesetas.»

—Ya es hora —dice la mujer, como cada mañana—. Hala, que ya es hora...

Al lado de Lluís, en la otra cama de hierro, Papitu abre los ojos.

—Pero ¿no era fiesta hoy?

—Sí, Papitu, pero yo voy a trabajar igualmente. El señor Ramón me dijo que fuese.

Papitu no responde. Los largos párpados de sus ojos, más bien saltones, se han vuelto a cerrar.

El parecido de Papitu con Manolete, el torero, era comentado a menudo. Cuando paseaba por la Rambla del Pueblo Nuevo, antes de ir al baile de la Cooperativa o a cualquier cine, muy endomingado, con las «manoletinas» y el negro cabello bien untado de fijador Varón Dandy, le gustaba oír a las chicas murmurar a su paso. Y no se enfadaba si alguien, de buen humor y sin ganas de faltar, decía:

—¡Adiós, Manolete!

Lluís sabía que ahora le llamaban así en el taller de

ebanistería de Can Bartrina y, a menudo, también él lo hacía. Pero una tarde de domingo, en que su primo se lo había llevado a dar una vuelta, le dijo de repente:

—¡Si me vuelves a llamar Manolete, te pego una hostia!

No lo dijo muy alto, porque por todas partes había rótulos prohibiendo *la blasfemia y la palabra soez*.

Aquel día, Lluís ya se había sorprendido cuando vio que Papitu, al peinarse, se marcaba un *arribaspaña* que Ernest calificó de *muy hot*, y que no se ponía las gafas negras. Las palabras y la actitud de Papitu le asustaron y estuvo a punto de echarse a llorar. Durante un buen rato caminaron en silencio entre la gente endomingada que iba, arriba y abajo, por la Rambla. Finalmente, Papitu se paró delante de un vendedor de helados y dijo:

—Anda, venga, no te enfades que te compro un «frigo».

Más tarde, por una conversación que tuvieron la tía Aurelia y el tío Ernest, Lluís supo que alguien del taller había dicho a Papitu que Manolete, al acabar la guerra, aceptó torear públicamente a un diputado socialista que se llamaba Andrés Manso.

—¡Venga, hombre! —había dicho Ernest—. ¡Ya sabes que a mí me da rabia todo eso de las corridas y los toreros, pero ésta sí que no me la trago! ¡Te han tomado el pelo, Papitu!

—¡Sí, sí! ¡Como si no fueran capaces...! —refunfuñó Papitu.

No escondía, en casa, su odio por los vencedores. Lluís recordaba que un día había traído, a la hora de comer, una cosa que le habían dado en el taller: una especie de periódico en miniatura, impreso en catalán sobre papel muy fino, donde se decían cosas estremecedoras del régimen. Ernest se puso rojo, y luego amarillo, cuando vio aquel periódico tan raro. Sobre todo la hoz y el martillo. Y exigió que Papitu lo arrojase inmediatamente al váter. Él mismo tiró de la cadena. Durante dos días, padre e hijo no se hablaron.

Una noche de verano, poco después de aquello, Papitu se llevó a Lluís al cine a ver *La tonta del bote* y *Escuadrilla*. Para demostrar a Papitu que ya era un hombre y que compartía sus ideas, cuando tocaron el llamado himno nacional y todos, hombres, mujeres y niños, se levantaron con un gran revuelo, alzando el brazo derecho muy alto, Lluís no se movió. Papitu ya estaba en pie, como los demás, y Lluís continuaba sentado, mirando tozudamente en el suelo de cemento las cáscaras de cacahuetes y las manchas de meados de los niños.

Trémulo, con los dientes apretados, lo que realmente veía era la foto que su padre había enmarcado y colgado de la pared, en Camprodón: la cabeza rapada de la obrera, la cruz gamada que le habían grabado con un hierro candente...

—Pero ¿qué haces? —murmuró Papitu—. ¡Levántate! ¡Levántate! ¡Desgraciado!

Muchachos con camisa azul y boina roja pasaban junto a las hileras de butacas, atravesaban altivamente la sala. La luz que venía del techo daba a sus rostros juveniles una madurez de sombras. Iban muy tiesos. El cuero de sus altas y relucientes botas crujía y las suelas herradas resonaban sobre el cemento. Con los labios apretados, miraban duramente a derecha e izquierda en busca de algún *recalcitrante*.

Filas atrás preguntaban a alguien, en castellano:

—Y usted, ¿tiene ya el emblema?

Con voz trémula y en el mismo idioma, una mujer decía, a la izquierda de Lluís:

—Es que mi padre no puede. Miren, señores, ¿lo ven? Es inválido, el pobre. Lo traemos entre mi marido y yo... En el cine nos conocen desde hace tiempo... Pregunten, pregunten al acomodador... Pero si ustedes lo mandan, le levantamos entre los dos...

—No, no. Que se quede sentado. Pero el brazo bien alto, ¿eh?

En silencio, con el brazo bien alto y la cabeza gacha, la gente escuchaba la música triunfal. Papitu agarró a Lluís por el brazo y le obligó a levantarse.

Más tarde, Lluís le reprochó:

—Tú, Papitu, hablas mucho, pero...

Esquivó un pescozón.

—¡Burro, más que burro! Pues, ¿qué querías? ¿Que te pelasen al cero? ¿Qué te llenasen la barriga de aceite de ricino?

En calzoncillos, sentado al borde de la mesa, Lluís busca sus calcetines. Encuentra uno bajo la cama, junto a los zapatos. El otro lo saca de dentro de la cama.

—¿Ayer fuiste al cine, Papitu? —pregunta, mientras examina el calcetín que ha sacado de la cama y acaba por ponérselo. El calcetín está un poco mojado. Papitu duerme. Lluís se pone el pantalón y busca la camisa.

En el suelo, al lado de la maleta de madera que Papitu se compró para ir a la mili, hay algunas carpetas de papel de estraza que Lluís se ha hecho. Está seguro de que Keller tenía razón cuando le decía: «Aprecie el orden. Siempre le compensará.» Las carpetas contienen lo que Lluís llama «el archivo»: algunos tebeos cuyos autores son casi todos norteamericanos. Lluís los considera sus maestros de dibujo. Ha comprado estos tebeos en los puestos del mercado de libros viejos de Sant Antoni. Hay en tales puestos vendedores astutos y Lluís ha descubierto con ellos el arte sutil del regateo, un arte en el que no brilla mucho, precisamente.

También tiene allí algunos números de la revista nazi *Signal*. Y libros.

De la carpeta que está arriba de todo, Lluís saca una hoja de papel de barba donde ha hecho una hilera de tres casillas que contienen cada una un dibujo. En la primera puede leerse:

DAN STONE - *EL PILOTO AUDAZ*
POR LEWIS MARTY

Las letras están colocadas a la izquierda de la casilla, sobre un cúmulo de nubes. Por la derecha llega un avión tipo Fairchild, que pertenece a la aviación norteamericana, a juzgar por la estrella blanca —dentro de un círculo flanqueado por dos rectángulos— dibujada sobre la carlinga. Una especie de nube flota muy cerca del avión y de esta «nube» sale una arista triangular que apunta hacia el aparato. Dentro de la «nube» hay escrito:

¡Ya hemos llegado,
capitán O'Rourke!

El segundo dibujo —las casillas están separadas por medio centímetro— muestra el Fairchild a punto de aterrizar. Se ve un impreciso escenario de selva. Arriba, al lado izquierdo de la casilla, un rectángulo contiene este texto:

La mañana en que empieza nuestro relato
en un lejano aeropuerto,
cerca de Luang Prabang...

El tercer dibujo muestra al Fairchild, que ha aterrizado sobre un campo enfangado. Un jeep se dirige hacia el avión: Lluís ha querido expresar su velocidad con unas rayas finas que parecen salir de la parte trasera. Dentro de otra «nube», de arista apuntada hacia el Fairchild, el texto es éste:

¡Prepara la metralleta, Larry!
¡Ahí está el comité de recepción!

Lluís está muy preocupado con ese terreno enfangado. No acaba de parecerlo. El barro no es realmente barro.

—¡Lluís! —llama Aurelia—. ¡Venga, no te quedes pensando en las musarañas como cada mañana!

Aurelia ha encendido seguramente el fuego con teas, porque cuando Lluís atraviesa el pasillo, de paredes recubiertas con viejo papel floreado, hay un humo que huele a resina...

El lavadero está al lado del recibidor. Es un cuartito de ventana única que da a un patio interior. Lluís, después de haber tropezado con una silla, enciende la bombilla desnuda y solitaria que cuelga del techo. En un rincón está la pila, de cemento gris manchado por el añil que utiliza Aurelia al hacer la colada. Lluís y Papitu se meten dentro de la pila, al menos una vez a la semana, para ducharse con la ayuda de un largo tubo de goma conectado al grifo.

Lluís se estremece cuando toca el agua con las manos. Se frota la cara con fuerza. Se mira en un espejo manchado que está cerca de un estante de vidrio, instalado por Papitu. Una toalla cuelga de un clavo. Lluís se seca la cara con las puntas de la toalla que huelen menos mal. Después, con la toalla al cuello, pone la cabeza bajo el grifo. Con los cabellos mojados, escurriéndole agua por la cara, palpa el estante hasta encontrar el peine. Quita algunos cabellos grises de entre las púas y, mirándose al espejo, consigue domar su cabellera. Deja el peine en su sitio, vuelve a colgar la toalla y sale. Le escurre el agua por la frente y el cogote.

«Cuarenta pesetas... Cuarenta pesetas...»

Ayer por la noche, antes de dormirse, decidió recurrir a Keller.

En el comedor, una claridad azulada entra por las vidrieras del balcón. Ernest está a la mesa. Mientras espera el desayuno, se entretiene en convertir sus colillas, y otras dejadas por Papitu, en un montoncito de partículas amarillentas. Más tarde, con una maquinita que tiene, hará nuevos cigarrillos.

El comedor tiene las paredes cubiertas con el mismo papel floreado del pasillo y está amueblado con una mesa que tiene un hule encima, cuatro sillas de tapicería deslucida, la vieja butaca de mimbre —que procede del piso de la plaza del Pedró— donde se sienta Ernest, y un aparador. Detrás de la vitrina del aparador se ve un juego de café y una botella de cristal de roca. Aurelia aprecia mucho esa botella, que le tocó en una rifa, y Lluís siempre procura no acercarse mucho a ella. También hay una mesita, sobre la que se ha colocado el aparato de radio, con un estante inferior donde se amontonan ejemplares, atrasados, de *La Vanguardia Española*, *Destino* y *Mundo*. Sobre el tapete, bordado por Aurelia, que está encima del viejo Telefunken, se estira una pantera de yeso barnizado, con una flecha clavada en el flanco, que más que abrir la boca con gesto de dolor intolerable parece estar soltando la carcajada.

De una pared cuelga una reproducción de *La Rendición de Breda*, que Ernest ha recortado del calendario de una casa de vinos. Hablando de esta litografía, le dijo a Lluís un día:

—A ver, Lluís. ¿A que no me sabes decir por qué éstos han ganado la batalla?

Lluís no lo sabía. Entonces Ernest escondió con un dedo la parte de atrás del rollo de pergamino que, a la altura del muslo, sostiene el marqués de Spinola, y dijo riendo:

—¡Pero hombre, yo creo que está clarísimo! ¡Ganaron porque la tenían más larga!

En otra litografía se ve a un viejo, con un amplio sombrero impermeable, fumando en pipa, sentado al lado de una mujer que zurce unas redes. Una niña rubita extiende los gordezuelos brazos en dirección a los viejos. Y ninguno de los tres personajes parece inquietarse por las formidables olas, sobre las que gravita un oscuro nublado que amenaza con llevárselos a las profundidades de un mar petrificado de color verdoso...

Más intenso que el olor del pan que sale de los cajones del aparador, Lluís percibe el de la goma recalentada de las alpargatas de su tío. Es un olor al cual ya está acostumbrado. Tres veces al día, a la hora de almorzar, de comer y de cenar, lo nota. Ya no puede imaginarse el comedor sin aquel olor dulzón.

—Buenos días.

—Buenos días —responde Ernest sin levantar los ojos del montoncito de tabaco. A pesar de pasarse todo el día recorriendo Barcelona, persiguiendo, facturas en ristre, a morosos dispuestos a todo, continúa estando gordo. Los ojos, tras los gruesos vidrios de las gafas, tan pronto los tiene minúsculos como descomunales.

—¿Cómo está el abuelo? —pregunta Lluís al sentarse.

—Ha pasado buena noche.

—¿No ha llorado?

—¿No te dice que ha pasado buena noche? —corta Aurelia, que entra con dos tazones de leche—. Hablad más bajo, que no quiero que se despierte. A ver si esta mañana puedo estar tranquila.

—¿Hay café, Aurelia?

La leche es azulada, con grumos blancos.

—Se ha acabado. No te olvides de comprar el periódico, para ver qué día darán.

Ernest se levanta pesadamente y pone la radio. Vuelve a sentarse con un suspiro de fatiga. El mimbre cruje.

—*...y hoy, queridísimos hermanos, es como la coronación, el apoteosis de las fiestas solemnes que acabamos de celebrar. Y la misa...*

Ernest hace un gesto de impaciencia.

—*...nos invita a conmemorar esta festividad con la mayor alegría del alma...*

El locutor tose un poco y continúa:

—*En la Epístola, san Juan Evangelista nos comunica su doble visión tan reconfortante de aquellos que han sido elegidos por Nuestro Señor. En este mundo llevan el divino sello que los libera de castigos devastadores y en el Cielo, todos de blanco vestidos, enarbolan palmas triunfales y cantan eternas alabanzas al Altísimo.*

—Y un siseñor con las patas verdes —refunfuña Ernest.

—¿No se levanta Papitu? —pregunta Aurelia.

—No.

—*... y en este mismo Evangelio nos muestra por qué medios han obtenido los santos del Cielo su eterna recompensa. Amén.*

El locutor hace una pausa y un disco de música sacra empieza a sonar. Lluís, que ya se ha bebido la leche, se levanta y se acerca a los cristales. De cuando en cuando tiemblan. El viento frío hace vibrar, a intervalos, los hierros que sirven de soporte para los cordeles donde se tiende la ropa. Unos calzoncillos de franela se secan al viento. Más allá Lluís mira la tierra rojiza y los hierbajos del descampado donde tiran basuras, donde los niños del barrio juegan, donde se buscan caracoles después de llover y se esconden, en las noches de verano, parejas furtivas. Cerca de la casa, rodeado de ortigas y cardos, se alza un poste. En lo alto, protegida por una pantalla redonda de hojalata oxidada, hay una bombilla. Al encenderse proyecta un círculo de luz amarillenta. A veces, cuando después de la cena Aurelia apaga las luces y en el comedor sólo permanece el débil resplandor verde del Telefunken que Ernest escucha, Lluís apoya la frente contra los cristales y mira fijamente aquel poste. Su aliento deja un vaho sobre el vidrio y, a través de ese vaho, la bombilla del poste brilla de forma diferente, se rodea de un halo donde se ven todos los colores del arco iris. El halo crece o se achica, y los colores se inmovilizan o parecen evolucionar en la medida en que se alienta más o menos fuertemente sobre el cristal. Abstraído, sin cansarse de probar nuevas combinaciones de colores y medidas, Lluís se queda allí hasta que Aurelia le dice:

—¡Venga, a la cama, que mañana tienes que madrugar! ¡Andando, que es gerundio! Ya estoy harta de decirte que te has de acostar antes que Papitu, que luego le despiertas y no puede volver a coger el sueño.

Los calzoncillos de franela flotan al viento. Lejos, un muro de ladrillos medio hundido limita el descampado. Detrás de este muro hay un callejón sin empedrar y, al otro lado, todo un bloque de casas sucias por el humo y el hollín de las fábricas. En los balcones, en las ventanas bordeadas por las nervaduras oscuras de las cañerías, se ven persianas pintadas de verde, jaulas con pájaros, tiestos con cactus y geranios, casetas de perro, ropa tendida, gallineros, jaulas de pájaros azules y amarillos que nunca han conocido la libertad... Lejos de estas casas, casi en el horizonte, hacia el mar, hay un gran depósito de gas, color acero.

El aliento de Lluís continúa empañando el cristal. Lluís piensa en las cuarenta pesetas. Aurelia le dice:

—¿No se levanta Papitu?

—No.

—¿Qué esperas para marcharte? ¿Quieres llegar tarde?

Le da una peseta para el tranvía.

2

En la escalera, Lluís siente el frío de la mañana en el rostro. Mientras baja, la segunda puerta del segundo piso se abre y doña Pilar sale con el cubo de la basura.

Doña Pilar tiene la cara redonda y como ablandada, y unos cabellos negros donde el tinte ahoga, sin piedad, todo testimonio del paso del tiempo. Lleva una bata azul. A menudo se pone la mano derecha en el pecho —el gesto lo hace con cualquier vestido— como si tuviera miedo de las miradas indiscretas. Se ven algunos trozos de puntilla sobresalir de la bata.

—Buenos días —dice Lluís, en castellano.

—Buenos días, majo... ¿Qué? ¿A trabajar?

En el barrio se hacen bromas a costa de doña Pilar. Sobre todo en la tienda La Palma de Pueblo Nuevo, donde, dándoselas de finolis, preguntó un día al dependiente:

—*¿Verdad, Federico, que me parezco a la Zarah Leander?*

Federico estuvo de acuerdo y se ofreció, seguidamente, a acompañarla, al atardecer, al descampado. Dijo estar dispuesto a hacerle los honores del mismo y hasta a enseñarle un lugar donde florecía el espárrago silvestre.

Un día, en la escalera, doña Pilar cogió a Lluís por la barbilla y le dijo:

—¿Sabes que eres un chico muy guapo? ¡Cómo vas a hacer sufrir a las mujeres! ¡Con esos ojos...!

Lluís enrojeció porque había mirado, sin querer, hacia el escote de doña Pilar y ella no hizo ningún esfuerzo para protegerse. En aquel momento, el cartero comenzó a subir. Doña Pilar se retiró rápidamente, murmurando:

—Pasa, pasa, majo... ¿Qué? ¿A trabajar?

—Sí, señora.

—Pero ¿cómo? ¿Hoy no es fiesta?

—Sí, pero mire...

Pasa deprisa delante de la mujer, intentando no respirar el tufo que sale del piso por las mañanas.

—Así me gusta, que ayudes a tus tíos que tan bien se portan contigo. ¿Ya eres buen chico?

—Sí, señora.

—Y ¿cómo se encuentra el abuelo? ¿Ha pasado buena noche?

—Sí, señora.

—Cuando ya son tan viejos... —la oye decir plañideramente, mientras continúa bajando.

El constante ir y venir de vehículos —sobre todo de camiones que entran y salen de la ciudad— no existe esta mañana en la calle de Pedro IV. Lluís atraviesa fácilmente la calle para ir a la parada del tranvía que está enfrente. Al viento de la mañana ya espera un grupo de personas, mucho más reducido que de costumbre. Federico, el dependiente, también está. Lleva el cuello de la gabardina subido hasta el bigote. De cuando en cuando pasa el peso de su cuerpo delgado de un pie al otro. Calza zapatos amarillos con suela de crepé muy gruesa. Aquel modo de balancearse sugiere a Lluís el de un oso. Triste y cansado, con la piel llena de calvas, ha visto, a aquel oso, esperar una muerte que no venía tras los barrotes de una jaula por donde, de vez en vez, cruzaba tranquilamente una rata. Lo ha visto en el zoo. Ayer, la visita al zoo le ocupó toda una tarde supuestamente pasada trabajando en el taller de don Ramón...

Una mujer baja y regordeta dice en catalán, después de soplarse las puntas de los dedos llenos de sabañones:

—Estos canallas no tienen ninguna prisa... ¡Cada día más tarde y menos tranvías...!

Algunos la miran con el rabillo del ojo, pero nadie contesta.

La mujer mira a su alrededor, como arrepintiéndose de haber hablado. Lluís, de repente, encuentra familiar la expresión de su cara enrojecida por el frío. De noche, cuando Ernest escucha Radio Moscú o la BBC, si súbitamente la emisión sube de tono y las notas del «Komintern», o la voz de Salvador de Madariaga se oyen demasiado fuerte, su rostro tiene la misma expresión.

Un hombre viejo, con un ojo nublado y cabellos blancos que el viento agita, pasa entre los que esperan con la mano derecha extendida y la otra en el bolsillo, murmurando:

—*Cinco céntimos... Oiga, que me faltan cinco...*

El faldón de la americana, gastada y sucia, se le ha quedado sobre las nalgas, como si fuera un *polisson*. Al llegar frente a Lluís le mira con desprecio.

El tranvía, uno de los tranvías alemanes que la gente llama «tanques», llega con su remolque casi vacío. En la parada sólo se queda el mendigo.

En estos coches, el cobrador va colocado de tal manera que es muy difícil intentar esquivarle con éxito. Por lo tanto, Lluís da inmediatamente su peseta, Recibe el cambio y un billete número 22822...

—¡Un capicúa!

Tal vez quiera esto decir que conseguirá las cuarenta pesetas. Dobla cuidadosamente el billete —el inspector podría pedírselo— y lo coloca en el ojal del abrigo de Papitu que Aurelia le ha arreglado. Se sienta al lado de una ventanilla. La calle pasa con sus tiendas...

... Pollería El País... Salón de Peluquería La Amistad... Cervecería... Granja La Confianza... Bar Tranquilidad... Colmado La Perla...

... cerradas o a medio cerrar; con las fachadas de casas grises por los años y la suciedad, donde se abren estrechas puertas con escaleras oscuras de día, oscuras de noche... Sobre la puerta principal de la Cooperativa han colocado una gran pizarra. Escrito en tiza, puede leerse:

Esta noche, selecto baile de familia
con el trío «Hermanos Brother's»

Una mujer que habitualmente vende cupones de los ciegos se ha instalado delante. Sobre dos cajas de madera, cubiertas con un hule blanco, ha colocado ramilletes de siemprevivas amarillas, envueltas en papel de plata de color malva. Un niño que lleva una lechera de aluminio camina, sin prisa, mientras mira el último *Flechas y Pelayos*. Una vieja vestida de negro deja en el suelo un paquete hecho con papel grasiento: cinco gatos se afanan con las colas enhiestas...

—¿Quiere usted cerrar, cobrador? —pide la mujer que se quejaba de la falta de tranvías. El cobrador emprende una dura lucha con la puerta corredera. Lluís mira el suelo de madera alistonado del tranvía y piensa en el suelo de madera del taller de don Ramón. Ve colillas, billetes de tranvía, vacías cajetillas de Ideales, una horquilla del pelo... Y eso, ¿qué es? ¡Parece dinero! No es más que una etiqueta arrugada. Lluís mira por el suelo largamente, insistentemente, buscando las cuarenta pesetas...

—*Billetes, por favor...* —El cobrador habla con fuerte acento gallego. Es pequeño, cetrino. El uniforme de pana le está ancho.

—¿También hoy a trabajar? —se sorprende, al ver a Federico.

—No, hoy no —explica el dependiente, guiñando un ojo—, voy al Tívoli, a ver a María Montez.

Comentan que si en esta o aquella película de María Montez se le ve esto o aquello, cuando la proyectan en el extranjero, y que aquí todo lo cortan, etc...

Lluís intenta ver qué películas proyectan en el Cine Triunfo. Echan *Allá en el rancho grande* y la primera jornada de *Los tambores de Fú-Manchú*. Pero ¿por qué se preocupa? ¿O es que tal vez mañana, sábado, su tía le dará cinco pesetas para que pase el domingo, como hace cada vez que él le da la semanada? ¡Como si no pasara nada...!

—¡Mira, hombre! —dice el cobrador—. Así que vas de estreno, ¿eh? Pues yo tendré que esperarme a que María Montez venga al barrio.

Se echa a reír.

—¿Dónde vive? —le pregunta Federico.

—En Santa Coloma.

—¡Ah!, pues allí me parece que, a veces, se estrenan películas antes que en Barcelona.

—¡Qué va! Eso ocurre alguna vez, pero no en Santa Coloma, sino en Badalona. De todos modos, también nos divertimos... El sábado por la noche siempre voy al cine con la mujer y los críos. Con los críos, aunque pudiéramos permitírnoslo, tampoco podríamos ir a los cines de estreno, ¿comprende? ¿Usted está casado? No, ¿verdad? ¡Por eso tiene tan buen aspecto! Pues, como le decía, con el jaleo de los críos no es posible. En cambio, en el barrio, todo se admite. Se está como en casa. Todos nos conocemos, a fuerza de vernos cada sábado. La mujer prepara unos bocadillos y hala, a ver tías buenas... ¡Hay cada una...! Mientras no te sientes cerca del váter, todo va de maravilla.

En la calle Trafalgar, Lluís salta del tranvía en marcha. Cruza, baja los escalones desgastados del pasaje de la Industria, un pasaje cubierto a trozos y lleno de tiendas.

Se da cuenta de que todavía lleva el billete en el ojal. Hace una bolita con él. Es un capicúa, cierto, pero Keller siempre dice que todo eso son tonterías. Tan estúpido como creer en hadas, o en Dios. Tira el billete.

Tras los cristales de un quiosco del pasaje, y pese al cartel donde puede leerse

Lluís ve una chica mayor —al menos tiene dieciocho años— trabajando. Inclinada sobre una media de seda, hace funcionar una máquina de coger puntos. Lluís mira sus cabellos rubios, la dulce curva de los hombros, modelados por un jersey de color naranja, la fina pelusilla de las mejillas, las arrugas de la lana —diagonales desde las axilas hasta el cuello— producidas por el peso de los pechos. Las arrugas. Siempre le cuesta dibujarlas...

Piensa en el escote de doña Pilar y se imagina a la chica vestida con una bata que le dejase ver el escote, entre puntillas...

La chica alza los ojos y le sonríe amablemente. Ruborizándose, metiendo la mano derecha en el bolsillo, Lluís sigue su camino hacia la calle Alta de San Pedro.

3

Por la calle Alta de San Pedro y por los callejones vecinos pasa poca gente. Lluís ha visto muchas veces la animación del barrio, en días laborales, y esta falta de actividad le sorprende. Venía a menudo por aquí a cobrar facturas cuando trabajaba con Keller, en Ferrán y Almirall, S. L.

Los días de diario los transeúntes —en su mayoría mujeres que van a comprar— llenan los callejones bordeados de pequeños establecimientos, andan sin prisa entre las vendedoras de pan de estraperlo, avanzan lentamente como la sangre vieja por arterias escleróticas...

En voz alta, los vendedores cantan la calidad de las mercancías. Y la alegría de sus gritos, los vivos colores de los anuncios, de los racimos de plátanos, de las manzanas y las naranjas, la visión de alguna cara joven, de alguna sonrisa de niño, desmienten la tristeza y la dejadez de las casas, el suelo de piedras grises donde se amontonan papeles y desperdicios de frutas y verduras, los mendigos que enseñan llagas y miembros contrahechos, el monótono ir y venir de la gente.

Las estraperlistas tienen la misma sonrisa maliciosa, la misma caída de ojos, el mismo murmurar que tienen, cuando llega la noche, otras mujeres, tan faltas de todo como ellas, para ofrecerse a los hombres que pasan, desde algunos portales de estas mismas casas.

—*Pan, tengo pan... Tengo barras... ¿Quieres pan, guapa?*

Se sacan el pan de debajo de la ropa con gestos furtivos y miran a izquierda y derecha, porque los funcionarios del Ayuntamiento pueden llegar de un momento a otro y corren el riesgo de perder el género y ser llevadas al *cuartelillo*. Cuando surgen los funcionarios vestidos de negro, las mujeres se avisan gritando. Y se lanzan a frenéticas carreras entre la gente. Intentan quitarse el pan de encima, confiarlo a algún tendero amigo que se lo pueda devolver más tarde. Muchas consiguen huir: abandonan el barrio, o esperan un buen rato escondidas en lo alto de alguna oscura escalera; algunas son siempre detenidas y para Lluís no es un espectáculo nuevo verlas andar entre dos funcionarios, llorando a lágrima viva, seguidas a menudo por sus hijos, tan inconsolables como ellas porque se llevan a mamá a quién sabe qué terrible destino. En momentos así, las madres intentan dominar la angustia:

—No llores, nene... Ve a casa de la tía. Volveré enseguida...

—María, ve a la obra y dile a papá lo que ha pasado. ¡Anda, deprisa!

—No llores, que no me pasará nada. Espérame en casa de la señora Pepita. ¡Si no llegara, dile que os dé de cenar y que me traiga una manta y algo de comer!

Algunas intentan conservar la serenidad desde el principio, sonríen con la esperanza de despertar simpatía, conmiseración o tal vez un deseo del cual podría sacarse partido, en estos hombres de manos tan rudas, de rostros tan tristes como los de sus maridos. Las estraperlistas los detestan cordialmente, sin embargo; no sólo porque son su constante pesadilla, sino porque se dice que las mujeres de muchos de ellos venden, más tarde, en otros barrios de Barcelona, el pan decomisado.

En una calle vieja con nombre de artesanos, Lluís da con la casa que buscaba. A derecha e izquierda, las fachadas parecen quererse juntar por encima del empedrado. Para impedirlo han colocado entre las casas todo un entresijo de vigas de madera, polvorientas. Una gran grieta que va desde el tejado a la puerta parece dividir la casa. Bajo el alero, hay nidos de golondrinas.

Mientras Lluís sube, se oye a una mujer que canta:

En mi soledad
ya no hay más que sollozos,
canta el corazón
mientras lloran los ojos...

En el oscuro rellano del segundo piso, Lluís pulsa el timbre. Desde que dejó de trabajar en Ferrán y Almirall, S. L., sólo ha estado una vez en casa de Keller y, ahora, mientras espera, vuelve a ver su interior. La habitación. La habitación que la propietaria del piso ha realquilado a Keller y a su madre.

Es una habitación más bien rara: comedor, biblioteca, dormitorio y también cocina. Cocina, porque la vieja *frau* Keller acabó por enfadarse con la propietaria y cocinaba en la misma habitación, en un infiernillo de alcohol. Hay dos camas, una cómoda, una mesa, dos sillas y un armario lleno de libros de lomos gastados, cubiertos de caracteres góticos. Del techo pende una lámpara de cristal de Bohemia, tan grande que empequeñece la habitación. Desde los días lejanos del káiser Wilhelm, esta lámpara ha resistido el Tratado de Versalles —el «Diktat», lo llama Keller—, el *putsch* de la cervecería muniquesa, la toma del poder por Adolf Hitler, las sucesivas manifestaciones de la política del *Lebensraum* y una de sus consecuencias: los bombardeos aliados. Fue poco después de empezar aquellos bombardeos cuando *frau* Keller decidió irse a vivir con su hijo, el cual, después de una larga estancia en América del Sur, había vuelto a España, al final de la guerra civil.

Sobre la cómoda, un pastor y una pastora, huidos de las églogas de algún poeta romántico del siglo XVIII alemán, alzan los ojos de porcelana azul hacia un tejadillo, adornado con pámpanos y racimos, que cubre una esfera dorada. Algunos *putti* rosados flanquean la esfera y, sobre el tejadillo, se puede hacer dar vueltas a un gallito-veleta. Cerca del reloj, sobre un tapete, hay una bola de vidrio. Al agitarla, minúsculos copos comienzan a flotar sobre casitas de tejado pizarroso y fachadas adornadas con vigas, perdidas en los flancos de un Matterhorn de corcho. Uno de los cuadros que penden de la pared representa a Eros despertando a Psiquis. Otro es una reproducción amarillenta de *Der Ritter*.

Todo es aflicción,
desde que te perdí...
Todo es cruel frenesí
de tus caricias
y tus delicias...

La mujer continúa cantando en algún lugar de la casa. Lluís espera con el corazón agitado. Se oye un ruido de agua que escapa, de repente, por la cañería de un váter. Nadie abre la puerta.

Lluís conoció a Keller en las oficinas de Ferrán y Almirall, S. L.,concesionarios de la lejía El Tigre, donde Ernest le había colocado como meritorio. Al principio, Lluís y Joan, un chico de su edad, se las componían solos para enviar al encargado del almacén los pedidos que les daban los corredores. Pero al subir el nivel de ventas, los señores Ferrán y Almirall consideraron indispensable poner una persona mayor al frente del despacho. Y así fue como llegó Keller.

Aquel día, Lluís estaba sentado tras su mesa y dibujaba. Keller, a quien tomó por una visita que esperaba la llegada del señor Almirall o del otro socio, se acercó y le dijo:

—¿De dónde ha copiado esto?

Hablaba en castellano, con acento sudamericano.

«Esto» era una lucha feroz entre dos gladiadores romanos. De la boca del que llevaba el tridente y la red salía una «nube» donde se leía:

Non te peto, piscem peto. Quid me fugis?

—Lo hago de memoria —dijo Lluís, halagado porque le trataban de usted—. Pero las palabras en latín las he copiado de un libro que se titula *Quo vadis?*

—¿Me podría hacer un dibujo que yo le describiré?

—Hombre, podría intentarlo.

—Hay que dibujar una tumba. De esa tumba, sobre la cual hay un casco alemán, sale un brazo... Un brazo musculoso, de atleta. Al dibujo hay que ponerle un pie, en letras góticas, que diga: «De las cenizas saldrá el vengador.»

Aquella misma tarde, Keller, que había tomado posesión de su cargo, trajo a Lluís cosas en que inspirarse: un número de *Signal* donde se veían cascos perfectos, y un libro de fotos de esculturas de Arno Breker, donde musculosos Baldurs de pura raza aria hundían la espada de la primavera en los pechos de invernales dragones judíos.

Por la noche, en casa de sus tíos, Lluís colocó el periódico que siempre ponía sobre el hule del comedor, para no mancharlo, y trajo de la habitación donde dormía un tintero, una pluma, un lápiz, goma de borrar y una hoja de papel de barba que había «afanado» de la oficina.

Comenzó a hacer el dibujo con aplicación.

—¿Y dices que es un alemán? —preguntó Ernest—. Entonces, eso que estás dibujando quiere decir...

Estaba aterrorizado. Últimamente se había pasado horas y horas junto al Telefunken. El día en que se consumó el hundimiento del Reich de los Mil Años con la caída de Berlín, envió a Papitu a buscar una botella de champán Delapierre. Se la bebieron en un santiamén.

—Los rusos no se pararán... —decía Ernest, entusiasmado—. Atravesarán el Rin... ¡Esta gentuza ya puede hacer las maletas!

Aurelia le miraba, burlona.

—Sí, sí —dijo—. Vosotros id esperando que os saquen las castañas del fuego. ¡Tenéis para rato!

Ernest cogió el dibujo a medio hacer y lo rompió en cuatro trozos.

—Pero ¿no te das cuenta? ¿No te das cuenta, estúpido? Ese tipo es un nazi... ¡Un nazi!

Nadie abría la puerta. Hasta Lluís llega, como única respuesta a su llamada, el sonido del reloj de porcelana.

Ahora, la mujer canta:

Sucedió en Kaloa,
La noche que te fuiste...

4

Cuando Lluís está a punto de marcharse, la puerta se abre unos centímetros, retenida por una cadena. Entrevé, entonces, la silueta de una mujer vieja y trémula. Una claridad atenuada llega al recibidor, desde el fondo de un largo pasillo.

—Buenos días, señora. ¿Está el señor Keller?

—No.

—¿Y su madre?

—Su madre...

Lluís percibe en la voz como un tono de satisfacción; enseguida, no obstante, en la cara que ahora va viendo mejor a medida que sus ojos se acostumbran a la penumbra, tiene lugar una crispación. La boca de la vieja, hacia la que converge toda una red de arrugas, se abre y Lluís ve dos dientes solitarios. La mujer se persigna con mano trémula y murmura:

—Se ha muerto... Se ha muerto; Dios la haya perdonado.

Lluís se ve a sí mismo empujando, con un dedo, los dos dientes solitarios. Ceden blandamente, caen en la oscuridad de la boca. Esas arrugas de la boca, ¡qué buenas para dibujarlas...!

—Y él, ¿a qué hora vuelve?

La vieja ya cierra la puerta.

—No tiene hora. Y menos los días de fiesta. A veces no viene en todo el día. No viene ni a dormir. Bueno, cierro. Que tengo la leche en la lumbre.

—¿No come aquí?

Cierra. Lluís la oye alejarse, arrastrar los pies a lo largo del pasillo. Alarga la mano hacia el timbre. La retira. De modo que *frau* Keller ha muerto. Sólo la había visto una vez, pero no ha olvidado la sonrisa de bondad que tenía su cara fea, cuando le dijo en un castellano muy especial:

—Coma, joven, coma que esto es muy bueno. Se llama *Leberwurst*.

Llama al timbre. Aguanta la respiración. Vuelven los pies fatigados.

—¿Qué ocurre ahora? ¿Qué hay?

No responde.

La vieja abre la puerta. Un tufo de leche agarrada se esparce por la escalera.

—Te lo dije... Por tu culpa se me ha salido la leche. ¡Vete!

—¿Sabe dónde trabaja ahora el señor Keller?

—No.

Hay que decidirse. Se da cuenta de que ha cogido la puerta con ambas manos.

—Por favor, señora. ¿No podría dejármelas?

—¿Dejar...? ¿Qué he de dejar?

—¿Podría dejarme cuarenta pesetas?

—¿Qué?

—El señor Keller se las devolvería...

La vieja abre la boca, empuja la puerta. Pero Lluís aguanta fuerte. Continúa:

—Sólo tendrá que pedírselas al señor Keller. Le dice que ha venido Lluís, Lluís Martí. Me recordará: trabajábamos juntos en la Lejía El Tigre. Le dice que las necesitaba mucho. Que se las dev...

Un estirón. Y la puerta se cierra bruscamente. Lluís se queda quieto unos segundos. Mira a su alrededor, desorientado, como si esperase encontrar algo en la oscuridad. No hay más que paredes húmedas, escalones desgastados, una barandilla de hierro en torno al hueco de la escalera. Y el silencio. El silencio, que altera únicamente una voz lejana, la voz de un niño emparedado que se queja:

—Mamá... Mamá...

Y el frío de noviembre.

Se sienta en la escalera. Mueve la cabeza y nota los ojos llenos de lágrimas. Los labios se le despegan como para sonreír, pero tiene los dientes apretados.

—Mamá... —murmura—. Mamá...

Poco después de haber vuelto a Barcelona ya se vio que Tere y Aurelia no podrían compartir el mismo espacio vital, sobre todo el espacio vital comprendido entre las cuatro paredes de la pequeña cocina del piso de la calle de Pedro IV... Que si «gasta mucho gas», que si «deja los platos sucios», que si «no es capaz de comprar ni asperón»... Pronto se llegó a la conclusión de que Lluís y su madre se tendrían que ir.

Los días pasaron. Tere vio fundirse los pobres recursos conseguidos en Limoges, gracias a la venta de algunos muebles. Comía con su hijo bocadillos y fruta por las calles. Paseaban mucho e iban a cines baratos, de donde Lluís salía tarareando:

De la Marimba al son te conocí
y al contemplarte fue tal mi ilusión...

o buscando onomatopeyas que se pareciesen al ruido de las metralletas de *El enemigo público número uno*... Sólo volvían a casa de Ernest a la hora de acostarse. Habían dado voces, en las tiendas del barrio, para encontrar una habitación realquilada.

Aquellos días, Miquel Soler todavía daba, de vez en cuando, algún dinero a su hija. Continuaba trabajando como representante de una casa de vinos. Nunca más había vuelto a hablar de comprar una tienda.

Tere acabó por alquilar un puesto en el mercado de la Boquería, en el lugar conocido como «la Gardunya». Lluís pasó allí dos meses con ella, entre vendedores, cajas de madera y sarrias y cuévanos que contenían frutas y verduras, al aire libre, bajo una gran techumbre de hierro sostenida por columnas de cemento y metal oxidado.

Era invierno. Lluís jugaba con otros chicos que se burlaban de él a causa de sus jerséis blancos y sus pantalones de golf. Su virilidad puesta en duda, tenía que demostrarla, a menudo, a puñetazos. Tere se desgañitaba llamándole, cuando los juegos en que tomaba parte degeneraban en peleas donde volaban piedras y tronchos de col.

Una tarde, en pleno ataque a un puesto de frutas y verduras, muy bien defendido por Wladimiro-Pepito y Esteban, Lluís gritó con todas sus fuerzas:

—¡Viva el presidente Kruger!

El presidente Kruger era una película, en Agfacolor, que había visto en Limoges. Y el grito le vino sin saber por qué; tal vez en la película lo lanzaban en una situación semejante a la que Lluís estaba viviendo: victorioso ataque a una posición enemiga.

Cuando él y el Perdis deliberaban sobre lo que convenía hacer con los *prisioneros*, su madre le llamó. Hizo como que no la oía; pero viendo junto a ella a un hombre con cara de pocos amigos, allá fue.

—Lluís... ¿Qué has gritado ahora mismo?

Tere tenía los ojos llenos de lágrimas y parecía muy asustada.

—¡Sí! ¿Qué has gritado? —preguntó rudamente el hombre, en castellano. Pequeño y delgado, los ojos negros le brillaban con dureza. Llevaba bigote y tenía la cara mal afeitada, bajo unos cabellos grises alisados hacia atrás. Iba de negro y su traje relucía a trozos y tenía más de una mancha. Lluís le conocía de vista: era un funcionario de la dirección del mercado.

—¿Qué he gritado, cuándo?

—Ahora mismo. ¿Qué has gritado? ¡No te hagas el listo conmigo! ¡Que te vienes al *cuartelillo* ahora mismo!

Había pocos clientes, a aquella hora. Y los otros vendedores simulaban que la escena no les interesaba.

—He gritado: viva el presidente Kruger... ¿Por qué?

—El presidente, ¿qué?

—El presidente Kruger.

—Di la verdad, Lluís, di la verdad —rogó Tere, muy pálida.

—Y ¿quién es ese tipo?

—Es... Figura un presidente... Una película que vi...

Iba a decir «en Francia», pero se detuvo.

—Un presidente, que...

—Ya te he dicho que no te hagas el listo conmigo, ¿eh?

—Sí, señor... Pero... Yo...

Los ojos de Lluís se llenaron de lágrimas. La barbilla del hombre del traje manchado temblaba nerviosamente.

—He oído muy bien lo que has gritado: ¡Viva el presidente Roosevelt!

—No, no, no... No, señor... ¡Lo juro! No he gritado eso, no... He gritado «viva el presidente Kruger»... Me parece que era un presidente holandés... Salía en una película y, oiga, por cierto, creo que era alemana, ¿sabe?

Cuando Lluís explicó lo que había pasado, Wladimiro-Pepito exclamó:

—¡Hostia, qué cabrón, tú! ¿Y te creyó, por fin?

—Sí, porque lo he jurado así. —Lluís cruzó los dedos índices e hizo ademán de besarlos—. ¡Y también por la salud de mi madre! Pero ha dicho que tenga cuidado, porque nos tiene fichados, que sabe que hemos venido de Francia y que a ese presidente americano ni tan siquiera debe mencionársele. Dice que es un hijo de puta judío y que, por su culpa, están perdiendo los alemanes. Que si quiero gritar algo, que grite «Viva...».

Lluís lo dijo bajito.

—¿Que viva, quién?

Lluís se lo dijo al oído.

—¡Ah! —dijo Wladimiro-Pepito—. ¡Claro, claro...!

La madre de Wladimiro-Pepito se llamaba Regina, pero en el mercado la llamaban la *Colón*, a causa de su nariz grande y aguileña, y de los cabellos, que llevaba peinados con raya en medio, y le caían como la cabellera de Cristóbal Colón en los billetes de cinco pesetas. Se decía que el padre de Wladimiro-Pepito, un albañil, había sido de las Patrullas de Control y muchos le llamaban el *Previsor del Porvenir* porque, al mismo tiempo, había buscado escondites para algunos curas.

Poco después de haber conocido a Lluís, Wladimiro-Pepito le dijo que quería confiarle un gran secreto. Con mucho misterio le reveló que él no era hijo de la Colón y del albañil, sino el heredero de dos nobles rusos: el gran duque Wladimiro y la princesa Tatiana. Algún día volverían desde las lejanas estepas para reclamarle. Él se llamaba Wladimiro —como su augusto padre— y prefería que, de ahora en adelante, Lluís le llamase así, y no Pepito. Contaba todo aquello con actitud tan grave, parecía tener tanto miedo de que alguien creyera, de verdad, que era hijo de la Colón y de su marido, que Lluís simuló creérselo, cosa que no hizo, en realidad, ni un solo instante, pese a que en aquellos días estaba leyendo *Rocambole o la soga del ahorcado*. Algún tiempo después, mientras se escondían juntos entre unas cajas, para evitar un fuego cruzado de tomates podridos tirados por Antonio y el Perdis, Wladimiro-Pepito dijo de repente:

—Oye, Lluís, ¿verdad que me crees?

Lluís le miró, sorprendido. Wladimiro-Pepito, con la boca entreabierta, fijaba en él sus ojos de párpados enrojecidos («¡Cuidado, que tiene tracoma!», decía Tere). Por aquel entonces, Wladimiro-Pepito no se hablaba con Antonio que, cada vez que se lo encontraba, le gritaba, burlón:

—*¡Wladimiro, Wladimiro, el culo te miro!*

—¿Que si creo qué?

—Lo que te he dicho de mi verdadero origen.

Lo del «verdadero origen» lo decía siempre que tocaba el tema.

—¡Claro que sí, hombre! —dijo Lluís, por lástima.

Desde aquel día, Wladimiro-Pepito le miró con encontrados sentimientos: de agradecimiento, porque Lluís le creía, y de desprecio, porque se tragaba algo tan gordo. Pero, sobre todo, le demostró una gran amistad. Hasta tal punto que se ofreció a presentarle a su primo Rogelio, gran honor que muy raramente concedía.

El día de la presentación, que tuvo lugar en su casa, Wladimiro-Pepito pidió a Rogelio:

—Anda, Rogelio, enséñale las venas.

—¿Qué dices, que quieres verme las venas, chaval? —preguntó Rogelio, con una sonrisa de oreja a oreja. Era sábado por la tarde y ya se había endomingado.

Era un chico alto y fuerte, peinado con un *arribaspaña*, y cuando abría la boca se habría dicho que era un caballo que iba a relinchar. A veces, Wladimiro-Pepito se burlaba respetuosamente de él:

—¡Soooo, caballo! ¡Sooo! —gritaba.

—¡Hiii-ji-jiii! —relinchaba Rogelio.

—Así que quieres verme las venas, ¿eh?

—Sí, sí —dijo con timidez Lluís, algo inquieto, porque no sabía exactamente a qué se comprometía. En realidad, tanto le importaba aquello como otra cosa. Sólo quería quedar bien con Wladimiro-Pepito y su primo, que parecían complacidos con su expectación. De pequeño Lluís siempre hacía generalmente lo que quería su madre, con el fin de estar tranquilo y sentirse querido. Y más tarde había intuido que haciendo lo que los otros querían, también obtendría la tranquilidad y el afecto. Procuraba amoldar sus conveniencias a las de quienes le rodeaban, y sólo en casos de contrariedad muy grande aceptaba la, para él, extremada violencia de decir que no estaba de acuerdo... «Este niño es un hipócrita», se había oído decir más de una vez. No lo era especialmente, sin embargo. Pero resultaba que, de manera consciente o no, la mayor parte del tiempo su carácter consistía en simular que no lo tenía.

—¡Pues guipa, chaval, guipa!

Rogelio se quitó la americana blanca que, por fin, había estrenado (tras muchos días de verla, como algo inaccesible, en un escaparate de Can Casarramona) y la dejó con cuidado sobre una silla. Luego se arremangó una manga de la camisa. Sacó pecho y, levantando ostensiblemente el brazo derecho, hizo sobresalir un voluminoso bíceps.

—¡Formidable! —exclamó Lluís, tranquilizado, ya que había imaginado sabe Dios qué.

—¡Y esto no es nada! ¡Si le vieras saltar el plinto en el gimnasio de la España Industrial! ¡Sooo, caballo, sooo!

—¡Hiii-ji-jiii! —relinchó, de buen grado, Rogelio.

Wladimiro-Pepito explicaba, orgulloso, que, en la fiesta mayor de Gracia,* había visto a Rogelio, muy seguro de sí mismo, ir de chica en chica, alzando la ceja como Rafael Durán en *El escándalo* y diciendo:

—Nena, ¿bailas, sí o sí?

Si la chica se negaba, Rogelio respondía:

—¡Pues mierda!

Un día, en que, por cierto, cantaba Rafael Medina, Rogelio acabó a bofetadas con otros dos muchachos.

—¡Les puso una cara nueva! —decía Wladimiro-Pepito. Todo fue porque Rogelio, al pasar entre los que bailaban, tenía la costumbre de acariciar las manos de las chicas que estaban más cerca, por encima de los hombros de sus parejas. Si la chica no decía nada, Rogelio la guiñaba un ojo y seguía su camino. Pero si protestaba...

Aquel sábado de las «venas» se encontraban en el piso donde vivía Wladimiro-Pepito, un piso oscuro de paredes manchadas por la humedad. Una lámpara de cuadra-

* Barrio popular de Barcelona. *(N. de la T.)*

ditos de cristal, rojos y blancos, que había que tener encendida incluso de día, iluminaba el centro del comedor, los muebles baratos adquiridos a plazos en una tienda de la calle de San Pablo. El espejo del aparador, manchado en diversos lugares, reflejaba imágenes desdibujadas.

—¡Chico, parece los espejos del Tibidabo!* —decía a veces Wladimiro-Pepito. Pero si otra persona hacía este comentario, se enfurecía.

En la radio, un locutor declamaba más que leía:

—*Al genio enviado por la Providencia, Adolfo Hitler, es al que le cabe el alto honor de conducir la Cruzada que exterminará al monstruo que amenazaba sumir a la Humanidad en las más negras tinieblas. La juventud de las naciones no corrompidas por el virus marxista y el frente democrático-judío-masónico, acude a la llamada de alerta y une sus pabellones de guerra con el pabellón victorioso de la gran Alemania...*

—¡Cierra la radio! —gritó, desde la cocina, el Previsor del Porvenir. Wladimiro-Pepito obedeció, y llegaron hasta el comedor retazos de una discusión.

»¡Que no me líes! —gritaba el «padre adoptivo» del amigo de Lluís—. ¡Y la próxima vez que vuelvas a casa como ayer, después de las nueve, te rompo la cara! ¿Entiendes?

—¡Venga, ya está bien, déjalo! —decía la Colón—. Venga, niña, que tú y yo iremos a tomar el fresco.

—Espera, Regina, espera que no he *acabao*! Estoy harto de esta mocosa, ¿sabes? ¡Y todo esto desde que sale con ese macarrón!

—¡Artemio no es ningún macarrón! —exclamó la hermana de Wladimiro-Pepito. Sollozaba, mientras repetía—: ¡No es ningún macarrón! ¡Es bueno! ¡Es bueno!

—¡Sí! Y yo me chupo el dedo, ¿no? ¿Crees que no sé lo que te pasa? ¿Qué te imaginas?

* Monte desde el que se domina Barcelona, donde existe un famoso parque de atracciones. *(N. de la T.)*

Las dos mujeres salían de la cocina. La chica lloraba, se tapaba la cara con el delantal.

—¿Quieres callarte de una vez? —dijo la Colón, volviéndose hacia la puerta—. ¡Todo el mundo se tiene que enterar de lo que pasa!

—¡¡Tú eres quien ha de callar!! ¿Crees que no sé lo que le pasa? ¡Le pasa que ya lo ha *catao*! ¡Y cuando lo han *catao*...!

La chica protestó, asegurando que Artemio la respetaba, y el Previsor del Porvenir le dijo que callara, que callara, porque si no, iría a buscar a un médico y ya se vería si la había respetado, golfa, más que golfa, que cuando lo catan se vuelven locas...

La Colón puso la radio a todo tren.

—... *he aquí la labor de parte de esta juventud que hoy participa en la campaña del Este, al lado de sus hermanos de armas de ayer y de hoy: rescate de la Patria y cimentación de un imperio...*

—¡La radio! ¡La radio! —bramó el Previsor del Porvenir.

La Colón se llevó a su hija escaleras abajo.

Wladimiro-Pepito más bien parecía avergonzado de todo aquello. Lluís, como si nada hubiera oído, dijo:

—Yo también tengo un primo de la edad del tuyo. Trabaja en Can Bartrina, como ebanista. Pero no es como el tuyo, ¿eh? No es nada bromista. Y sería incapaz de hacer tan bien el caballo. ¿Qué...? ¿Nos las piramos?

—¿Suspiráis, marquesa? —dijo Rogelio. Y se fueron.

Cuando llovía se refugiaban en la Gardunya todos cuantos recorrían el mercado de la Boquería y las calles vecinas —llenas de pequeñas tiendas del ramo de la alimentación— a la búsqueda de desperdicios para comer, o atentos a posibles distracciones por parte de vendedores y clientes. Hombres y mujeres, cubiertos de harapos, se reunían bajo la gran techumbre, con sus hatos, en torno a hogueras de madera húmeda que llenaban todo de humo. Lluís los miraba tirar cuidadosamente el contenido de aquellos hatos. Casi todos llevaban, además, una gran lata que había contenido membrillo o atún y que ahora les servía de plato.

Estas reuniones, determinadas por el mal tiempo, eran conocidas por los funcionarios del Ayuntamiento, que no tardaban en presentarse. Embarcaban sin contemplaciones, en sus camiones grises, a todos los que no podían escapar y, al mismo tiempo, se llevaban a los vendedores ambulantes que encontraban. Siempre había algún que otro vendedor, de los autorizados, que gritaba:

—¡Muy bien! ¡Duro! ¡Duro, que es sevillano! ¡Los que pagamos contribución hemos de ganarnos la vida!

También se llevaban a las estraperlistas que podían. Caía mientras tanto la lluvia, en franjas finas y transparentes, desde el alero del mercado. Y el olor dulzón de las naranjas magulladas o podridas, y el olor agrio de los tomates de Canarias estropeados, se volvían más intensos, dominaban cualquier otro olor...

Pasada la «razia», la Pelona salía de debajo de algún puesto, con su hato y su lata.

—¡A ti no te cogen nunca! —comentaba siempre alguien.

Muy orgullosa, la Pelona se estiraba el cabello grasiento hacia atrás, se arreglaba las vendas de la pierna que le supuraba y, agarrándose la falda como si fuera a enseñar Dios sabe qué (la gente reía y gritaba: «¡Más arriba! ¡Más arriba!»), se ponía a cantar:

Pu-pu-piddú quiere decir
alegría y afán de vivir...

O bien la canción que la había dado nombre:

Cuatro pelos que tenía
se los vendió de estraperlooo...
Peloooona, sin peloooo...

Seguramente como represalia por haberse exiliado, la llamada Delegación Provincial de Abastecimientos y Transportes continuaba denegando las cartillas de racionamiento a Lluís y a su madre, aunque ya hacía un año que estaban en España. Tere tenía que comprarlo todo de estraperlo, a precio doble, a veces triple.

Su pequeño comercio no iba bien. Primero, porque Tere tenía que comprar a crédito, lo que la obligaba a aceptar mercancías que los vendedores que pagaban al contado no querían. Después, porque los que tenían dinero compraban en los puestos grandes, bien surtidos. La clientela de Tere se componía, casi siempre, de mujeres de obreros manuales y empleados modestos. A veces fiaba pequeñas ventas a pobres mujeres que ya no volvían nunca más a pasar por delante de su puesto.

Cuando Tere comentaba estas cosas con doña Celeste, la viuda de un funcionario de correos que les había realquilado una habitación en su piso, la oía responder:

—¡Ya se lo digo yo siempre, mujer! ¡Los obreros son los peores, créame! Ya lo ve, mujer, ya lo ve... Sólo hablan de unión, de solidaridad... Y son los primeros que... ¡Vamos, mujer, vamos! Al menos, esta vez han tenido su merecido. ¡Así, con el bozal puesto y la correa corta! Y eso no es nada. Porque lo que nosotros necesitaríamos sería un Hitler. ¡Qué hombre! Y guapo, ¿eh? Guapo, varonil... Aquí, a ver si todavía se descuidarán y los dejarán volver a las andadas. ¡A ver si todavía olvidarán que *tranquilidad viene de tranca*, que decía mi marido, que en gloria esté!

Tere escuchaba en silencio. Doña Celeste creía que Artur, un triste relojerito que nunca se había metido en nada, había muerto durante un bombardeo, y ni siquiera sospechaba que Lluís y su madre habían vuelto de Francia. Después, en la habitación, Tere lloraba y se reprochaba:

—¿Por qué soy tan tonta? ¿Por qué tengo que explicarle nada a esta mala pécora? ¡Dios mío! ¿Adónde ha ido a parar toda la gente buena de antes? ¿Acaso los han fusilado a todos? ¡Sólo me topo con canallas, Lluís, con canallas!

—No llores, mamá —decía Lluís—, que te va a hacer toser otra vez.

Cuando Lluís estuvo malo, con una infección intestinal, doña Celeste entró alguna vez en la habitación para preguntar cómo estaba, si necesitaba algo... Le miraba desde la puerta, y había en su cara una cierta expresión reticente, aunque también un cierto afecto. Una tarde, alguien llamó a la puerta del piso. Doña Celeste abrió y, poco después, volvió a la habitación llevando una cosa que él describió, más tarde, a Tere como «una caja de madera, llena de santos; como si fuera una casita con puertas que se pueden abrir para ver lo que hay dentro». Muy piadosamente, doña Celeste le enseñó la «casita» diciéndole que la había traído la vecina de abajo.

Lluís dedujo que, por algún motivo que no se atrevía a pedir que le explicasen, porque parecía demasiado evidente, la caja recorría toda la casa, de piso en piso. Su madre, fastidiada porque todavía no había podido pagar el alquiler a doña Celeste —y ésta refunfuñaba por ello—, comentó, tosiendo:

—Lo que tendrían que hacer es rezar menos y ser más humanos. Dios era un hombre bueno que murió por salvar a la humanidad, que por eso le llaman el *Salvador* (pronunció el nombre en castellano). Pero si resucitase, cogería un garrote y la emprendería a garrotazos con una buena escoba con toda esta gente, empezando por los curas...

En el mercado Lluís aprendió a decir cosas que no repetía delante de su madre, porque se daba cuenta que la disgustaban. Eran expresiones groseras que, para él, tenían la mayoría de las veces un significado oscuro y turbador.

Tere tosía cada vez más. Para no inquietarle, le decía a Lluís que era por culpa del humo, el humo de las hogueras que, en cubos viejos o en botes, encendían las vendedoras. Se acercaban al fuego tanto como podían y se ahuecaban las faldas para hacer subir el calor; siempre había alguien para sacarle punta a la cuestión...

Cuerpo frágil, anguloso, vestido en tonos oscuros, rostro blanco húmedo de sudor, pómulos enrojecidos bajo unos ojos resignados, Tere cada vez besaba menos a Lluís. «¿Otro beso quieres? —decía—. ¡Pero, Lluís, si te acabo de dar uno!» Él empezaba a descubrir que el humo no tenía nada que ver con aquella tos, que algo pavoroso, irremediable, se les venía encima. A veces, ella misma parecía creerse la excusa del humo. Entonces, le abrazaba, le besaba, le miraba largamente con ojos nublados.

La veía agotarse cada vez más, llevando cajas de género desde el Born.* Procuraba ayudarla...

—Ten cuidado, ¿eh? Sobre todo no te pinches con algún clavo oxidado. Cogerías el tétanos...

También la ayudaba a vender. Y a separar de las otras las frutas y verduras roídas por las ratas. Por la noche, cuando le arreglaba el embozo de la cama y le besaba, Lluís percibía olor a humo en sus cabellos, y ella decía:

—Huelen a humo, ¿verdad? ¡No, si acabaremos pareciendo gitanos!

Un día de Santa Teresa, las otras vendedoras le dieron, como regalo, una caja de cartón, de las de zapatos. La abrió, muy contenta. Dentro había una zanahoria y, a cada lado de la parte más gruesa, dos tomates de Canarias. Las vendedoras reían. Tere se puso a llorar. Las vendedoras no lo comprendían. Era una buena broma, ¿no? Una broma sin malicia. Una viuda tiene que consolarse, ¿no? Cuando Lluís había estado enfermo, las vendedoras habían hecho una colecta para ayudar a Tere. Ahora estaban consternadas, viéndola llorar: ¡Pues sí que le ha dado fuerte! ¿Acaso no ha visto que era una broma?

Tere se mordió los labios. Se enjugó las lágrimas. Sonrió.

* Antiguo Mercado Central de Barcelona. *(N. de la T.)*

A la hora de comer, mientras estaban sentados sobre dos cajas de madera, un plato de *farinetes** sobre las rodillas, frente al fogón de tierra cocida, Tere dijo a Lluís que estaba dispuesta a ponerle a trabajar. A trabajar lejos, cuanto más lejos del mercado, mejor...

Doña Celeste les recomendó a un farmacéutico que se llamaba Albadalejo. Era un hombre alto y grueso, que se restregaba frecuentemente las manos, blancas y finas. Cuando algo le contrariaba, nunca decía palabrotas. Enseguida trató a Lluís con dulzura y se mostró tan amable que el chico olvidó toda precaución y, una mañana, dejando a un lado las botellas que tenía que lavar, le reveló que su padre había muerto en Francia. El señor Albadalejo se limitó a mover la cabeza tristemente. Le dio unos golpecitos amistosos en la espalda y Lluís, confuso, volvió al trabajo. Pasaron dos semanas. Esperaba que, de un momento a otro, le despedirían. Pero no sólo no pasó tal cosa, sino que el farmacéutico, cuando supo que todavía no tenían cartillas de racionamiento, le dio una carta para un alto funcionario de la Delegación de Abastecimientos y Transportes. Se las hicieron inmediatamente.

El trato personal del señor Albadalejo contrastaba con el de Just, el practicante, que reñía severamente a Lluís por cualquier cosa.

—¡A mí no me insulte! —lloraba Lluís, rabioso—. ¡No me insulte porque se lo diré al señor Albadalejo cuando vuelva! Le diré que me ha llamado «hijo de rojo de mierda»... ¡Mi padre no era rojo! ¡Era republicano!

Pero Just seguía negándose a hacer aquella sutil distinción.

—¡Y yo le diré que hay que repetirte ochenta veces que debes cambiar la *Frase Quincenal*! —gritaba Just. Era delgado, poca cosa, cabezón, con pelo rubio bastante ralo.

* Gachas.

Tenía la costumbre de llevar un puñadito de arroz en el bolsillo, y siempre se le veía rumiar nerviosamente.

Secándose las lágrimas, Lluís descolgaba de la pared un marco rectangular. Reemplazaba el papel que aquel marco contenía, por otro: una hoja sobre la que podía leerse, en bellos caracteres góticos, de color rojo, una frase de este tipo:

El hombre es portador de valores eternos.
JOSÉ ANTONIO

¡Por el Imperio hacia Dios!
JOSÉ ANTONIO

Ni bestias ni ángeles: hombres.
RAIMUNDO FERNÁNDEZ-CUESTA

Somos los gallos de marzo que cantan las primaveras de las nuevas Españas.
JOSÉ ANTONIO

Ni un hogar sin lumbre, ni un español sin pan.
FRANCISCO FRANCO

España es una unidad de destino en lo universal.
JOSÉ ANTONIO

La libertad no puede existir si no es dentro de un orden.
JOSÉ ANTONIO

Just acabó por decir al señor Albadalejo que Lluís hablaba mal del Régimen, es decir, que era *desafecto*. Pero el farmacéutico no encontró que aquello fuese motivo para justificar un despido. De todos modos, le riñó, y le dijo que no se tenía que hablar mal de nadie. Que allí arriba, en el Cielo, Dios juzgaría cuando llegase el momento la conducta de cada uno *en este valle de lágrimas*.

Just se divertía mucho cuando, provisto de un mapa de Europa publicado por la revista *Mundo*, comentaba con el señor Albadalejo los progresos de los ejércitos de Hitler y los fracasos de los aliados. O cuando sacaba del bolsillo una hoja arrugada y sucia y decía a algún cliente de aspecto acomodado:

—Mire, mire, señor Pinyol... Son títulos de películas... Ya verá... *Mentirosilla: Agencia Reuter*... ¡Je, je, je! *Quesos y besos: Holanda y sus vecinos*... ¿Verdad que es bueno? *Un par de gitanos: Churchill y Roosevelt*...

Aquí, riese o no su interlocutor, él soltaba la carcajada, disparando trocitos de arroz triturado, y se ponía a hablar mal del «alcohólico-crónico-del-puro» y del «inválido-de-cuerpo-y-alma».

—Espere, espere, que no se ha acabado... *Un día en las carreras: el ejército francés*... *Sucedió una noche: la invasión de Noruega*... *Noches blancas: Londres bajo el blitz*...

Y así sucesivamente.

El padre de Just había sido coronel retirado. Una noche, después del 18 de julio, tres hombres que llevaban mono le fueron a buscar a casa y le hicieron levantar de la cama. Se lo llevaron a pesar de las súplicas de su mujer y de su hijo. No volvió nunca más. Encontraron su cuerpo, acribillado, en el Revolt de la Paella.*

El farmacéutico vivía en un piso muy grande, suntuosamente amueblado, en la calle de Balmes. Lluís había ido allí más de una vez con un carrito a buscar botellas vacías.

La hermana del señor Albadalejo, una mujer delgada y pequeña que a veces llevaba la camisa azul, con el yugo y las flechas bordados en rojo, le sonreía bondadosamente y siempre le decía: «*Te has de hacer flecha.*» «*Sí, señora*», respondía Lluís, con miedo. Ella le acariciaba los cabe-

* Lugar en las afueras de Barcelona, donde gente incontrolada llevó a cabo muchas ejecuciones. *(N. de la T.)*

llos y le daba de merendar en un comedor enorme, presidido por un retrato al óleo del farmacéutico. Le habían pintado de uniforme de capitán del Ejército, medio cubierto por una formidable guerrera de piel de cordero. Al fondo, sobre un valle verde y azul, encuadrado por montañas rocosas, se amontonaban rosadas nubes. Lluís se quedó boquiabierto la primera vez que vio el cuadro.

Era, en su opinión, una obra de arte de un gran realismo. Impresionado, se decía que al quedarse solo en la amable penumbra del comedor, el militar Albadalejo se restregaba tal vez las manos, como tenía por costumbre hacerlo el farmacéutico Albadalejo...

Una vez al mes, la farmacia estaba de turno y tenía que abrir el domingo. Entonces, el señor Albadalejo llegaba, por la mañana, un poco más tarde que de costumbre, y decía a Just y a Lluís:

—Vayan, vayan a misa. Ya me ocuparé yo de los clientes.

Lluís seguía a Just dentro del templo, se mojaba como todo el mundo la punta de los dedos en el agua supuestamente bendita y se persignaba tal y como su madre le enseñó cuando él le explicó que le obligaban a ir a misa. Tere le aconsejó:

—¡Sí, hijo, sí! Tú ve como si tal cosa! Con esta gente más vale estar a buenas y no llevarles la contraria.

Antes de alquilar el puesto en el mercado, a Tere le propusieron trabajar de asistenta en un colegio religioso. A cambio, le darían comida y alojamiento para ella y para Lluís. El chico, además, podría estudiar gratis. Tere rehusó.

—Por mí, no habría inconveniente —dijo a su padre—. Y no es que tenga ganas de limpiar la mierda de esos señores, claro... Pero si no acepto, es sobre todo por el niño. No quiero que le llenen la cabeza de tonterías, no quiero que le hagan renegar de su padre. ¡Me lo tendrían todo el día rezando y cantando el *Cara al Sol*!

—Lo jodido es que le meterían en el cuerpo el miedo

al pecado —dijo Miquel Soler—. ¡Y cuando coges el miedo al pecado, ya estás listo!

Después de hacer la señal de la cruz, Lluís se sentaba cerca de Just, que le miraba de reojo, con una sonrisa entre satisfecha y burlona; juntaba las manos y medio entornaba los ojos, como veía hacer a los demás.

Miraba furtivamente a su alrededor, impresionado por el silencio que todavía acentuaba más una tos, un murmullo, el ruido de un banco al moverse alguien, el crujir de una tela o la campanilla del monaguillo; impresionado por el olor a incienso y a cera y por las incomprensibles palabras, pintadas en rojo —con un tipo de letra muy parecido al de la *Frase Quincenal*— en lo alto de los muros, sobre el altar.

Ave María - Gratia Plena - Regina Coeli
Gloria Patri et Filio et Spiritui Sancto

Las cabezas se inclinaban hacia el lugar donde oficiaba un sacerdote joven y flaco. («Con cara de bueno», explicaba Lluís a su madre. «Sí, sí...», replicaba ella. «*¡A Dios rogando y con el mazo dando!*»)

No era cierto que, como decía Tere, a la iglesia sólo iban los ricos. Manos obreras estrechaban misales rojos y dorados. Cuando Lluís comentó aquello, su madre se enfadó:

—¡Van a la fuerza, como tú, necio! ¡No, si todavía te van a embaucar!...

Roja de indignación, explicó largamente que, desde que acabó la guerra, en las iglesias los curas daban certificados de asistencia a misa que podían ser exigidos, en cualquier momento, por las autoridades, y que eran indispensables para poder trabajar y dar testimonio de que uno era *afecto*.

Algunas personas ofrecían humildemente cirios de llamas anaranjadas y vacilantes... Lluís se quedó boquiabierto frente a un san Sebastián ensangrentado, acribillado por las flechas. Con la boca entreabierta, miraba con ojos de cristal verde la luz que tamizaban los vidrios multicolores. Rojiza, amarilla, azulada, bañaba la bóveda alta y blanca.

Si Just le miraba con demasiada insistencia, Lluís movía también los labios.

Con el tiempo, llegó verdaderamente a rogar al Dios que, según Tere, se encontraba también en el pan, pan que había que cortar con reverencia, sin maltratarlo —sin clavarle el cuchillo como un puñal, por ejemplo—, sin malgastarlo en mendrugos. Llegó así a creer en un Dios personal, un Dios que nada tenía que ver con los curas, aliados manifiestos de quienes habían ganado la guerra.

A esos curas continuaba mirándolos con disimulo, en la calle, en la iglesia, con una curiosidad mezclada de miedo y repugnancia.

—¡Toca madera! —decían alegremente en el mercado cuando veían pasar un cura. Y aseguraban, entre burlones y temerosos, que encontrarse con tres que vinieran de cara traía mala suerte.

Tere, que Lluís supiera, sólo rezaba por Semana Santa, cuando sacaban al Santo Cristo de Lepanto de la catedral, para el sermón de las Siete Palabras. Aquel día, a las tres en punto de la tarde, se arrodillaba junto a doña Celeste, sobre las baldosas de la cocina, y pedía tres gracias. Nunca decía, ni a Lluís ni a nadie, en qué consistían, porque, al parecer, si lo hubiera dicho habría perdido toda oportunidad de que el Cristo de Lepanto se las concediese.

En la iglesia, las mañanas de domingo en que la farmacia abría, Lluís pedía a Dios larga vida para su madre, que les tocase el número de los ciegos (para poder ir a comer *crema cremada** al American Bar), un buen accidente que obligase a Just a no aparecer por la farmacia cuanto

* Típico postre catalán, consistente en una especie de natillas quemadas en su superficie con azúcar. *(N. de la T.)*

más tiempo mejor (le parecía demasiado fuerte pedir que se muriese) y que todos los fascistas reventasen de una vez, empezando por el primero...

Pero los días habían sucedido a los días, y ninguno de estos acontecimientos tan deseados se había realizado.

—Mamá... Mamá...

La inutilidad de semejante invocación le calma. Se seca las lágrimas. Se levanta y empieza a bajar la escalera.

Cuando va a cruzar la Vía Layetana, se para frente a una vendedora de castañas. Un chico, más joven que él, está comprando. La vendedora, en su puesto de madera, con las piernas tapadas por un saco, coge las castañas del fuego, las mete en un cucurucho de papel de periódico y se las da al chico. Tiene las manos tan negras que sus uñas parecen limpias. El chico le da una peseta muy arrugada. Lleva un abrigo nuevo, azul oscuro, y pantalones de golf; sus cabellos rubios están muy bien peinados y huele a colonia Lucky. Hay un reloj en su muñeca izquierda.

—¿Puedes decirme la hora que es?

—Las diez y media.

¡Debe darse prisa si quiere recurrir a Leoncio...!

—¿Quieres una?

El chico le sonríe. Lluís coge una castaña. Escoge la más gorda.

Por el corte que la vendedora le ha hecho, se entrevé la pulpa amarillenta, un poco quemada. Quita la piel y se pone la castaña en la boca. Quema.

—Parece que las castañas le gustan, ¿eh? ¿Quieres otra?

—No, no, gracias.

—Sí, hombre, sí. Hay muchas.

El chico tiene ademanes decididos, y un tono de voz un poco autoritario. Se adivina que está acostumbrado a hacer lo que le da la gana. Andan juntos un momento en silencio. No van hacia la Vía Layetana, pero Lluís se dice que es igual y que sería de muy mala educación irse tan deprisa. El otro parece simpático, pero, como de costumbre, Lluís prefiere estar solo. Este chico debe de ser rico. Para él, cuarenta pesetas no deben de representar nada.

De pronto, Lluís se lanza sobre la pista de unos *gánsters* que acaban de secuestrar al chico de las castañas...

—¿Eres del barrio?

—Sí. Es decir, no. Vivo en Pueblo Nuevo.

—¿Vas al *cole*?

—No, trabajo.

—¡Anda! ¡Qué suerte! A mí también me gustaría trabajar... Me gustaría más que estudiar. Pero mi padre me obliga a estudiar. Voy a los jesuitas...

Mira a Lluís con envidia. Lluís se siente halagado y un poco inquieto por la mención de los jesuitas. Continúan en silencio. Lluís vuelve la cabeza con pesar hacia la Vía Layetana.

—¿En qué trabaja tu padre?

—Es marinero —dice Lluís—. Ahora está en Birmania.

—¡Toma! ¡Eso sí que me gustaría, ser marinero! Fíjate si van lejos... Mi padre es poeta y escribe en *La Vanguardia*. Me llamo Joanet, ¿y tú?

—Jaume.

... los *gánsters* oponen una terrible resistencia, pero Dan Stone, *el Piloto Audaz*, por Lewis Marty, intervendrá de un momento a otro...

—Los días de fiesta son estupendos, ¿verdad?

Pasan por delante de una pastelería. El escaparate está lleno de *panellets*.*

—Tengo ganas de que llegue la hora de la *castanyada*...** —dice Joanet—. Mi padre...

* Pastelillos típicos, propios de la festividad de Todos los Santos. *(N. de la T.)*

** Fiesta entre familiares y amigos, en que se asan castañas, típica de las mismas fechas. *(N. de la T.)*

... y Dan Stone, *el Piloto Audaz*, se lanza de cabeza contra el *plexo solar* —como dicen en las novelas de Doc Savage— de uno de los *gánsters*. ¡Baaam! Le cae la máscara: es don Ramón. ¡Dan Stone ya lo sospechaba! Con un palo en la mano, ¡crack!, ¡thump!, le rompe la cabeza. Surge otro *gánster* y ¡crack!, ¡thump!, también le rompe la cabeza... ¡Es Just! La sangre salpica a Dan Stone, que continúa golpeando y golpeando. Por fin, Dan Stone consigue devolver a Joanet a su casa, una casa de ricos, y el padre dice a Lluís si quiere cuarenta pesetas. *No, gracias* —dice Lluís—. *No he hecho más que cumplir con mi deber*. Y se oye una música de himno americano...

—¿Nos contamos una *aventi*?* —dice Joanet. Lluís le mira como si acabase de salir de la nada, con los ojos llenos de la sangre de Just, de la sangre de don Ramón... ¿Y si le pidiese a Joanet las cuarenta pesetas?

Pero Joanet, que parece apreciarle, y le mira un poco intimidado porque Lluís es mayor que él, pensaría que es un *mangante*.

—No, no. Tengo que irme, chico. ¡Adiós y gracias!

—Adiós, adiós.

Joanet se queda algo sorprendido. Lluís lo siente.

Pero debe apresurarse, si quiere encontrar a Leoncio.

* Definición infantil de contarse una historia, o inventar una aventura. *(N. de la T.)*

5

La tienda de la madre de Leoncio tiene la puerta metálica medio echada. Lluís baja la cabeza y empuja la puerta encristalada.

—¡Buenos días! —dice demasiado alto, mirando hacia el interior. Está oscuro, huele a gato, no hay nadie. Se oyen unas voces de mujer, pero en la trastienda.

La vieja mesa está a mano derecha, cerca de la pared. Lluís y Leoncio han pasado muchas tardes de domingo dibujando sobre esta mesa, bajo la luz de un flexo descuajeringado que siempre había que tocar con precaución.

Las voces dejan de oírse.

—¿Quién es? —pregunta desde dentro la voz de la madre de Leoncio.

—Soy yo.

Entra. Está a punto de tropezar con una maleta.

—Ya voy. Ya voy.

La madre de Leoncio dice en voz más baja:

—Anda, rica, no se hable más y vete, que tengo trabajo.

—Pero, ahora, ¿qué voy a hacer? ¿Qué será de mí? —dice la otra voz, entre sollozos y suspiros.

Lluís cierra la puerta. Pasa cerca del viejo mostrador cubierto de mármol sobre el cual, a través de los años, las grandes jarras de leche han dejado una señal redonda. Se recuesta en la mesa. Ve unas llaves, una cartilla de racionamiento, un ramillete de siemprevivas y un cesto. Dentro del cesto hay dos fiambreras con sobras de comida. De una de las asas del cesto cuelga una tarjeta de cartón.

—¡Te digo que te vayas! ¡Es mejor, créeme! —chilla la madre de Leoncio.

Lluís mira la tarjeta. Con un lápiz han escrito con dificultad:

ARTEMIO OLIVAR
CELDA 32
Segunda Galería
Prisión Modelo de Barcelona

—Pero ¿adónde quiere que vaya? ¡Mi padre me ha echado de casa! Dígame dónde está Artemio. Dígamelo, señora Lola... ¡Por favor, dígamelo!

Las palabras acaban en llanto. Lluís mira hacia la trastienda. Una puerta. Un pasillo. Los pasos de las mujeres en el pasillo. Llegan.

—¡Ya te he dicho que se fue a Francia! Y no tengo su dirección. Anda, guapa, que no me quiero enfadar contigo. ¡Vete de una vez!

La señora Lola ha cogido a la chica por un brazo. La obliga a seguirla. La chica no es muy alta. Morena, regordeta, lleva una blusa blanca y un traje sastre gris, de hombros anchos. Su peinado imita una propaganda de «Solriza» y calza topolinos con suela de corcho. Tiene la cintura hinchada y camina con dificultad dentro de la falda que la oprime. Tiene los ojos rojos y un pañuelo en la mano.

—¿Qué será de mí? ¿Qué será de mí?

«¡Hostia, si es la hermana de Wladimiro-Pepito!»

No reconoce a Lluís. Ni siquiera parece verle. Cerca de la puerta, coge la maleta y vuelve la cabeza hacia la señora Lola. Opone cierta resistencia a su presión. La señora Lola la deja.

—¿Quieres irte de una vez? ¿Verdad que te dejaste? Pues entonces, mujer... ¡Venga, márchate!

La chica se va.

—¡Gracias a Dios! —suspira la señora Lola—. ¡Vete a hacer puñetas, rica! ¡Sólo le faltaba esto a mi pobre Artemio!

Mira a Lluís. Sus ojos pequeños y brillantes se clavan en él.

—Soy yo, señora Lola, Lluís. ¿No se acuerda de mí?

Conoció a Leoncio en torno a los puestos de libros viejos del Mercado de Sant Antoni. Los dos iban allí, los domingos, y se comprometieron a continuar, juntos, los esfuerzos para llegar a ser tan buenos dibujantes como Emilio Freixas y Jesús Blasco; como Alex Raymond, Milton Caniff y Harold Foster, que Lluís hizo descubrir, o redescubrir a Leoncio, como maestros absolutos. Reunieron sus «archivos», y los días de fiesta pasaban largas horas en casa de la señora Lola, intentando copiar —dibujando primero a lápiz y pasando a tinta después— las ilustraciones de aquellos reyes del tebeo.

Mientras dibujaban, hablaban mucho. La señora Lola a veces decía: «¿Queréis callar, que parecéis cotorras?» Leoncio había explicado varias veces a Lluís que su abuelo, junto con Ángel Pestaña y el Noi del Sucre, había pertenecido a la organización anarquista Els Fills de Puta. El abuelo de Leoncio y otros militantes, afiliados al Sindicato Único, cayeron en una trampa preparada por los pistoleros del Sindicato Libre y fueron acribillados. «¡Pero antes de morir, mi abuelo se cargó a tres!», decía siempre Leoncio, exagerando en número de dos. El padre de Leoncio, que era de la FAI, murió tuberculoso, un año después de la guerra, en el penal de El Dueso.

Lluís se enteró también de que, durante los bombardeos de la ciudad, cuando las sirenas anunciaban el fin de la alarma y el locutor de Radio Barcelona decía: «¡Catalanes! Ha pasado el peligro de bombardeo», la señora Lola —su marido entonces estaba en el frente de Aragón—

enviaba a Leoncio y a Artemio, su hermano mayor, a huronear entre las ruinas, a la búsqueda de todo cuanto pudiera tener algún valor. Llevaban a casa lo que podían y la madre lo convertía (después de haber pasado por cualquiera de los mercadillos de objetos robados del Barrio Chino) en leche condensada, judías y lentejas.

Artemio se hizo especialista del robo de bombillas: aprovechaba, cuando sonaba la alarma y todos se iban al refugio, para robar las de las escaleras. Esto aumentó mucho la admiración que Leoncio tenía por él.

—¡Si le hubieras visto, Lluís! —se extasiaba—. ¡Si le hubieras visto con qué cojones, mientras todo estallaba, Artemio desenroscaba las bombillas...! Y eso aunque tuvieran unos alambres protectores...

Cuando evocaba aquel período de su vida, la señora Lola siempre decía:

—¡Mis hijos son listos, porque yo los he sabido educar como es debido! Siempre he sabido salir adelante y es por eso que los niños nunca se han ido a la cama sin cenar. Ni han cogido el *piojo verde*, ni han acabado tuberculosos, como tantos otros. ¡Ya quisieran decir lo mismo muchas madres!

La mañana de un cierto 26 de enero, mientras las tropas del Caudillo penetraban en Barcelona, entre basuras, papeles oficiales a medio quemar y cadáveres solitarios, bajo el fuego encarnizado de algunos *pacos* decididos a entrar en la Historia con las armas en la mano, Leoncio, Artemio, el Traga, el Pirracas y algunos más, grandes y chicos, asaltaron un depósito de la calle Campo Sagrado donde se decía que había víveres. Las puertas hundidas dejaron al descubierto montones de cajas, sacos, barriles, bidones. La gente gritó su indignación. Un tipo regordete subió sobre una caja de botes de leche condensada y dijo:

—¿Habéis visto? ¿Habéis visto? ¿Qué? ¿Esto es propaganda de Queipo de Llano? ¿Veis cómo eran? ¡Ellos, hartándose, y la gente reventando de hambre! ¿Es esto la igualdad? Si esto es la igualdad, yo soy...

—¡Tú eres un fascista! —gritó una mujer—. ¡Rata asquerosa de la Quinta Columna! ¡Ten cuidado, cerdo, que todavía no nos hemos ido! ¡Y te vamos a dar el paseo!

El regordete bajó rápidamente de la caja. La mujer, alta y pálida, con un niño agarrado a las faldas, le amenazó con el puño. Pero en la confusión que siguió, todos los olvidaron. Leoncio recordaba el gran montón de cajas, y cómo las cajas se inclinaban y caían de una vez. Un niño rubio, con la cara blanca llena de pecas, resultó con el pecho aplastado. Artemio y la mayoría continuaron saqueando el depósito, pero Leoncio se encontraba entre los que sacaron al rubito de debajo de las cajas y le llevaron hacia un rincón, mientras el aceite de un bidón reventado comenzaba a extenderse por el suelo de cemento. Leoncio se encontraba entre los que vieron al rubito abrir los ojos y decir:

—Tengo hambre... Tengo hambre...

Toda la vida se acordaría del rubito. La cabeza le cayó hacia atrás y entre labios que ya no tenían color enseñó los dientes con un alambre para corregir su prominencia. A partir de aquel día, cuando Leoncio oyera hablar de la muerte, cuando pensara en ella, la muerte tendría para él aquella cara lívida, vería aquella cabeza caída hacia la nada...

—Pero ¿qué haces, embobao? ¿Crees que somos nosotros solos los que hemos de currelar?

Era la voz de Artemio, el cual, con la ayuda del Pirracas y del Traga, arrastraba un gran saco de arroz.

La noche de aquel día, después de tantas noches en que las tinieblas sólo habían sido atenuadas por la claridad mortecina de algunas bombillas pintadas de azul, la ciudad se iluminó totalmente. A pesar del frío, las ventanas y los balcones se abrieron de par en par y resplandecieron. Desde la cumbre de las colinas vecinas, donde había cañones silenciosos que ya no tendrían que defender más la ciudad de ataques aéreos, se veían las luces de

Barcelona: brillaban con un resplandor tan grande que se hubiera dicho que pretendían iluminar el mar oscuro del invierno.

—*¡Esta noche, para celebrar la liberación, Barcelona tiene que brillar como un ascua!* —había decretado alguien, en el Olimpo de los vencedores. Así fue. Leoncio explicó a Lluís que, al anochecer, se había disparado contra algunas ventanas y balcones que no se iluminaban.

Aquella noche, mucha gente que había conseguido raciones de las que daba generosamente un ejército al que la falta de resistencia predisponía a ser benévolo —o raciones de las que vendían los moros en puestecitos improvisados— se fue a dormir con la panza llena, por primera vez después de muchos días. Por un bote de leche y un chusco, más de un soldado que quería celebrar su supervivencia y olvidar la muerte de los compañeros, compró virtudes bajo los plátanos de Barcelona. Fue una gran noche para los indiferentes y los más o menos quintacolumnistas. Unos barceloneses salieron de escondites seguros, que otros barceloneses anhelaban ya desesperadamente. Fue la noche en que se empezaron a afilar los cuchillos de la venganza y encontró su recompensa la insolidaridad de los pequeños astutos del ¡ya-te-lo-decía-yo!, del ¡tú-no-te-líes-pase-lo-que-pase!, y del ¡ya-se-arreglarán!, cosas todas ellas asimiladas, ¡oh, con qué buena conciencia!, al más puro y simple buen sentido. A unos les dolieron las manos de haber aplaudido, las rodillas de haber rezado en tantos solemnes tedéums; a otros les dolieron los ojos de tanto llorar, los dientes de tanto apretarlos. Para los que no habían huido, para los que no fueron nada astutos y estaban comprometidos, la noche marcó el principio de otra noche mucho más larga, a menudo definitiva.

Lluís sabía igualmente que, los días que siguieron, Artemio iba a hacerse el simpático por los restaurantes de Auxilio Social. Cuando le animaban a ello, cantaba de buen grado, con la tonada de *Joven Guardia*:

Somos los hijos de Negrín,
y nuestro padre es un cabrón
porque nos hace resistir
sin darnos pan ni munición...

A menudo, gracias a ello, le daban otro plato de judías que compartía con Leoncio y los amigos.

La tienda de la madre de Leoncio estaba en un callejón de la parte derecha de las Ramblas, en pleno Barrio Chino. Uno de los extremos del callejón daba a la calle del Hospital, cerca de los muros de la Escuela Massana. El otro daba a la calle de San Pablo.

En la planta baja de las casas húmedas y sucias había, entre otros establecimientos, tabernas, una panadería, una perfumería, un nido de arte, un carbonero...

Por falta de sol, la ropa que se tendía en los balcones y las ventanas no cesaba de escurrir. Niños y niñas se pasaban, de ventana a balcón, de balcón a ventana, tebeos viejos y arrugados.

Los niños se divertían largos ratos siguiendo con la mirada, muy atentamente, trozos de papel atados con cordeles. Los papeles bajaban hacia las caras de los transeúntes, hasta casi tocarlas; un gran silencio invadía entonces las ventanas y balcones. Y cuando los transeúntes, sorprendidos, se sobresaltaban y alargaban una mano dubitativa, los niños tiraban bruscamente de los cordeles y rompían a reír. Por unos instantes, sus rostros resplandecían de absoluta felicidad.

En el extremo del callejón que daba a la calle de San Pablo se podía leer, sobre algunas puertas, escrito en letras de fantasía:

EL RECREO
LA SULTANA
EL JARDÍN

Cuando caía la noche, otras palabras brillaban en letras de neón sobre otras puertas:

ENFERMEDADES DE LA PIEL
SÍFILIS
GOMAS

Al anochecer, por la noche —sobre todo sábados y domingos—, muchos hombres empujaban las portezuelas, tipo *saloon* del Oeste, que conducían a salas espaciosas, poco aireadas, llenas de humo de tabaco. En las paredes, anónimos «artistas» habían pintado con poca fortuna mujeres opulentas.

A pesar del rótulo que indicaba:

PROHIBIDA LA ENTRADA
A LOS MENORES DE 18 AÑOS

Lluís había entrado en una de aquellas salas, en compañía de Leoncio.

Antes de hacerlo, discutieron si se hacían, o no, bigotes postizos con la piel del cuello de un abrigo de la señora Lola. Pero Leoncio decidió que no, teniendo en cuenta que eran muy altos para su edad y que aquella utilización del abrigo podía traer, además, terribles represalias.

Llovía. En El Recreo habían tirado serrín por el suelo. Lluís vio una especie de ancho estrado de madera, de unos treinta centímetros de alto, sobre el que estaban las mujeres sentadas, o de pie. Llevaban batas que dejaban entrever sus cuerpos casi desnudos. Sonreían a los posibles clientes, saludaban a los habituales, en una atmósfera de humo, de sudor, de perfume barato.

Hacían guiños para decidir a los tímidos, pedían cigarrillos, canturreaban, hacían movimientos pretendidamente sugestivos, procurando animar sus pobres caras de mujeres del pueblo con un pasado de hambre y frío, sabiendo muy bien que aquellos hombres de igual condición no querían encontrar, en las que escogerían, la tristeza, el asco y el miedo que amargaban sus vidas de explotados.

Una mujer alta y gruesa, con el pelo teñido de rojo, azules los ojos de rímel, miró a Lluís y a Leoncio. Entreabrió su bata rosa. Sonrojado, Lluís la miraba sin poderlo evitar. Había ido a la playa y allí había visto mujeres en traje de baño. Pero la carne ofrecida de aquel modo, en aquel marco, producía en él un efecto directísimo, casi doloroso, muy diferente de todo cuanto había podido sentir sobre la arena. La mujer dijo con voz perezosa:

—¡Anda, guapo, anda, que hoy todavía no me he estrenado!

Lluís bajó los ojos hacia el serrín.

—¡Vámonos, Leoncio! —murmuró.

—¿Qué? ¿Ya te rajas? ¡Espérate, hombre, espérate!

La mujer ya no los miraba, habiéndolos catalogado, seguramente, en la categoría de *floreros*, es decir, de los tipos que sólo iban a mirar y a pasar el rato. Con movimientos insinuantes, canturreaba el éxito de Canelina, la *vedette* cubana que se exhibía en los cines donde hacían *varietés*:

Por aquí no ha pasao un camión...

Lluís luchaba por no mirarla. Algunas mujeres pasaban entre los mirones, se dejaban dar achuchones, se dejaban palpar, pellizcar, restregar. Los hombres reían, dirigiéndose miradas maliciosas, donde había toda una serie de sobreentendidos que sólo podían captarse a partir de una bien establecida e indiscutible superioridad masculina. Algunas se pegaban a ellos, les hablaban al oído.

—¿Comprendes, Lluís? Les dicen los platos que les servirán si suben con ellas.

—Los... ¿¿platos??

—Claro, burro, ¿no lo entiendes?

—¿Eh? ¡Ah, sí, sí! Claro que lo entiendo...

Antes de «subir» había que pasar por la ventanilla del fondo, o por la que estaba a la entrada de las salas. Detrás, un hombre atento a la buena marcha del negocio hacía números de cuando en cuando. A cambio de los precios marcados en la ventanilla —uno, dos, y hasta tres precios diferentes, según el estado de las carnes en cuestión— daban una toallita, un trozo de jabón y, si se pagaba aparte, un preservativo. Pero sólo los escarmentados, o los muy escrupulosos, tomaban aquella medida de precaución, explicó Leoncio; se decía que las mujeres de aquellos sitios no eran como las que había por la calle: de vez en cuando sufrían un control sanitario. Con todas aquellas cosas, daban también al cliente una chapa que tenía que entregar a la mujer que había escogido; a la hora de las cuentas, una vez cerrado el establecimiento, ella podría justificar así el trabajo realizado.

Artemio había explicado a Leoncio que delante de las cerradas puertas de las habitaciones de arriba, en los pasillos estrechos donde flotaban olores estancados y diversos, mujeres ajadas que ya no podían utilizar su cuerpo como artículo de consumo, fumaban y hablaban en voz baja, indiferentes al chirriar de los somieres, a las risas y otras manifestaciones más o menos ruidosas. Cuando acababa un «servicio», se apresuraban a limpiar. Esperaban, manteniendo ostensiblemente la puerta abierta a los que habían terminado.

—Venga, dale una propinilla, que es buena mujer —decía la que salía, unas veces por generosidad y otras para reclamar, más tarde, un porcentaje.

Leoncio dijo a Lluís con malicia:

—¿Qué? Parece que la pelirroja te ha hecho tilín, ¿eh?

—¿A mí? Qué va...

—Vamos, hombre, que ya estoy viendo que esta noche habrá fuegos artificiales.

Lluís iba a responder. Pero, en ese momento, Leoncio, que miraba hacia el fondo, en dirección a la escalera, se sobresaltó.

—¡Hostia! ¡Pirémonosla! ¡La que ahora baja anda desde hace dos domingos con Artemio!

Empujó a Lluís hacia la salida, entre los hombres y las mujeres. Pero la mujer en cuestión, una morenita entrada en carnes, que ya los había visto, iba hacia ellos.

—¡Leoncio! —llamó—. ¡Ya verás, ya! ¡Le diré a Artemio que has estado aquí...! ¿No te da vergüenza? ¿No has leído el cartel?

Salieron apresuradamente. Lluís se sintió aliviado por el aire fresco y la lluvia. Descubrió que miraba a las mujeres que pasaban por la calle de forma diferente y se estremeció.

—¡Esto sí que es un negocio! —decía, admirado, Leoncio—. ¿Te das cuenta del dinero que ganan? Aunque Artemio dice que les hacen pagar una contribución de aquí te espero. Pero, mira, estas casas no cierran nunca, ¿sabes? Nunca.

Hizo una pausa y siguió:

—Bueno, sí que cierran... Por Semana Santa.

—Soy yo, ¿no se acuerda, señora Lola? Lluís.

—¡Ah, sí, sí! Y, ¿qué quieres?

La cabeza de la señora Lola, llena de bigudíes, oscila de cuando en cuando con un pequeño movimiento nervioso.

—¿Ha vuelto Leoncio?

—No, todavía no. Todavía le quedan unos meses. Sólo me falta eso... ¡Que me hagan la puñeta de esta forma! ¡Después me sube la tensión! El mes pasado estuvo aquí algunos meses, quiero decir, algunos días, de permiso.

—¡Ah! ¿Todavía está en Cádiz, en ese lugar que tiene un nombre tan divertido?

—En el Arsenal de la Carraca, sí.

Lluís aprieta los labios y menea la cabeza.

—Bien, si no quieres nada más, guapo, yo todavía tengo que preparar la comida para llevársela a... Bueno, quiero decir que tengo cosas que hacer, ¿sabes?

—¿Y Artemio?

—Artemio... Está en Francia.

—Bien, muy bien. Pues me voy.

—Adiós.

—Señora Lola...

—¿Qué...?

—Oiga, señora Lola... Necesito cuarenta pesetas. Si usted me las deja... Le juro que se las devolveré. Cinco pesetas cada semana.

—¿Cuarenta pesetas? No, guapo, no. Lo siento, pero no te las puedo dejar. Mira, Leoncio ahora no me gana nada y, con todo lo que le ha pasado a su hermano... Quiero decir que a Artemio todavía tengo que enviarle dinero, ¿comprendes? Así que no puedo dejártelas, aunque quisiera, ¿comprendes?

La puerta de la tienda se abre y una chica entra, con una botella en la mano.

—Señora Lola, medio litro de aceite, por favor —dice, en castellano.

—Enseguida, maja —responde la señora Lola, en catalán—. ¿Qué? ¿Era bueno el café del otro día?

—Sí, era bueno.

La señora Lola sonríe mientras coge la botella.

—Todo lo que tenemos en casa es bueno, maja.

—Pues me voy, señora Lola. Dele recuerdos a Leoncio cuando le escriba.

—¿Y a Artemio, no?

—¡Claro! A Artemio también.

—Así me gusta. Muy bien, guapo. Ya se los daré. ¡Hala, adiós!

Se encuentra otra vez en la calle.

—Este chico tiene los ojos muy bonitos —dice a la señora Lola la chica que ha venido a buscar aceite.

6

Lluís atraviesa la plaza de San Agustín Viejo. Desorientado, se para unos segundos delante de un monumento, frente a la iglesia, bajo los árboles.

Es un bloque de cemento coronado por el busto de un prohombre de severo rostro. Lluís se pregunta quién podrá darle cuarenta pesetas. Lluís imagina que el cuerpo del prohombre debe de continuar dentro del cemento, bajo los hombros: debe de estar entero, ahí, impotente, incapaz de moverse, incapaz de encontrar cuarenta pesetas...

Lluís imagina la cárcel Modelo como una enorme masa de cemento donde sólo sobresale la cabeza de Artemio.

«¡Pobre Artemio! ¡Tanto que le gustaba la juerga!»

Leoncio había explicado a Lluís que las noches de San Juan y de San Pedro, la Nochebuena y la Nochevieja, Artemio salía siempre con el Pirracas, el Traga y otros que iban con él al gimnasio Tarzán, a entrenarse para ser boxeadores... Recorrían las Ramblas, la calle del Conde del Asalto, el Paralelo... Llevaban sombreritos de papel, trompetas de cartón y espantasuegras. Cuando pasaban mujeres, sobre todo mujeres solas, silbaban y soltaban piropos.

—*¡A ti no hay quien te fusile, guapa! ¡Enseguida se ve que eres del Movimiento!*

—*¡Nena, espántate esa mosca del culo, que se te va a marear!*

—*¡Oiga, suegra...! ¡Si me deja la niña le pago el entierro!*

A veces, Artemio se quitaba la americana y, cuando pasaba una chica, hacía el torero.

—¡Oleeé! —gritaban los amigos.

Empezaban por tomarse una cazalla con pasas en el quiosco del Arco del Teatro, y continuaban bebiendo por ahí. El Pirracas, a eso lo llamaba calentarse-para-llegar-a-ponerse-flamencos-de-verdad. El Pirracas llevaba el cráneo rapado. Estaba más delgado que nunca, porque hacía poco que había salido del terrible *piojo verde*. Explicaba que lo cogió, a pesar de que durante mucho tiempo llevó colgada del cuello, como tantos otros, una bolsita de alcanfor.

Cuando se quitaban las americanas... y se las volvían a poner, pero del revés, era señal de que ya se sentían flamencos-de-verdad. Artemio, entonces, sacaba unas tijeras. De un golpe seco, cortaba la corbata del primero que pasaba. Si el transeúnte sonreía como un conejo y procuraba escabullirse, no le ocurría nada. Pero si plantaba cara —como sucedía a menudo cuando el hombre iba acompañado de una mujer—, Artemio gritaba:

—*¡Venga, chavales! ¡Que ya tenemos un sparring!*

Pegaba duro Artemio; casi nunca necesitaba que le ayudasen para tumbar, de un puñetazo, a su adversario. Agitaba entonces las corbatas cortadas —como un torero agita las orejas y el rabo del enemigo muerto— y se lanzaba con los demás por las calles del Barrio Chino, cantando:

Yo ya me marcho
para Venecia...
Adiós, Lucrecia, le escribiré...

Los demás coreaban:

¡TE ESCRIBIRÉ!...

Artemio seguía:

Ay, ay, ay, tira de la cuerda,
tira de la cuerda,
de la cuerda estoy tirando,
al son de la mandolina,
me tocan la sardina...

Y todos, a coro:

¡NOCHES DE CABARÉEEE!

Antes de la habitual visita a El Recreo, La Sultana o El Jardín, alguien proponía:

—¿Vamos al Molino? Nos irá bien como «aperitivo».

En la vieja sala del Paralelo tomaban la consumición más económica —un café, una naranjada— y tenían derecho al espectáculo. En el escenario bailaban chicas con sombreritos de cartulina en forma de corazón. Con sus trajes ajados (siempre alargados por aquí y por allá, a última hora, a causa de la censura) mariposeaban alrededor de gruesas *vedettes*, guarnecidas con plumas de colores y trajes de lentejuelas. La luz cruda de los focos cortaba el aire lleno de humo. Inclinándose por encima de las candilejas, hacia las primeras filas, las *vedettes* tarareaban maliciosamente:

La más resalada, ¿quién es?
La más rebonita, ¿quién es?

—¡Tú! ¡Tú! —clamaba el público, compuesto de hombres casi siempre solos. El presentador contaba chistes picantes, aunque no demasiado, y nunca decía nada que, ni aun remotamente, pudiera relacionarse con la actualidad política. Un efebo, disfrazado de cordobés, bailaba mientras otro tocaba la guitarra. Con los ojos pintados, la cintura fina, las nalgas redondas y llenas, el bailarín batía palmas y taconeaba sobre las planchas polvorientas.

El público se desternillaba cuando, al tiempo que movía mucho el cuerpo de cintura para abajo, cantaba plañideramente:

Ay, que me da,
que me da,
que me da...

Leoncio no tomaba parte en aquellos paseos. No le querían. Decían que era demasiado joven. Ya trabajaba, sin embargo. Embutido en una malla negra sobre la que habían pintado en blanco los huesos de un esqueleto, hacía de Muerte en los subterráneos de un parque de atracciones del Paralelo. Pequeños vehículos biplazas, casi siempre ocupados por parejas, se precipitaban a todo correr sobre vías de acero, por la boca de una cabezota de demonio que servía de entrada. Las chicas chillaban. Volvían a chillar cuando —al llegar el vehículo al *Reino de las Tinieblas*— Leoncio salía de la sombra y les pasaba por la cara una especie de plumero.

Leoncio espiaba a las parejas y, de vez en cuando, cuando no podía más, hacía una escapada al *Lago de las Ninfas*. Allí, respirando un aire húmedo, lleno de electricidad y de efluvios ingratos, se apretaba contra estatuas de yeso cubiertas de polvo y telarañas: abrazaba rígidos cuerpos de cintura fina, palpaba senos fríos y besaba labios que ninguna emoción conseguiría jamás entreabrir...

Una noche, en el bar del Molino, Artemio consiguió interesar a una de las *vedettes*. Boquiabiertos, sus amigos vieron cómo se iba con ella en un «topolino» flamante con gasógeno, una vez hubo terminado el espectáculo. A partir de aquel día, sólo se vio a Artemio con camisas de seda blanca, que tanto le gustaban, y trajes bien cortados. Invitaba a fumar a todo el mundo para que pudieran ver la petaca de oro macizo con la dedicatoria:

A mi Artemio
mi gladiador,
con todo el frenesí
de su

CHIQUITA DEL PUENTE

La mayoría de las *vedettes* estaban bajo la «protección» de caballeros bien vestidos que se dedicaban a los negocios. No era raro oírles hablar por teléfono, desde el bar:

—¡De acuerdo, Riquelme! ¡Entendido! ¡Me quedo los tres vagones, y no se preocupe por las «guías»! Tengo el amigo que hace falta, ¿entiende?

—Escuche, Moragas, soy catalán y los catalanes sólo tenemos una palabra. Usted tiene la opción y basta, ¿me explico? No hay que firmar nada. Así que hasta mañana. Sí, claro, qué remedio... ¡A estas horas todavía estoy en el despacho!

—¿Qué? ¿Que le has aceptado letras por valor de cien mil pesetas? ¿Estás loco? Sí, hombre, sí, lo comprendo. Tiene influencias y nos puede ser útil. Pero a ver si nos pillamos los dedos...

Sin embargo, ninguno de aquellos dinámicos impulsores del estraperlo poseía, al mismo tiempo, dinero, juventud y belleza física, así que Artemio fue muy pronto conocido entre las *vedettes* con el nombre de el Descanso. Se lo disputaban... Las raras veces en que iba a casa de su madre, miraba irónicamente a Lluís y a Leoncio, que seguían dibujando aplicadamente. A Lluís, siempre cargado de libros, siempre leyendo, le dijo un día:

—¡Tantos libros, tantos libros...! Nunca encontrarás en los libros lo más importante...

—¿Y qué es lo más importante? —preguntó Lluís.

—¡Cómo hacer que una mujer se corra, chaval!

«¿Qué pasa? ¿Por qué se tiene que correr? ¿De sitio?», le hubiera gustado preguntar a Lluís. Pero tuvo miedo de meter la pata y calló.

El Pirracas, el Traga y los otros pronto se cansaron de soportar los aires de superioridad que adoptó Artemio. Por otra parte, el Pirracas se vio expuesto a tener que ir a explicar (a unos policías de la Brigada Criminal, incrédulos de oficio) de dónde había sacado veinte cartones de Lucky Strike, y por qué rara magia el tabaco contenido en los cigarrillos se había transformado en serrín. Con miedo de no resultar lo bastante convincente, eligió alistarse voluntario a la División Azul.

Artemio, por su parte, tuvo que ir a la «mili».

Muy orgulloso, Leoncio explicaba que, una vez, habían enviado a su hermano al calabozo durante siete días, y que recibió tantas visitas femeninas, tantos paquetes de tabaco y golosinas, que el teniente coronel que le tenía como ordenanza quedó muy intrigado.

—*Pero, oye, Olivar...* —quiso saber—. *¿Tú la tienes cuadrada, o qué?*

Leoncio afirmaba que, con referencia al caso, la mujer del teniente coronel hubiera podido aportar interesantes precisiones.

Lluís camina por la acera de la calle del Hospital hacia las Ramblas. No hay forma de dar con Keller, Leoncio está en la «mili». ¿Y el Pirracas? Según Leoncio aseguraba, era un buen chico. Pero Lluís no le conoce.

Artemio dijo un día que el Pirracas había vuelto de la Unión Soviética ciego, con las piernas llenas de metralla. Parece que con el tiempo había recuperado la vista y que hasta podía andar, aunque cojo; pero no quería hablar con nadie. Su madre explicó a Artemio que se pasaba horas y horas sentado en su habitación, de cara a la pared. Que apenas quería comer. A veces, por la noche, le oía gritar:

—*¡Los organillos de Stalin! ¡Otra vez los organillos de Stalin!*

La pobre mujer también explicaba que, a menudo, el Pirracas se quedaba mirando fijamente cualquier objeto de una manera que daba miedo. Entonces rompía a llorar silenciosamente, sin moverse. Nadie sabía por qué. Nadie conseguía consolarle.

«¿A que Artemio ha ido a parar a chirona por culpa del Traga?», se dice Lluís.

Un domingo, por la tarde, Lluís y Leoncio estaban dibujando en la tienda de la señora Lola, cuando Artemio llegó con el Traga. Leoncio criticaba mucho al Traga, hablando con Lluís.

—¡Aparta a Artemio del buen camino! —afirmaba rencorosamente. Explicó que el Traga había trabajado, honradamente, durante unos años en la CAMPSA.

»Pero allí había unos que chorizaban gasolina para revenderla, ¿comprendes? Y el Traga acabó por ponerse de acuerdo con ellos. Hacía ya tiempo que se dedicaban a ello y la cosa hubiera podido marchar la mar de bien durante un buen montón de años. Pero siempre hay gente que abusa. Total, que se descubrió el *pastel* y vino la poli. Y ahora hay más de quince *fulanos* en la cárcel.

Leoncio reía. Al ver la cara perpleja de Lluís, explicó:

—No, no me río de eso... Es que los padres y los hermanos del Traga decían en el barrio que le habían empapelado por motivos políticos... ¡Menudo político! Pero, eso sí, tuvo una suerte loca: sólo le pusieron dos años y, además, le pilló un indulto. Cuando le soltaron...

—¿Qué?

—Nada, que ya no hubo forma de hacerle arrimar el hombro. Decía que en chirona había pensado mucho y que había descubierto que sólo trabajaban los panolis. Y entonces fue cuando empezó a hacer de «pasma-ful».

—¿De qué?

—De «pasma-ful», hombre, de «pasma-ful». ¿No

sabes lo que es? Mira, tú vas a un sitio y dices que eres «poli»...

—¿A quién? ¿Por qué?

—Espera, espera... Primero tienes que comprarte un buen traje y, si puedes, ir en coche. Si eres madrileño, o consigues imitar el acento, mejor. Después, es cuestión de echarle jeta.

—Bueno, pero ¿qué hace el «pasma-ful»? ¿Detiene a la gente o qué?

—No, hombre, no. Tú y tu *consorte*, porque hace falta un *consorte*, ¿entiendes? Los polis siempre van de dos en dos... Tú y tu *consorte* vais a una chocolatería, por ejemplo. Pedís chocolate, nata, de todo... Os quedáis allí un buen rato, muy atentos, pero disimulando. Y de golpe te acercas al dueño y...

Leoncio enseñó el revés de la solapa.

—¡Policía! —dijo, levantando la barbilla, los ojos medio entornados, sacando pecho—. Nunca falla: el dueño se acojona. Todos se acojonan, como puedes imaginarte. Entonces, tú, sin dejarle pensar, organizas el numerito: le dices que has calculado, que es imposible que sirva, cada día, tantas tazas de chocolate. Que lo más seguro es que no esté de acuerdo con la ley, con el racionamiento, vamos. «Queremos ver los libros», le dices. El tipo se caga. Y si no se caga y se pone chulo, le largas un soplamocos. ¡Y ya está!

—Ya está, ¿qué?

—¡El negocio! Ya está resuelto... Porque todo acaba... arreglándose. ¿No creerás que el tío tiene los libros en regla, no? Pues con un poco de jeta acaba *apoquinando*. Y para conseguir que pague más de lo que ofrece, sólo basta con hacer el honrado. El poli honrado que no quiere dejarse sobornar, como en el cine...

Leoncio se puso el índice bajo el ojo derecho y estiró la piel para abajo, mientras sonreía astutamente.

—Mira, yo sé... Pero no se lo digas a nadie, ¿eh? Yo sé

que el Traga ha habido semanas que se ha sacado diez mil pesetas.

—¡No jodas!

Leoncio suspiró.

—¡Sí, chico, sí!

Se miraron sin decir nada, durante unos momentos.

—Como te lo digo, Lluís.

—¡Hostia, tú, si tuviéramos diez mil leandras!

—Podríamos comprarnos dos mesas de dibujo, como las que hay en aquella tienda, en la calle de Cardenal Cañas...

—¡Y libros de dibujo! ¡Y todas las páginas que quisiéramos de Alex Raimond y de Milton Caniff, para los archivos!

—Yo me compraría una de esas americanas blancas que están de moda, y una tarde...

—¿Qué?

—¿Qué? Iría a bailar a Piscinas y Deportes, como Artemio.

—Yo no se lo diría a mis tíos, ¿sabes?

—¡Claro! Se las quedarían.

—Te las daría a ti, para que me las guardases.

Durante unos felices, maravillosos, momentos, Lluís vivió intensamente las situaciones que podían derivarse del hecho de tener diez mil pesetas. Pero la cara de Leoncio se oscureció.

—De todas formas, eso de ser «pasma-ful» cada vez es más peligroso. Un día de éstos cogerán al Traga. ¡Y esta vez irá de reincidente! ¡Ya puede prepararse! ¡Los polis se ponen negros, con eso de los «pasmas-ful»! A mí, por el Traga, me da igual... Pero Artemio... Tengo miedo de que arrastre a Artemio, ¿comprendes?

Lluís había visto al Traga sólo una vez. Fue a la tienda acompañado de Artemio. Tenía el pelo negro, ondulado y grasiento, un bigote espeso, la frente estrecha, ojos pequeños y vivos con ojeras profundas. El labio superior dejaba entrever unos dientes grandes. A menudo, el lado derecho de la boca se le movía nerviosamente, como si quisiera sonreír. No sonreía. Llevaba un traje negro con rayas blancas, de los que llamaban «diplomático», y en el anular de la mano derecha, un anillo plateado con una calavera. Tosía a menudo: uno de sus pulmones enfermó, decían, de una patada recibida durante la instrucción del asunto CAMPSA.

—He dicho a este amigo que os gustaba mucho dibujar —explicó Artemio—. Os propondrá un negocio. Se puede ganar mucho dinero.

—¡Olé! —exclamó Leoncio. Siempre quería imitar a su hermano. Envidiaba, sobre todo, su vestuario. «Éste se pone negro por no poderse comprar ropa como yo», decía Artemio, con satisfacción mezclada de ternura. Leoncio ganaba poco. Aquellos días trabajaba en una distribuidora cinematográfica y se pasaba el día, arriba y abajo, paseando películas en bicicleta.

—Sí —afirmó el Traga, enseñando sus grandes dientes—, se puede ganar mucho dinero, si la cosa va bien...

Con mucho misterio, sacó del bolsillo un librito sin tapas, que dejó sobre la mesa. Leoncio lo cogió ávidamente y, por encima de su hombro, Lluís leyó en letras negras, sobre el papel usado de la portadilla:

El sofá de Sofía o las aventuras
del sultán Kanuto Al Hamador
Segunda parte de
Todos los caminitos llevan a Roma

Leoncio hojeó el librito, parándose en cada una de las ilustraciones de un texto que ocupaba veinte páginas en letras más bien grandes.

—¡Ay! —se quejó el Traga, retirando la mano del viejo flexo—. Da corriente, ¿no?

Cuando Lluís pudo ver las páginas, su cara enrojeció violentamente.

—Pero oye, Artemio —dijo el Traga—, ¿tú crees que estos chavales han visto alguna vez una tía en pelotas?

—¡Claro que sí! —afirmó temerariamente Artemio—. Además, eso no es grave. Sólo tienes que atravesar la calle para encontrar todas las modelos que quieras. Lo importante es saber si pueden, o no, hacer los dibujos. ¿Qué crees, Leoncio?

Mordiéndose el labio, Leoncio meneó la cabeza.

—Hombre, no lo sé... Habría que probar... Esto está muy bien hecho, ¿sabes? Y nosotros... Somos principiantes. ¿Qué te parece a ti, Lluís?

—No le parece nada. Está como un tomate. Oye, Artemio, me haces perder el tiempo con estos críos y...

—No tan críos —murmuró Leoncio, enfadado.

—¡Vamos a verlo! —dijo el Traga—. Tú, Lluís, ¿eres capaz de dibujar una tía en pelotas? A ver, dibújala.

Lluís cogió el lápiz y empezó a dibujar una cabeza. Hubo de borrar varias veces. No obstante, consiguió esbozar los hombros y el busto.

—¡Quita, chalao! —dijo el Traga—. ¡Fíjate, Artemio, dónde pone las tetas! ¡Venga, dadme el libro, que no puedo perder tiempo! Y chitón, ¿eh? ¡Chitón sobre todo lo que hemos hablado!

Artemio guiñó el ojo al Traga, por encima de la cabeza de Lluís, señalando a Leoncio. Sin duda quería decir que ya hablaría más tarde con su hermano.

Leoncio suplicó en vano:

—Hombre, Traga... Nos podrías dejar el libro hasta mañana, ¿no?

Desde la puerta del bar, Lluís pregunta:

—¿Podría ir al váter, por favor?

A esta hora el bar está casi desierto. El barman alza la vista de las páginas de *La Vanguardia* y dice secamente:

—¡Ve!

Lluís entra en un reducto oscuro. Enciende la luz con

cuidado no vaya a ocurrir que, como sucede a menudo, también aquí el interruptor haya perdido la tapa. La bombilla brilla en el techo, sin ningún alambre protector.

Sobre la pared, frente a él, lee:

Visca Catalunya lliure!
¡El Barça campeón!
Maricón el que lo lea.

También hay dibujos muy mal hechos parecidos a los que contenía *El sofá de Sofía*.

Lluís lee una última inscripción:

¡MUERA EL JUDÍO CHURCHILL!

Piensa en Keller. La mejor manera de encontrarle es ir adonde vive a la hora de comer. Pero a la hora de comer, Lluís tiene que ir a casa. Buscará una excusa. Dirá que don Ramón le ha pedido que vaya media hora antes. Correrá entonces a casa de Keller, y puede que todavía le encuentre. Apaga la luz. Sale, dejando la puerta abierta. Así, el barman puede ver que no ha chorizado la bombilla.

—¡Gracias! —murmura al pasar. El barman continúa leyendo, no responde.

Habitualmente Lluís sale de casa de don Ramón a la una. Es demasiado temprano para ir a la calle de Trafalgar, a coger el tranvía y, al mismo tiempo, demasiado tarde para ir a pasear por el puerto, como hace siempre que puede.

Camina. Camina sin saber demasiado hacia dónde, bajo los plátanos desnudos del invierno. Pasa por delante del Liceo.

Las noches de gala, grupitos de mirones se colocan allí, entre los plátanos. Miran a las bellas damas, a los señorones que van al Liceo. Miran a aquella gente magnífica, gente como sólo se ve en las pantallas del cine. A veces, hay damas tan bien vestidas, tan rutilantes de joyas, caballeros tan sumamente «señores», que los mirones casi aplaudirían y romperían en aclamaciones. Si no lo hacen, no es porque tengan miedo de los tres o cuatro resentidos que, entre los grupitos, refunfuñan y sonríen torcidamente, hablando, en voz baja, de niños descalzos, de chabolismo y otras desgracias —¡gente envidiosa, que a todo le saca punta!—, sino porque, con sus aplausos y sus aclamaciones, puede que resultasen muy groseros ante tanta distinción... No sería fino.

Transeúntes endomingados van y vienen. Del mar sube, en ráfagas bruscas, un viento frío. Algunas mujeres llevan, para los difuntos, ramilletes que han ido a comprar más arriba, en los puestos de la Rambla de las Flores. Tranvías blancos y rojos circulan arriba y abajo: son los mismos tranvías que Lluís ha visto, hace tanto tiempo tanto tiempo, pintados de negro y rojo, con las letras FAI.

De pronto, Lluís abandona la acera y va hacia el centro del paseo. Esta maniobra la realiza para poder contornear una librería:

COMPRA-VENTA DE LIBROS
ALQUILER DE LIBROS
LEA TODO LO QUE QUIERA POR
4 PESETAS AL MES 4

Hace ya tiempo que Lluís no pone los pies allí. El último libro que alquiló, *Belleza negra*, la historia de un caballo de carreras, lo ha revendido por seis pesetas a otro librero. Pero antes le ha arrancado la tercera hoja, donde había un sello estampado con tinta violeta, con el nombre de la librería y la inscripción:

PROHIBIDA SU PIGNORACIÓN O VENTA

Todavía no ha averiguado qué quiere decir *pignoración*.

Se para frente a un quiosco para mirar los carteles y las revistas que exponen, cogidas con pinzas de la ropa. El quiosco tiene verdaderas paredes de papel que oscilan al viento.

Semana... Destino... Mundo... Marca...

Echa una ojeada a las portadas de revistas y tebeos.

Chicos... Roberto Alcázar y Pedrín... Jorge y Fernando... El hombre Enmascarado... Flas Gordon... Juan Centella... Flechas y Pelayos...

Ya no compra *Flechas y Pelayos*. Un día, en casa, Papitu, después de haberse burlado del lema del tebeo, *Por el Imperio hacia Dios*, protestó:

—¿Adónde vas con esto? ¿No ves que es un tebeo falangista? No lo compres, hombre, no lo compres. ¿Es que quieres ayudar a esta gente o qué?

Las ramas de los plátanos están desiertas. No hay gorriones. Lluís piensa en el verano. En verano, las ramas de los plátanos están cubiertas de follaje y los gorriones pueden contarse a miles. En la verde bóveda que sostienen las columnas grises, manchadas de amarillo, de los plátanos, el piar de los pájaros es tan fuerte que supera, a menudo, el rumor de los pasos y las voces de la gente, el ruido de los tranvías y los automóviles. Lluís pasa delante del quiosco donde a veces compra tebeos. El dueño del quiosco, un hombre viejo que lleva una bata amarilla, siempre está allí. En verano sale a veces del quiosco para dar enérgicas palmadas hacia el follaje tierno que tamiza la luz. Los gorriones, asustados, se callan. Durante algunos segundos sólo se oye a los que están más lejos. Pero pronto reemprenden su piar con más fuerza todavía.

Lluís mira las ramas desnudas y silenciosas de los plátanos. Nubes color ceniza ocultan, de cuando en cuando, un sol blanco, filamentoso. Lluís da un puntapié a una caja de cerillas vacía. El maravilloso aparato de Dan Stone, *el Piloto Audaz*, por Lewis Marty, arranca. Puede navegar, rodar, volar... Ahora ha ido a parar dos metros más allá, junto al Tíbet.

Otro puntapié.

He aquí que el aparato se estropea... Se ve obligado a aterrizar cerca de las Montañas Malditas, donde reina el Daji, un tirano que tiene a sus órdenes un ejército de seres humanos a quienes ha privado de voluntad, gracias a una operación en el cerebro... Algo cae en la frente de Lluís. Pequeño, viscoso, tibio. Alza los ojos hacia las ramas de los plátanos: ¡Mira por dónde no todos los gorriones se han ido! Saca el pañuelo. Da otro puntapié a la caja de cerillas.

... Dan Stone, *el Piloto Audaz*, por Lewis Marty, es apresado, pero Doris, la hija del Daji, se enamora de él y le libera, llegada la noche, cuando ya, en el altar del Gran Sacrificio, le iba a caer encima el plomo en fusión... Dan Stone está herido y ella le cura, le acaricia, le besa... Reparan el aparato y Dan Stone mata al Daji, en combate singular... Los huesos del cráneo del tirano revientan bajo los golpes de hacha, y cuando cae, queda atravesado por todos los puñales que sobresalían entre las losas del suelo... Dan Stone se ha manchado de sangre... No, pensándolo bien, no le mata. No estaría bien, teniendo en cuenta que Doris es su hija. Así que, finalmente, no le mata. Y huyen, llevándose los Cuarenta Colmillos de Marfil Mágicos del Daji...

El aparato cae finalmente en uno de los agujeros de la placa de cemento agujereado que hay en la base de los plátanos. *¿Volveremos a encontrar a Dan Stone? ¡Quién sabe! Continuad leyendo esta apasionante serie, y...*

Lluís sigue su camino. Y, de pronto, ve a Dorita.

Dorita viene hacia él con su padre, don Ramón, con su madre, doña Maite. Don Ramón, todo un señorón, lleva un abrigo de imitación de piel de camello. Habla, ríe ruidosamente con su mujer, mientras ella asiente a menudo con la cabeza... A don Ramón se le ven los dientes de oro, entre la nariz aguileña y su mentón de prognato. Doña Maite, a quien el personal del taller (Lluís, Pellicer, Gifré...) ha llamado siempre «señorita Maite», viste un abrigo con cuello de piel y lleva un bolso colgado al hombro. Es una mujer más bien gruesa, triste, dulce y resignada. Está enferma desde hace tiempo.

Lluís mira furtivamente a Dorita. Le parece tan bella, con sus ojos claros, la piel tan blanca y los cabellos rubios, en trenzas, bajo un sombrerito azul, que se queda conmovido. Dorita lleva un misal.

La sangre vuelve al rostro de Lluís. Tuerce a la derecha, espera cerca de un plátano que un tranvía acabe de pasar y se va al otro lado. Se para frente a un gran escaparate y se queda allí, mirándolo sin ver, de espaldas a las Ramblas.

El taller de don Ramón era una sala bastante grande. Hacia el atardecer, cuando la luz disminuía, se colocaban sobre las mesas, para mejor concentrarla, grandes globos de vidrio verde llenos de agua. El suelo estaba cubierto por un enrejado de madera, que evitaba que una gema pudiera ser aplastada distraídamente si alguien, sin querer, la dejaba caer. Cada mañana, el primer trabajo de Lluís consistía en retirar, una tras otra, las diferentes partes de aquel enrejado, y en barrer con mucho cuidado el suelo, vigilando dónde ponía los pies. Cuando había acabado de barrer y el enrejado volvía a estar en su sitio, Lluís debía examinarse con cuidado las suelas de los zapatos...

Todo lo barrido se depositaba en una gran caja de cartón, caja que a juzgar por la etiqueta había contenido bombillas. Cuando la caja estaba llena, o casi llena, don Ramón subía a la azotea y allí pasaba minuciosamente por un cedazo el contenido, con la intención de recoger todas las partículas de metal precioso. Estas partículas procedían de las joyas de oro, plata y platino que los joyeros le confiaban para que «clavase» en ellas toda suerte de gemas.

Cerca de la mesa del aprendiz de turno, siempre había una cajita de hojalata llena de husos, trozos de madera cónicos, de unos veinte centímetros. A Lluís le recordaban los helados de cucurucho. En la parte ancha de esos cucuruchos —la punta del «helado», decía Lluís— había restos de laca, de un marrón rojizo, endurecida y brillante. Cuando don Ramón u otro lo mandaba, Lluís encendía un infiernillo de alcohol y ponía la laca sobre la llama. La laca se reblandecía y comenzaba a fluir en gotas de fuego. Entonces Lluís pasaba el huso a quien se lo había pedido. La joya a la que había que clavar gemas era colocada rápidamente sobre la materia blanda y caliente que, al enfriarse, la aprisionaba. Con el huso fuertemente cogido con la mano izquierda y un buril en la derecha, se podía, a partir de aquel momento —arrancando minúsculas espirales de metal precioso— hacer los agujeros para encajarles las gemas que se quisiera.

A Lluís le hacían practicar con una moneda de cobre, una moneda de diez céntimos, del tiempo de la Monarquía.

Lluís se queda frente al escaparte unos segundos, como fascinado. Ve su imagen en el cristal. Intenta verse de perfil.

—Lluís siempre va mal peinado. ¡Y, además, tiene cabeza de pepino! —oyó un día decir a Dorita. Se quedó helado y se le llenaron los ojos de lágrimas.

Ve perfectamente a Dorita. Toma el agua bendita y se persigna en la penumbra. El efecto de penumbra se puede conseguir fácilmente, a lápiz... Pero ¿cómo lograrlo con tinta? Con muchas rayas, claro. Pero entonces se corre el riesgo de que el dibujo quede anticuado... Hay que estudiar cómo resuelve la cuestión Milton Caniff, no cabe duda.

Vuelve un poco la cabeza, sin dejar de mirar el vidrio

del escaparate. Vuelve la cabeza hasta que le duelen los ojos. Efectivamente, la parte posterior de su cabeza le parecía más prominente de lo que tendría que ser. Vamos, que tiene una cabeza dolicocéfala. Esto le fastidia mucho. Sobre todo desde el día en que Keller dijo... —¡con todo lo que eso implica!— que es una característica negroide. Le gustaría tener la cabeza como Keller, como Dan Stone, *el Piloto Audaz*, por Lewis Marty. Braquicéfalo, rubio, ario.

Una voz de mujer dice, a su lado:

—Oye, chico, ¿no te da vergüenza, a tu edad, mirar estas cosas con tanto interés?

Sin comprender, Lluís mira a la mujer. Es una vieja menuda, con una cabeza de vieja diabólica de Alex Raymond, en *Rip Kirby*. Sus ojillos la miran fijamente, la boca, arrugada, le tiembla. Lluís mira entonces hacia el escaparate: ve por primera vez, desde que se ha parado allí, la ropa interior de señora. Sofocado, continúa caminando Ramblas abajo. Y como tantas puntillas le hacen pensar en otras cosas, pronto vuelve a encontrarse como siempre.

7

Viste una bata gris, manchada de blanco —lejía, seguramente—, demasiado ancha para un cuerpo tan delgado. Lleva un cesto de setas. Sale a las Ramblas viniendo de la plaza Real. Es el hijo del gran duque Wladimiro y de la princesa Tatiana: es Wladimiro-Pepito.

—¡Eh, Wladimiro! —llama Lluís.

Wladimiro-Pepito no levanta la cabeza. Anda con los ojos bajos, intentando no pisar las grietas que hay entre piedra y piedra del pavimento.

—¡Pepito! —llama esta vez.

Wladimiro-Pepito alza la cabeza.

—¡Lluís!

Al sonreír, enseña unos dientes pequeños y amarillos. Como siempre, tiene los párpados rojos, como si acabase de llorar, pero los ojos le brillan de alegría mientras echa para atrás una guedeja de cabello castaño.

—¿Qué haces por aquí? ¡Hostia, tú! ¿Cuánto tiempo hacía que no te veía?

—Desde que murió mi madre.

—Sí, chico, no te había vuelto a ver. ¡Hostia, tú! Hace frío, ¿eh? Bueno, te acompaño en el sentimiento, por lo de tu madre, aunque sea un poco tarde.

Se dan la mano. Lluís se cree obligado a aclarar algunas cosas.

—No se murió tuberculosa, ¿eh? No... Una noche salíamos del mercado, fuimos al American Bar a comer *crema cremada* y al cine. Le habían tocado doscientas pesetas de los ciegos ¡y estaba más contenta!... Fuimos a un cine que estaba cerca de casa, el Gloria... Estaba lleno. Hacía mucho calor. A mitad de la película, una que se titula *El cielo y tú*, con Charles Boyer, que mi madre siempre decía que mi padre se parecía a Charles Boyer, bueno, pues resulta que se levantó. Me dijo que creía que la «crema» le había sentado mal y que iba al váter... Pero no tuvo ni tiempo de salir de la fila de butacas: cayó. La levantaron enseguida, pero no se tenía en pie. Se creían que era un desmayo, pero resulta que no, ¿sabes? Resulta que se había muerto.

Lluís hace una pausa, la misma que hace siempre, llegado a aquel punto, cuando explica la muerte de su madre.

—¿Y sabes de qué se murió? ¿A que no sabes de qué se murió, Pepito?

—No. Y llámame Wladimiro.

—Del corazón, mira. Todos decían que estaba tuberculosa, se apartaban de ella. Tenían miedo que los contagiase, y ya ves, se murió del corazón.

—Pero estaba tuberculosa, ¿no?

—No.

—¡Pero si tu madre siempre tosía, hombre!

—Pero no estaba tuberculosa. No lo estaba, ¿me oyes?

—Bueno, bueno, vale. No hace falta que te piques.

Lluís está algo avergonzado por haberse enfurruñado. Sonríe estúpidamente. Wladimiro-Pepito también acaba por sonreír.

—Entonces, gente que había en el cine me llevó a casa... Decían que mamá estaba mejor... Que volvería más tarde...

Wladimiro-Pepito mueve la cabeza tristemente. El viento le agita el cabello.

«¿Le explico lo que ha pasado, con su hermana, en casa de la señora Lola, sí o no?», se pregunta Lluís.

—La dueña del piso donde vivíamos, doña Celeste, se quedó conmigo hasta que me fui a dormir, y a la mañana siguiente me dijo... Me dijo que mi madre estaba muerta... Avisó a mi tía Aurelia, una tía que tengo que se llama Aurelia. Mamá no se hablaba con ella, pero ahora vivo en casa de mi tía, en Pueblo Nuevo.

—¡Ah!, debe de ser por eso que no nos vemos nunca.

—Sí, es por eso.

Se miran algunos segundos, en silencio.

—¡Hostia, chico! ¿Te acuerdas de las peleas de tronchos?

—¡Ya lo creo!

—Menudas palizas nos pegábamos, ¿eh?

—Y los demás, ¿qué ha sido de ellos? ¿Los ves a menudo?

—Sí... El Sebas trabaja en una oficina. Hace recados. Por la noche va a la academia, a escribir a máquina. Y Esteban, ¿te acuerdas de Esteban? ¡Me lo quieren hacer cura!

—¿Qué dices? ¿Esteban, cura?

—¡Sí, chico, sí! ¡Saldrá un cura con una cosa así, tú...! Antonio trabaja en una farmacia.

—¡Ah!, pues yo he trabajado en una farmacia... ¡Tomaba una de jarabes...! Pero había un tipo que era un hijo de puta... Uno que se llama Just.

Los ojos entornados, los labios apretados, Lluís procura poner la cara que le dibuja a Dan Stone, cuando el Piloto Audaz hace frente a cualquier peligro. Y con un tonillo cortante, como hacen en las películas Chester Morris y James Cagney, dice:

—¡Algún día nos veremos las caras!

Dicha en catalán, le parece que la cosa pierde fuerza.

Muy contento, porque Wladimiro-Pepito parece haber quedado bastante impresionado, añade:

—¡En las farmacias lo más divertido son los nombres! ¡Hay un agua que se llama de hamamelis!

—¿Dehamamelis? ¡Hostia, tú, que nombre!

—Luego hay otra cosa que huele a pies.

—¿Qué me dices?

—Sí, se llama valeriana.

—¡Hostia, tú!

—¿Y el Perdis? ¿Has vuelto a verle?

—¡Ah! ¿Sabes? El Perdis trabajaba con un carpintero. Pero le han echado. Dicen que robaba.

Lluís se pone tenso.

—¿Qué te pasa?

—¿A mí? Nada. ¿Por qué?

—Como has puesto esa cara tan rara...

—¿Yo? ¡Qué va! ¿Qué dices que le ha pasado al Perdis?

—Un día, al salir del taller, el dueño le volvió a llamar y le registró los bolsillos. Se los encontró llenos de clavos. El Perdis se puso a llorar y fue y dijo que la culpa era de su padre, que le había dicho que le trajese los clavos para hacer un gallinero. El dueño, entonces, fue a su casa y el Perdis recibió una tanda de hostias, porque su padre dijo que no era verdad.

Lluís no dice nada.

—Su padre le dijo que como no fuese así de derecho...

Wladimiro-Pepito enseña el índice, muy rígido, de la mano derecha.

—... le encerraría en el Asilo Durán. Oye, tú, el que ha tenido más suerte que las putas ha sido Alfonso. Resulta que un cochazo le atropelló. Sólo le hizo unos rasguños, pero resulta que el dueño del coche le ha dicho que le pagará los estudios. Dicen que será ingeniero. Qué suerte, ¿verdad? Jesús trabaja con un pintor y Santiago está vendiendo gallinas, en la tienda de sus tíos... Pero ya está harto, porque dice que le pagan menos de lo que manda el Sindicato, menos de lo que tendrían que pagar a cualquiera... ¡Como es de la familia! Hombre, ¡precisamente Santiago me ha explicado una cosa...! ¿Sabes lo que hace con las gallinas cuando nadie le ve? ¡Pero oye, tú, escucha, joder...! ¿Hablo yo, o pasa un carro? ¡Baja de la luna, despistado, que siempre serás un despistado!

—Pobre Perdis. ¡Tan buen chico como era! Y tú, ¿adónde vas con eso?

—A casa de un cliente. Vive muy lejos... Así que tengo buena excusa para entretenerme. Cogeré un tranvía de aquí a un rato. Por lo menos, en casa de este cliente siempre me dan buena propina.

—¿Dónde trabajas?

—En una tienda.

—¿Y hoy también trabajas?

—Es que los días de fiesta, por las mañanas, dejan la puerta entreabierta... Siempre viene uno u otro... ¿Y tú?

—¿Yo? Pues mira, yo... ¡Hombre! Ahora que pienso, ¿y tu primo? El de las venas... ¿Cómo se llamaba?

—¡Ah! Continúa trabajando en la *españindustrial*. ¿Te acuerdas, verdad?

—¡Soooo, caballo! ¡Sooo! —dice Lluís.

—¡Hiii-ji-jiii! —continúa Wladimiro-Pepito. Ríen.

»Mi padre también quiere que entre yo.

—¿Dónde?

—En la *españindustrial*, hombre. Cuando tenga los años.

—¡Ah, ya!

Wladimiro-Pepito desvía la mirada.

—Es decir, que... Depende de lo que digan, cuando llegue el momento, mis verdaderos padres.

—¡Ah, sí, claro, claro!

—Y tú, Lluís, ¿qué haces?

—También trabajo. Pero hoy no.

—¿En qué?

—Soy clavador.

—¿Qué?

—Clavador, de los que ponen los diamantes en las joyas, ¿sabes?

—¿Y te pagan mucho?

—¡Ya lo creo! ¿Tú, cuánto ganas?

—Yo... Dilo tú primero. ¿Cuánto ganas?

—Ochenta a la semana.

—¡Anda...!

—¿No te lo crees? ¡Te lo juro, Pepito, te lo juro!

—¿Por quién me lo juras? Y llámame Wladimiro.

—¡Por esto!

Lluís hace un gesto que no ha repetido desde hace tiempo. Un gesto que aprendió en el mercado, y que Keller quiso hacerle olvidar. Pone los dedos índices en cruz y los besa.

—No, por esto no me lo creo. ¡Júralo por la gloria de tu madre!

—Por la gloria de mi madre, no. Es demasiado serio.

—¿Lo ves, hombre, lo ves?

—¿Qué, atontao, qué? Si quieres lo juro por la tía Aurelia. ¡Que se muera, si no es verdad!

—Bueno, bueno, y no insultes, ¿eh? ¡Para que lo sepas, gano más que tú! ¡Cien leandras y las «propis»!

—¡Venga ya...!

—¿Qué quiere decir «venga ya»?

—¿Crees que me chupo el dedo?

—Oye, tú, ¿quieres que...?

—¿Qué, de qué?

—¡Hostia, tú, a mí no me llama trolero nadie! ¡Ni mi padre!

Lluís se pone nervioso. Siempre se pone nervioso en situaciones parecidas. En cambio, Doc Savage, o los héroes de James Oliver Curwood y de Zane Grey, siempre conservan la sangre fría y dicen a sus adversarios cosas parecidas, que todavía les fastidian más.

—¡Si no dices trolas, no!

No está mal. Se lo hará decir, un día de éstos, a Dan Stone, *el Piloto Audaz*, por Lewis Marty.

—¿Qué? ¡Vuélvelo a decir y te rompo la cara! ¿A que no? ¡Gallego!

—¿Qué pasa aquí? —dice un hombre corpulento, en bata manchada de pintura, que lleva una escalera. Lluís, que lo ha «vuelto a decir», ha ido a parar contra el hombre, de un empujón.

—¡Se acabó! ¡Daos las manos y cada uno que siga su camino!

—¡Ocúpate de tus cosas! —le grita Wladimiro-Pepito, enfadado. Se bate prudentemente en retirada.

—Oye, chico, ¿sabes que tienes la lengua muy larga? —dice el hombre de la escalera. Hace un gesto para ir hacia Wladimiro-Pepito, que se va, gritando.

—¡Metementodo! ¡Cocinillas!

Dos o tres setas han caído al suelo. Wladimiro-Pepito las mira con ansiedad, pero no puede acercarse a cogerlas. Lluís cree que vale más apartarse del tipo de la escalera. ¡A ver si todavía pagará él los platos rotos...! Sin embargo, y para que no crean que tiene miedo, hace un gesto con la mano y dice:

—¡Venga, hombre, déjelo ya!

Wladimiro-Pepito renuncia a recoger las setas perdidas. Se va corriendo. Cuando llega junto a la parada del tranvía del Llano de la Boquería, levanta la mano y grita:

—¡Hasta la vista, Lluís!

—¡Hasta la vista, Wladimiro!

«Lo que tendrías que haber hecho, cuando te ha dicho que ni su padre le llama trolero, es preguntarle a qué padre se refería. Si al de verdad, o al Gran Duque. También le hubiera podido decir que su hermana...»

Pero, en el fondo, está contento de que cosas tan hirientes no se le hayan ocurrido en el momento oportuno.

8

Como de costumbre los días de fiesta, la circulación, en la Vía Layetana, es casi nula. El público empieza a salir de la sesión matinal del antiguo Pathé Cinema. Algunos pasan junto a Lluís, solos, en parejas, en grupos...

—¡Venga, date prisa que nos va a pillar el chaparrón!

—¿Te ha gustado? Estaba bien, ¿no? Cuando ella le dice: *Éste, al menos, no lo podrás borrar...*, ¿eh?

—¡Qué frío, chico! Juanito, ¡tápate la boca con el pañuelo!

... otros se alejan hacia la plaza del Obispo Urquinaona, o atraviesan la Vía Layetana, en busca del aliento tibio del metro.

Lluís mira la torre de la Caja de Pensiones para la Vejez y de Ahorros y sus estatuas: niños y ancianos, reunidos en torno a un ángel esbelto y optimista que sostiene un arca; el ángel mira los ornamentos de piedra que coronan el edificio del Monte de Piedad, mira a la blanca Virgen de la Esperanza, empotrada en uno de los ángulos, con las manos juntas como para un chapuzón en el asfalto; mira a la severa Justicia, allá arriba, en el alero de una fachada, metida, con su gran espada y su balanza, en un nicho que parece concebido para que sólo quepa en él sentada.

Anunciando el mal tiempo, la pálida luz del cielo de noviembre inunda la avenida, atenúa el color de los rostros de los transeúntes.

Lluís empieza a atravesar la Vía Layetana con la intención de subir por la calle de Ortigosa hasta la de Trafalgar. Al hacerlo, mira hacia un edificio, a la derecha. La planta baja sigue ocupada por una empresa alemana de material eléctrico. Arriba, en lo alto de la fachada, hay un balcón. El balcón.

Desde el balcón de la oficina de Ferrán y Almirall, S. L., Lluís había visto al Caudillo, en persona, por primera y única vez en la vida.

Algunos días antes, dos hombres de aspecto duro y decidido habían hablado con Keller, que hubo de darles una lista detallada de todos los que frecuentaban el despacho. En la lista fue necesario indicar los nombres de las personas que estarían en el despacho el día del acontecimiento.

—¡A ver si te buscarán las cosquillas, por lo de tu padre...! —dijo Ernest a Lluís.

Cuando el Caudillo pasó, en un gran coche negro escoltado por jinetes moros, armados con lanzas y sables, Lluís estaba en el balcón con Joan, Vicente y Bormells. Keller estaba en el váter.

—Mi padre dice que ese coche es un regalo de Hitler —murmuró Joan, bajito, como si temiera que el Caudillo le pudiera oír. En la calle, la multitud se agolpaba tras hileras de guardias grises. Todos aplaudían, y alguien gritó:

—*¡Viva Franco!*

La multitud contestó:

—¡Fran-co! ¡Fran-co! ¡Fran-co!

Vicente dijo a Lluís, tan bajito como Joan:

—No, no es éste... Ya no lo saca desde que acabó la guerra.

Y empezó a aplaudir.

Se aplaudía desde muchos balcones. Se habían colocado banderas y ornamentos en todos los pisos. La víspera, el propio Lluís había atado al balcón la bandera roja y gualda de la Monarquía. Hacer esto era obligatorio en cada fiesta religiosa o política.

Bormells comenzó a aplaudir. Joan también. Y Lluís.

El Caudillo pasaba. Ya había pasado. Erguido en el coche, Lluís le encontró extrañamente coloreado, extrañamente corpóreo —le hizo pensar en una figura de cera— después de haberlo visto, durante tanto tiempo, en el tono gris y la falta de relieve de las fotos; después de haberlo visto, durante tanto tiempo, en el cine, hablando a las masas, presidiendo los consejos de ministros, inaugurando pantanos, rodeado de altos dignatarios eclesiásticos, entrando bajo palio en las iglesias...

Los ojos de Vicente lagrimeaban.

—Viéndolo tan pequeño —dijo— nadie diría que los tiene como el caballo de Santiago.

Lluís se sentía un poco avergonzado por sus aplausos. Miró a Joan con temor. Pero Joan también había aplaudido, pese a haber jurado no hacerlo. No tenía, pues, mucho derecho a reprocharle nada. Recordó aquel día en que había ido al cine, con Papitu.

Keller entró en aquel momento en el despacho.

—¿Qué? ¿Ya han visto el espectáculo? —preguntó secamente. Su boca era una línea dura que la ironía ablandaba en las comisuras de los labios. Llevaba el cabello rubio, muy corto.

—Pero señor Keller —dijo Vicente—. ¿Usted no lo ha visto? ¡Pero hombre, si era tan bonito...!

La expresión irónica de Keller se acentuó. Sus ojos claros se entornaron tras las gafas Truman.

—Me lo imagino, Vicente, me lo imagino.

—Vicente hasta ha llorado... —dijo Lluís, burlón.

—¿Quién, yo? ¡No es verdad! No le haga caso, señor Keller. Aunque, claro... ¡El Caudillo está más joven que nunca! ¿Cómo se las apaña para conservarse tan bien?

—Cuando se va a dormir, se debe de poner en aceite y vinagre.

—¡Ay, señor Keller, usted siempre tan bromista! Mira que no salir a ver a Franco...

Keller respondió ácidamente que hubiera preferido verle en otro momento; por ejemplo, cuando los rusos llegaban a Berlín.

Al ver la grave expresión de Keller, Vicente murmuró alguna cosa que no se entendió y se sentó frente a su mesa.

Sacó una carpeta de un cajón y repasó las facturas que tenía que ir a cobrar. Tenía la cabeza pequeña y las manos grandes. Era un campesino que la guerra había convertido en ciudadano. Llevaba un traje color tierra, con los hombros llenos de caspa; el traje era tan estrecho que parecía haber pasado de hijo a padre, y no de padre a hijo, como, por ejemplo, los trajes que llevaba Joan.

Keller ocupó su sitio, cerca de la caja de caudales empotrada en la pared. Llevaba una de sus viejas corbatas —todas parecían hechas en tela de saco teñida—, una camisa muy zurcida y el único traje que tenía, un traje negro. Aunque este traje le venía estrecho y estaba muy usado, Keller daba la impresión de ser un hombre pulcro y casi elegante.

—Venga acá, Lluís, volveremos a hacer las sumas. Quiero cuadrar caja antes de que vuelva el señor Ferrán.

Desde hacía algún tiempo, sólo se veía por allí al señor Ferrán, que antes venía raramente. Decían que el señor Almirall estaba enfermo. Keller sonreía traviesamente cuando se hablaba de esto. Pero nada decía.

Joan ocupó también su sitio. Tenía un archivador detrás de la silla. Las tardes de verano, cuando Keller se iba a hacer cualquier gestión, Joan recostaba el respaldo de la silla contra el archivador y, cómodamente tumbado, dormitaba. Pero procuraba tener siempre la diestra, junto a la nuca, cogiendo la pestaña de una de las carpetas archivadas. Si la puerta se abría bruscamente, tiraba de la pestaña y, al tiempo que se alzaba con gran diligencia, «continuaba» trabajando.

Si se enteraba de que el señor Ferrán tenía que venir desde la fábrica de Santa Coloma, tenía buen cuidado de no advertírselo a Lluís. Cuando llegaba el día de la visita, se ponía el traje de los domingos y se compraba un paquete de cigarrillos rubios Lucky o Chester..., con la esperanza de poder invitar mundanamente al dueño del negocio.

Cuando Keller se encontraba cerca, para poder cortarlas, las peleas de Joan y Lluís sólo eran verbales.

—Pero vamos a ver, Lluís, ¿se puede saber qué le ha hecho esta vez Joan? —preguntaba Keller.

—Nada.

—Algo le habrá hecho.

—No.

—Venga, que se muere de ganas de decírmelo.

—Tiene razón... ¿Recuerda el libro que el señor Almirall tiene en su despacho...? ¿Aquel libro de tapas tan gastadas...?

—Sí, la *Historia de la pornografía*, de Fuchs. ¡Pues sí que lo han descubierto ustedes pronto!

—Pues el otro día, que Joan entró en su despacho para coger la carpeta, lo sacó de allí. Y esta tarde, cuando usted ha salido, lo hemos ido a buscar otra vez.

—¡Bravo! ¡Viva el trabajo!

—No se enfade, señor Keller... Le decía, pues, que lo hemos ido a buscar. Lo estábamos mirando, cuando...

—Cuando ¿qué?

—Cuando la puerta se ha abierto. Era el señor Ferrán.

—¡Mira por dónde...!

—«¿Qué hacéis aquí, muchachos?», nos ha preguntado. Nos hemos quedado de piedra. Pero él sólo ha mirado el libro, ha movido la cabeza, lo ha cerrado y se lo ha llevado a su despacho, sin decir nada más. Yo ya recuperaba la respiración, cuando ese cerdo de Joan se pone a decir, en voz muy alta, para que el señor Ferrán, que había dejado la puerta abierta, le oyera: «Oye, Lluís, a mí no me enseñes nada más en horas de trabajo, ¿eh? Y menos aún porquerías de ésas. Yo vengo aquí a trabajar, a hincar el pico, ¿me entiendes?» ¡Me he quedado patitieso y no he sabido qué decir!

Keller sonrió.

—Éste aprende deprisa. Llegará lejos.

—Es un cerdo, sí. Un *Schweinhund*, como dice usted. Sólo le interesa el dinero.

La expresión de Keller se volvió severa.

—Le aviso, Lluís... La próxima vez que se peleen se lo diré al señor Ferrán. Y es seguro que él les pondrá de patitas en la calle a los dos, ¿entendido?

—Bueno, me voy —dijo Bormells a Keller—. Gracias por el espectáculo, como usted dice, señor Keller.

—¡Adiós! —dijo Keller, indiferente.

Cuando Bormells salió, Vicente dijo:

—Qué raro que no haya aprovechado para llenar su estilográfica, o para telefonear gratis, ¿verdad, señor Keller?

Vicente tenía una actitud tan humilde, al decir esto, que daba pena.

—Bueno, ahora hay que trabajar duro —dijo Keller—. Ya hemos perdido demasiado tiempo.

Y añadió su broma de costumbre:

—Sólo quiero oír el sonido argentino que hacen las gotas de sudor, producto del noble trabajo, al caer al suelo.

Una mañana, mientras repasaba una lista de facturas que había confiado a Lluís, Keller preguntó:

—¿Por qué este cliente de la Rambla de Cataluña, cuarenta y dos, todavía no ha pagado la lejía?

—Porque cuando voy nunca está.

Las palabras habían sido pronunciadas con dificultad, en un tono extraño que el propio Lluís no reconocía.

—Esta factura es de hace dos meses y medio... ¡Y a

fin de cuentas, sólo es de doscientas pesetas! ¿Tiene usted la factura, Lluís? ¿Dónde está? No la veo.

—No... Es que... No... La tengo... Yo...

Keller le miró con súbita atención. Entornó un poco los ojos. Lluís bajó la cabeza. Tenía sobre la mesa el *Apolo*, de Salomón Reinach, que Keller le había traído aquella misma mañana.

—¿Cómo que no la tiene?

Lluís le miró angustiado. Quiso hablar. En aquel momento, Bormells entró en el despacho.

—*Buon giorno per la matina!* —dijo, según su costumbre—. ¿Me dejan telefonear?

Al apoyarse sobre el vidrio de la mesa de Keller, sus manos pequeñas dejaron marcas de sudor.

Bormells tenía una fábrica de zapatos pero, viéndole, nadie hubiera dicho que ganaba lo suficiente como para hacerse un traje a la medida o comprarse unos zapatos nuevos... Los corredores, en cuanto le veían, escondían el tabaco.

Un día, de acuerdo con los demás, uno de los corredores tiró magnesia efervescente en el urinario, un poco antes de que Bormells entrase allí. Cuando, poco después, Bormells volvió, abrochándose aún, estaba pálido. Al marcharse del despacho, llevaba el miedo metido en el cuerpo y en el bolsillo una carta de Keller. La carta iba dirigida a un inexistente laboratorio alemán, y pedía que se le hiciera, lo más rápidamente posible, «a mi amigo, el industrial Bormells», un análisis Wasserman. Con un buen descuento sobre el precio habitual, como no había dejado de pedir Bormells a pesar de la gravedad del caso.

—Venga, pues, haga el favor de telefonear —respondió Keller, fastidiado. Miró atentamente a Lluís, que estaba a punto de echarse a llorar.

»Bueno —concluyó—. Coja las facturas y vaya a cobrar.

—Sí, señor...

Lluís se levantó. Chocó con una silla. Murmuró:

—Ahora mismo...

Al día siguiente, al salir del trabajo para ir a comer, Keller dijo:

—¡Ah, Lluís! Han venido de la Rambla de Cataluña, cuarenta y dos, a pagar las doscientas pesetas. Así que no hace falta que vuelva a pasar por allí, ¿entendido? Hasta luego, pues. ¡Y procure no llegar tarde como de costumbre!

Al volver al trabajo, Lluís comenzó a rehacer el dibujo que Ernest le había roto, unos meses antes. El dibujo que había renunciado a rehacer. Escribió las palabras: «De las cenizas saldrá un vengador», copiando el tipo de letra, de una vieja *Frase Quincenal* y se lo dio a Keller, que estuvo encantado y prometió ponerle un marco.

—Supongo —dijo Keller, dos días después, mientras le daba unas cartas para archivar— que ya no volverá a tener más dificultades con las facturas, ¿verdad?

—No, señor... Yo...

—De acuerdo, de acuerdo. ¡A trabajar! *Arbeit!* ¡Sólo quiero oír el sonido argentino que hacen las gotas de sudor, producto del noble trabajo, al caer al suelo!

Con letras rojas han escrito a lo largo de unos metros de pared de la calle de Ortigosa:

¡GIBRALTAR PARA ESPAÑA!

Lluís mira una vez más las letras demasiado bien hechas, demasiado cuidadas. No tienen el aspecto dramático de las letras que traza una apresurada valentía sobre las paredes de las afueras de Barcelona, no tienen el aspecto dramático de los rótulos de la noche:

CNT-AMNISTÍA
PSUC
FAI
CATALUNYA!

Un hombre y una mujer pasan rápidamente. Y la mujer dice, mirando al cielo:

—Va a llover... ¡Ya veo que va a llover! ¡Y yo que esta tarde quería ir al cementerio!

9

Va a llover sobre Barcelona.

Va a llover sobre las montañas contra las que se adosa la ciudad, entre dos ríos; sobre las carreteras, los paseos, las calles, los caminos de tierra, los descampados, los parques públicos; va a llover sobre las grandes mansiones, los jardines y los parques de la zona residencial, sobre las casas tristes donde viven muchos de aquellos que la han hecho y la hacen posible con su trabajo de cada día, las casas tristes del Clot, de Sants, de Pueblo Nuevo, de la Barceloneta, de Sant Andreu... Sobre el Borne y las casas de escudos nobiliarios de la calle Montcada; sobre las viejas chimeneas de ladrillos de las fábricas, las vías de los trenes desde los cuales pequeños estraperlistas tiran sus bultos, antes de entrar en la estación de Francia; sobre las iglesias, las estatuas, los fosos de Montjuïc donde tantos hombres han muerto por Barcelona; sobre los almacenes de los muelles, los barcos en trance de desguace y los que dejarán Barcelona hacia ciudades diferentes, hacia mares diferentes, pero no más bellas, pero no más dulces. Va a llover sobre los plátanos de Barcelona, sobre los cipreses y las acacias, sobre las pobres sepulturas de los pobres, sobre las ricas sepulturas de los ricos.

Cogiéndose a la barandilla, la madre del Pirracas se inclina hacia el hueco de la escalera.

—¡Juanita! —chilla—. ¡Ayúdame a recoger la ropa, que va a llover!

—¡Ya voy, ya voy! —responde una voz joven.

Bormells refunfuña:

—¡Hombre, mira, es que tengo la negra! ¡Pensar que me he lustrado los zapatos esta mañana! ¡He gastado betún y tiempo en balde!

Artemio Olivar, agachado en un rincón del patio de la Segunda Galería, está maldibujando, sobre la tierra ocre, el abundante pecho de Chiquita del Puente.

—Pero las tiene duras, ¿eh? —dice al compañero que le está mirando—. ¡Duras, chaval, no te vayas a creer!

Lluís, sentado en el tranvía, mira bajo los asientos, pero no ve las cuarenta pesetas. El tranvía todavía no arranca. En el cementerio del Este, la nieta de doña Celeste pone un ramillete de siempreviva sobre el nicho de su tía. En letras negras, puede leerse:

PROPIEDAD DE
CELESTE ARTIGAS

En el nicho todo está oscuro y el silencio se rompe de cuando en cuando, por un ruidito que procede de dentro del ataúd («Segunda categoría: de madera de nogal, forrado en satén color granate», según la publicidad de Más Allá, S. A.), un ruidito apagado, como si el cadáver padeciera aerofagia. En las galerías, las celdas de la planta baja y de los pisos están cerradas. Reina un silencio absoluto en las siete galerías dispuestas como los radios de una rueda. En el centro, dentro de un quiosco encristalado que llaman *la pecera*, nada de lo que pasa puede escapar al *jefe de servicio*, que vigila sentado en su butacón giratorio. En *la pecera* es donde el sacerdote de la cárcel dice la misa —la asistencia es obligatoria para todos, «comunes» y «políticos»— los domingos por la mañana. (Ese mismo sacerdote del que cuentan que, un día, en el momento del *Ite, missa est!*, se le cayó la pistola.)

A veces, uno de los *destinos* —reclusos que tienen una función en la cárcel— atraviesa las galerías desiertas, escrupulosamente limpias. Un *destino* que va de su celda al despacho del *oficial*, del despacho del *oficial* a su celda. Camina rozando el muro izquierdo o el muro derecho de la galería: el centro está prohibido. A veces, siempre a la misma hora, reclusos que trabajan en el *Economato* llegan con una perola de, llamémosle, café. Los *destinos* pasan entonces por las celdas llamando, no muy fuerte, con un solo golpe en cada puerta. Se les oye decir, con voz perezosa:

—*Café... Café... Café...*

Sólo toman café quienes se lo pueden pagar. Son aquellos que los otros llaman *caballistas*, gente afortunada que tiene un *peculio* —dinero depositado en la oficina de la cárcel— y recibe paquetes de fuera.

A la hora en que el *destino* de la *Cuarta* sale del despacho del oficial, se oye un toque de campanilla. El *destino* se arrodilla, como está mandado. El sacerdote atraviesa el *Centro* para ir a administrar el viático a un hombre que pronto se escapará de esta y otras prisiones. El *destino* se levanta, sigue su camino, abre la puerta de la celda donde está Gerick.

—Gerick, a comunicar.

Gerick alza los ojos del borrador de un texto que quiere enviar al canciller Adenauer y mira, de reojo, a sus dos compañeros de celda. Pero para estos dos, apenas parece existir. Don Valentín, uno de los oficiales de la galería, los ha puesto a los tres juntos por pura maldad. Los dos compañeros de Gerick leen, tumbados en sus petates, sendos libros de la biblioteca de la cárcel, que dirige el sacerdote. Son dos hermanos, dos guerrilleros comunistas (supervivientes del campo de concentración de Mauthausen, donde fueron a parar, un día, por haberse enrolado en la Resistencia francesa) que fueron capturados en el valle de Arán, un año antes. Siempre están leyendo y escribiendo. Manuel, el más hablador, dice a menudo al *destino*:

—No hay que perder el tiempo, chico. Las cárceles

de la burguesía, como decía Lenin, son las universidades de la clase trabajadora.

Don Valentín los llama «los hermanos Marx». Todos los «políticos» detestan a don Valentín tanto como respetan a don Gregorio. Don Gregorio es severo, pero justo; con él todos saben a qué atenerse. Don Valentín es caprichoso. Tiene su pequeña leyenda. Dicen que, antes de ser oficial, cuando era *funcionario*, al acabar la guerra, actuaba como «porrista» y que ha matado hombres a garrotazos. También dicen de él que las noches de saca, se colocaba en el centro de la galería con la lista de los condenados a muerte en la mano, y empezaba a leer:

—¡Ramón...

Se paraba. Y todos los que, en las celdas, se llamaban Ramón, todos los que llevaban este nombre, contenían la respiración, esperaban:

—... Fábregas!

Continuaba:

—¡José...

Los que se llamaban José se estremecían. Y se hubiera jurado que don Valentín no acabaría nunca de decir:

—... Soteras!

Mientras el *destino* sigue hacia el Centro, hacia la *pecera*, Gerick pregunta:

—¿Quién se ha muerto?

Un grupo de hombres espera ya contra la pared, de cara a *la pecera*. Luis, el *destino*, es un anarquista madrileño de cabellos completamente blancos, con gruesas gafas de miope. Los reclusos hablan muy bien de él, máxima garantía de que se trata de un hombre de verdad. Exiliado en 1939, combatió en Francia contra los nazis. En aquellos días salvó la vida a un obispo que algunos compañeros querían poner de cara a la pared, sin juicio, por «colaboracionista».

Después de la Liberación, Luis pasó clandestinamente a España, formando parte de un comando que quería atentar contra la vida de algunos *jerarcas*. Detenido, fue condenado a muerte y esperó su ejecución, día tras día, durante tres años. Por las noches, al más mínimo ruido, se despertaba, sobresaltado, y fue así como se le volvieron blancos los cabellos. Fue así como se le hizo una lesión en la columna vertebral (decían que don Valentín era el responsable de muchos de aquellos ruidos nocturnos). A comienzos del cuarto año le conmutaron la pena: el obispo, desde el primer día de la detención de Luis, había hecho lo imposible por obtener este resultado.

—¿Quieres saber quién se ha muerto, Gerick? Pues ha sido *Las-lechugas-de-mi-huerto*.

—Ya era hora —dice Gerick—. Un cerdo menos.

Habían dado aquel sobrenombre a un tipo que siempre intentaba justificar lo que había hecho con sus dos hijas menores (hasta que le denunciaron) diciendo:

—*Las lechugas de mi huerto, me las como yo*.

En el gran Mercedes negro, Mati Carreras de Almirall, angustiada, dice a su marido:

—Pero... «Ellos», ¿te dejarán ir a Tánger? ¿Te dejarán ir?

—¡No lo entiendes, Mati, no lo entiendes! —responde el señor Almirall—. ¡Eso es precisamente lo que «ellos» quieren! ¡Estoy atrapado!

En la fábrica del padre de Mati Carreras de Almirall, las viejas máquinas descansan. Una hora más y decenas de personas grises y mal alimentadas (sin otra posible consideración, por parte del señor Carreras, que la que merecen unos simples complementos humanos de sus siempre bien engrasadas máquinas) las pondrán en marcha, las darán, de nuevo, una vida ruidosa. Una hora más y por todo Barcelona, miles de personas grises y mal alimentadas, sin otra posible consideración, por parte de quienes las emplean, que la que merecen unas simples herramientas humanas de producción, volverán al trabajo. Hay que trabajar, trabajar, aceptar resignadamente, callar y renunciar. El que no lo hace, se expone a todo tipo de cosas temibles cuyas raíces van, por lo que se refiere al inconsciente colectivo, hasta el horror de la guerra civil y los hechos terribles que ocurrieron después.

Un gato atraviesa el suelo enlosado de una de las salas de la fábrica, salta inopinadamente, se esconde, asustado por el agudo grito de uno de los niños del portero, que juega en el patio de la fábrica, con sus amiguitos.

El niño, con los ojos de los otros fijos en él, grita:

—Cuidado, ¿eh? ¡Que soy Franco!

Los otros dudan, pero acaban por aplaudir y alzar el brazo derecho. El más pequeño grita:

—Ahora me toca a mí. ¡Ahora quiero serlo yo!

En el mercado de la Boquería, un gato es cazado por la Pelona, que lo mete en un saco. Le pagan diez pesetas por gato, en una taberna del Barrio Chino, en la calle San Rafael. El tranvía arranca. Lluís mira por la portezuela y ve desaparecer la calle Trafalgar. Emili Ferrán entra en el despacho de su padre. Detrás de su mesa, bajo una enorme y dorada botella de lejía, rodeada por una corona de laurel pintado de verde, el señor Ferrán escribe. Como siempre, tiene delante un retrato de su padre, un retrato de su mujer y un retrato de Toni, el hermano mayor de Emili. Toni murió en el patio de la fábrica, cuando cargaba cajas de lejía, a consecuencia de la falsa maniobra de un camión. El señor Ferrán tenía otro hijo, Josep, pero todavía no le ha perdonado que, durante la guerra civil, se enrolase sin su consentimiento —le necesitaba en la fábrica— en el Tercio de Nuestra Señora de Montserrat. Josep desapareció.

—Buenos días, papá. ¿Querías verme? —pregunta Emili.

Cuando Toni murió, Emili dejó la universidad, abandonando la filosofía y las letras para ocupar en la fábrica el sitio de su hermano. Pero no tiene un instinto tan seguro para los negocios. Claro que todavía es muy joven. Puede decirse que, de momento, su padre le tiene a prueba.

Más bien por encima, el señor Ferrán le explica que unos cuantos obreros se han puesto de acuerdo, a escondidas, para pedirle, al día siguiente, un aumento de sueldo. Lo sabe porque uno de ellos, un chico como es debido y muy espabilado, que se da cuenta de lo que hay que hacer para salir adelante en la vida, se lo ha dicho. Los obreros han constituido una especie de comisión y quieren ver al señor Ferrán todos a la vez.

—A ver, Emili... Si estuvieras en mi lugar, ¿cómo los recibirías?

—Los haría entrar... Después, los invitaría a sentarse y les rogaría que designasen a uno de ellos como portavoz.

—Eso no es posible, Emili. En este tipo de entrevistas, la conversación se generaliza enseguida, ¿sabes? El que tiene la palabra enseguida se engalla, gracias a la presencia de sus compañeros que apoyan lo que dice, con pequeñas pero hábiles intervenciones. El patrón se convierte pronto en una especie de acusado. Debe batirse en retirada, debe empezar a dar explicaciones. Y recuerda bien esto, Emili: el hombre que está arriba, el *jefe*, nunca tiene que dar explicaciones. Cuantas más da, más prestigio pierde. Su postura se debilita y pronto le quedan sólo dos caminos a seguir: primero, el de las concesiones totales; segundo, todavía más desaconsejable, el de imponer su autoridad en plan de *ordeno y mando*. Todavía más desaconsejable, porque pone a los obreros a parir y eso disminuye su rendimiento.

—Entonces, ¿qué?

—Lo que hay que hacer, Emili, es llamarlos de uno en uno, estudiar cada caso de acuerdo con las necesidades individuales del hombre que tienes delante. Y ofrecer un aumento al que sea realmente indispensable en la empresa. A los demás debe hacérseles comprender (amablemente, siempre que se pueda, ya que los rencores que se dejan atrás siempre son mala cosa, porque nunca se sabe lo que puede pasar, y hay más días que longanizas), debe hacérseles comprender que pueden ser reemplazados...

El señor Ferrán sonríe a Emili.

—Mientras tanto, hijo, los que esperan al otro lado de la puerta empiezan a preguntarse qué pasa, se ponen nerviosos, acaban dudando de la justeza de sus reivindicaciones, de su propio valor como trabajadores... Acaban dudando de sus camaradas, porque saben bien, juzgando por ellos mismos, que cada hombre tiene un precio y que cuando se paga este precio la solidaridad, la fraternidad, y etcétera, se van al carajo. No lo olvides, Emili: vivimos en un mundo donde la piedra angular de todo es el individualismo. Y los problemas deben resolverse desde un punto de vista individualista.

Emili admira la inteligencia de su padre. Es un verdadero jefe. Un jefe. Ha sabido merecer, por su conocimiento de los hombres y su gran visión comercial, el puesto que ocupa.

El señor Ferrán añade:

—Supongamos que te encuentras con el caso de una cadena... Una cadena de obreros, quiero decir. Hay veinte, por ejemplo. Ya sabes que ahora tenemos máquinas para hacer estas cosas, y que ya no actuamos así... Pero supongamos que tienes veinte hombres que han de llenar botellas de lejía, taparlas, etiquetarlas, embalarlas... Esta cadena produce, en ocho horas de trabajo, equis cajas. Pero supongamos que a esta equis quieres añadirle, pongamos por caso, un veinticinco por ciento. ¿Qué harás para obtenerlo?

—Ofreceré primas —dice tímidamente Emili.

—¿Primas? ¿A quién?

—Pues a los más capaces de la cadena.

—No, Emili, no. Muy mal.

Emili enrojece.

—No aplicas el principio individualista. A ver, hombre, ¿de quién depende el funcionamiento de la cadena?

Emili, avergonzado, calla. Santo Tomás de Aquino, máxima figura de la filosofía occidental, según algunos profesores de la universidad, no le parece tan complicado como aquello.

—Yo... Yo... No lo sé. ¡De todos!

—No, hombre, no. Todo depende del primero de la cadena. Fíjate que los otros trabajan al ritmo que él les marca. Si en vez de estar dos minutos para acabar una botella, está uno, los otros no tendrán más remedio que ir más deprisa para hacer el trabajo. Porque si no lo hacen así, adiós cadena, ¿no? Y para evitar esto están los vigilantes, ¿no? ¿Te das cuenta? Por tanto...

—¡Por tanto, habrá que pagar la prima al primer hombre! —acaba por decir triunfalmente Emili.

—¡Muy bien! —concede el señor Ferrán—. Bueno, ya veo que pronto te pondrás al corriente, Emili. ¿Sabes lo que haremos? Mañana recibiremos juntos a esos tipos, uno tras otro. Y abre bien los ojos y los oídos.

—Sí, papá.

El señor Ferrán le mira con ternura. Un buen chico. Demasiado. Ojalá que con el tiempo pierda la ingenuidad. Un buen chico nunca llega a nada. Hay que tener mala leche, en este mundo. Un mundo donde todo es pura mierda.

El señor Ferrán sonríe. Se levanta.

—¡Ah! —dice volviendo a sentarse—. Me olvidaba de una cosa. En los tiempos que corremos, cuando se trata con los obreros, también hay que tener en cuenta los antecedentes políticos de cada uno. Pero espera, espera, que esto es muy delicado. Nunca hay que alzar la voz. Y todavía menos, amenazar. Basta con mencionar los antecedentes... «Usted era comunista, ¿no?», «Usted era de la CNT, ¿no?» Amablemente, incluso con bondad, como mostrándose comprensivo con un error de juventud. Es para meter un poco de miedo. ¡Nada malo hay en eso! Y quedarás sorprendido de los resultados. Con diplomacia, no obstante; como quien dice, con vaselina...

El señor Ferrán sonríe a Emili al decir esto. Emili sonríe y baja los ojos.

—Sólo para meterles bien en la cabeza que su hora ha pasado. Que han perdido.

El señor Ferrán se levanta otra vez. Los zapatos, negros y brillantes, le crujen. Mira por un ventanal que da a la calle.

—Va a llover —suspira—. Y con la lluvia los cementerios todavía están más tristes.

Por doquier, en Barcelona y su provincia, hombres opulentos y seguros de sí mismos, que sonreirían indulgentemente con los pequeños maquiavelismos de tendero del señor Ferrán, hablan de política y economía, deciden el destino de miles de compatriotas, el talante de toda una época, mientras juegan al frontón, mientras están sentados en el fondo de salones confortables, mientras pronostican que va a llover, y tiran con fusiles de lujo contra efímeros pichones; mientras guían, con mano segura, embarcaciones de placer que llevan muchachas desengañadas hacia Citereas de segunda. Embarcaciones que, más allá del puerto de Barcelona, permiten verla tal y como es, tal y como se ha vuelto la orgullosa cuna de una epopeya revolucionaria: una ciudad más bien gris y, en todo caso, muy tranquila bajo las nubes que ahuyenta el viento del invierno. Una ciudad donde una minoría hace y deshace de acuerdo con sus intereses exclusivos, impuestos como si fueran los de todos, sin que ninguna de las altas autoridades morales que allí viven se escandalice públicamente; sin que la mayoría domesticada, muda, agobiada de obligaciones y sin derechos, pueda defender sus propios intereses con la más pequeña acción, ya que tal cosa sería inexorablemente considerada como un atentado al orden establecido, es decir, a todo aquello que la minoría presenta, cada día, como si fuese el *bien común*, la *paz*, la *convivencia cristiana*... Barcelona: hedionda balsa de aceite para tiburones felices. Un símbolo, ciertamente europeizado, de lo que es el resto del país...

—Va a llover —dice la mujer sentada al volante—. Pero no te preocupes. Cuando hayáis acabado, te devolveré a casa de doña Asunción.

—Gracias —responde Natacha. El lujoso Mercedes negro se para. Natacha oye un largo chirrido, como si una puerta de hierro se abriera. La mujer al volante embraga y pone una marcha. Lentamente, el coche vuelve a avanzar, la arena cruje bajo sus ruedas. Casi enseguida, se para. La mujer baja, abre la portezuela, coge a Natacha de la mano para ayudarla a bajar.

»¿Me puedo quitar las gafas? —dice Natacha. Habla en castellano, porque "es más fino". Le parece, de tanto oír a los actores en las películas y en la radio, que lo que vale la pena expresar sólo puede expresarse, como es debido, en aquella lengua, una lengua que encuentra más "noble" que el catalán.

—Todavía no, guapa. Todavía no.

La mujer hace avanzar a Natacha unos pasos y dice:

—Ten cuidado, que hay unos escalones.

Natacha cuenta cuatro. La mujer continúa guiándola. Olor de casa húmeda y deshabitada. La puerta se cierra detrás de Natacha.

—Ya puedes quitártelas si quieres, guapa. ¿Me has dicho que te llamas Natacha, no?

—Sí, señora.

Se quita las gafas. Se diría que estas gafas, tal vez un poco raras —a causa de las piezas de celuloide que tienen entre sus bordes y los pómulos de la persona que las lleva—, son, no obstante, gafas normales. Nadie creería que han sido especialmente concebidas para que no pueda verse nada, cuando alguien las lleva. La mujer las coge de manos de Natacha y las guarda en su bolso. Deslumbrada, Natacha parpadea: le duelen los ojos, a pesar de la penumbra del vestíbulo. Mira los bajos de madera barnizada, a lo largo de las paredes; los cuadros, las vitrinas llenas de bibelots, el techo artesonado. Sus zapatos, tan caros, de piel de cocodrilo, se le hunden en una alfombra roja. Brilla una luz sobre un cuadro bastante grande. Natacha da unos pasos hacia él. Angelotes rosados revolotean alrededor de una Virgen que tiene un Niño Jesús sonriente en los brazos.

—Es un Murillo. Un Murillo auténtico.

«Espera que me quede con la boca abierta. Que haga: ¡Oh!»

—¡Oh!

—Y allí, ¿ves?, hay un Vayreda. Y más allá, un Ter Borch. Auténtico, ¿eh?

—¡Ah!

—Y allí...

Natacha la mira mientras habla. Menuda, pálida, sin maquillar, ojillos negros, pelo recogido en un moño, zapatos planos, traje sastre severo pero bien cortado...

«Cómo se parece a la directora de la residencia de chicas. ¡Quién sabe! ¡Puede que también le gusten las muchachas!»

La mujer sonríe tranquilamente. Abre el bolso y saca un sobre.

—Toma esto. Te daré el resto cuando salgas. Es todo para ti, ¿eh? Mañana, ya le daré su parte a doña Asunción. Y ahora, sígueme.

Natacha la sigue hasta un dormitorio suntuoso. Sobre la cama se amontonan muchos vestidos y ropa interior femenina. La mujer se para cerca de un tocador lleno de tarros y botellas. A lo largo de una pared hay un armario enorme, entreabierto. Se ven docenas de vestidos de mujer.

—Desnúdate, guapa.

Natacha descorre la cremallera de su vestido. Un perfume dulce y tibio se extiende a su alrededor. Con expresión tozuda, la mujer rebusca en el montón de vestidos y ropa interior.

—¡Ah! —dice, triunfante. Acaba de escoger un sombrero, de modelo infantil, con una gran cinta escocesa. Mira a Natacha de reojo.

»¡Caramba, niña, cómo te pareces a María Montez! No te quites el liguero. Ni las medias. Sólo el vestido y la combinación. ¡Ten, pruébate este sombrero...! Y esto. ¡Cómo te pareces, chica! Muy bien, muy bien. ¡No podría haber elegido mejor!

Le ha escogido un traje de niña, confeccionado a la medida de una muchacha, en la misma tela escocesa que la cinta del sombrero. Natacha se viste y se pone el sombrero frente al gran espejo del tocador.

—¡Espléndida! Y ahora...

La mujer abre un cajón y saca algo.

—¿Sabes qué es?

—Un diábolo.

—¿Sabes jugar?

—Tenía uno en casa, cuando era pequeña. Era de mamá, me parece.

—Muy bien. Pruébalo. Pruébalo.

Natacha lo prueba.

—Bravo. Muy bien. Mientras te entrenas voy a ver si ya está listo el señor.

La mujer sale. Natacha abre su bolso de piel de cocodrilo, coge el sobre.

«¡Quinientas pesetas! ¡Y casi seguro que me dará otro billete como éste a la salida!»

Coge los dos palos del diábolo e intenta mantener los dos conos de goma unidos, en equilibrio. Se aplica de verdad. Un trocito de lengua le aparece entre los dientes.

De repente, se ve en el espejo: niña gigante, con tacones altos y piernas de vicetible. El diábolo se le cae. Se encuentra guapa. Es verdad que se parece a María Montez. Por eso trabaja tanto estos últimos tiempos. Conteniendo la respiración, Natacha contempla el resplandor de sus ojos negros, el resplandor de su piel. Y de pronto, ve a la vieja Manuela, con la nariz roída, y se estremece.

«No, a mí no. A mí, no. Tendré cuidado. A mí, no. A Natacha, no.»

Natacha. Natalia. La niña disfrazada de campesina rusa. Todavía guarda, en una vieja caja de zapatos, una fotografía que le hicieron, aquel lejano día de Carnaval. Alza el puño, alza el puño, por siempre jamás, al lado de un niño vestido de *mujik*. A su alrededor hay personas mayores, sonrientes y protectoras...

Y ahora, es ella misma, en el espejo, disfrazada de otra forma. Es ella, en el silencio de esta habitación de ricos. Y lo que siente en la garganta, ahora, en lo más profundo de sí misma, es la vida, su vida.

La mujer vuelve.

Natacha la sigue por el pasillo. La puerta de otra habitación. Una puerta muy grande con dos batientes.

—Bueno, ahora entrarás. Te pones a jugar con el diábolo tan bien como puedas. Te paseas de un lado a otro... Imitas a una niña que está jugando en un parque... Ya ves lo que quiero decir... Te sientas en el suelo, te agachas... Haz todo esto, ¿me entiendes? El señor estará sentado al fondo de la habitación. Pero no te acerques a charlar, ¿me entiendes? No puede soportar que las chicas que vienen aquí se pongan a charlar, ¿me entiendes? Mira, ¿recuerdas a Susana? No, claro que no, tú no la has conocido... Susana no era de doña Asunción... Pues se puso a charlotear, la tonta. El señor se enfadó mucho y la tuve que echar. Así que, silencio absoluto, ¿comprendes? Sobre todo, esto. Y tú, nada, como si fueras una niña...

—Sí, señora. ¿Y no tengo que hacer nada más?

—Nada más, guapa. Ya te avisaré cuando tengas que salir.

Natacha entra en la habitación. Una lámpara de pantalla rojiza la ilumina a medias. Se adivina la silueta de un hombre sentado, de espaldas a un ventanal que tapan cortinas. Natacha da unos pasos y comienza a jugar con el diábolo. Tiene miedo y, al mismo tiempo, un deseo loco de reír. Pero ya hace tiempo que está acostumbrada a las rarezas de los clientes. Inicia, vacilante, unos pasos de baile. Comienza a saltar, de pronto, con una pierna encogida, como si fuese resiguiendo la imagen, dibujada en el suelo, de las charrancas de yeso de su infancia. Silencioso, el hombre no se mueve.

«Esta vez sí que ganaré descansadamente el dinero», piensa, aliviada. Natacha hace la promesa de dar una buena propina a Manuela, sin darse cuenta de que aquel impulso caritativo no es más que una tentativa de conjurar la mala suerte.

Se vuelve hacia la silueta del hombre que está en acecho, sonríe tímidamente de cara a la sombra.

—No, no —dice la voz lejana de la mujer en el pasillo—. En este momento no se le puede molestar. Tendrá que llamar más tarde. El señor está ocupado.

En el locutorio de la cárcel Modelo, entre la confusión de voces masculinas y femeninas, Keller grita algo, en alemán, a Gerick. Dos telas metálicas polvorientas y un pasillo estrecho, por donde pasea el *funcionario*, los separan. Gerick está desanimado. En su galería, la *Cuarta*, los *rojos*, como él dice, le dan de lado porque saben que era de las SS.

—Y eso que, ¿sabe, Keller? —se queja—, ¡he rechazado el ofrecimiento que me han hecho de mejorar mi vida en la cárcel, a cambio de dar información sobre todo lo que ocurre y se proyecta en la galería!

«El mundo es injusto... Nada tiene sentido», piensa Gerick.

Keller grita, procurando que el otro le oiga por encima del ruido:

—Le pregunto que si necesita algo más, Gerick. ¡Alguna cosa más!

El camarada Jordi, alias *camarada Falcón*, alias *señor Falcón*, como le llamaban en Bofill y Serra, S. A., fuma, soñador, en el patio de la *Cuarta*. Espera el momento de ir a que le afeite el barbero de la galería, único prisionero autorizado a tener una navaja que, por otra parte, ha de entregar cada noche al oficial. Mientras espera, le tiemblan las mandíbulas, intenta dominarse, no dejar aparecer su indignación, la cólera que le ha invadido cuando ha sabido que, entre los comunistas de la galería, hay tres que rechazan compartir el contenido de los paquetes que reciben de fuera con los otros camaradas.

Pero Falcón es un comunista. Es decir, tal como él lo ve, alguien que no debe tomar sus deseos por realidades. Alguien que ha de atenerse a la realidad con todos los matices y contradicciones. Que se ha de esforzar para actuar sobre esta realidad, para reducirla allí donde sea más irreductible, sin olvidar su complejidad. Apartándose, como tributario de un pensamiento dialéctico, de toda simplificación y esquematismos...

El maldito asunto de los paquetes lanza a Falcón a una serie de especulaciones. Y le parece ver la Historia, desde los pantanos primitivos hasta la sociedad comunista; la sociedad comunista, punto final y quicio, a la vez, de una nueva era donde —lo cree así absolutamente— el hombre no luchará ya más contra el hombre. Una era donde la violencia en las relaciones humanas sólo será ya un mal recuerdo...

Falcón empieza a discutir con un interlocutor imaginario que le acusa de simplificar, de esquematizar, que le grita que lo que piensa es ilusión, utopía... Falcón responde afirmando que quien no cree en la capacidad que el hombre tiene para reducir lo que muchos llaman el Mal (y él, la alienación) es una rama muerta del gran árbol de la Humanidad, un extraño a todo lo que el hombre encarna en el universo...

—*¡Tres para afeitarse!* —grita el barbero, desde la galería, hacia el patio. Falcón y dos reclusos más van hacia él. Al fondo del patio, dos «comunes» juegan al frontón. La pelota se les escapa, va a parar al «Correccional», donde están los reclusos menores de edad. Uno de los «comunes» grita:

—*¡Correccional! ¡Correccional! ¡Pelotita, por favor!*

Falcón se sienta en el sillón de la barbería. El barbero le sonríe. Es un joven que ha organizado dos atracos y provocado el suicidio de su padre, sargento de la Guardia Civil retirado. Sonríe, pero sus ojos no están acordes con sus labios. Toma grifa. Dice que quiere divertirse, pasar los años que le quedan en la cárcel de la mejor forma posible. Es buen mozo. Tiene relaciones con un joven andaluz, de la Segunda, otro «común». Se envían cartas de amor inflamadas y emocionantes.

Falcón intenta pensar en la situación actual en España. Intenta elucidar, una vez más, en qué medida la línea del Partido responde a tal situación. Desde hace unas semanas, tal vez a consecuencia de haber hablado con militantes del Partido que ya hace tiempo que están en la Modelo, le asaltan dudas sobre la justeza de la línea política del Partido. No hace mucho tiempo que él milita. Y enseguida le han dado responsabilidades. Demasiadas, tal vez. Sus dudas quiere atribuirlas a su falta de formación política, al hecho de que ha vivido demasiados años como un pequeño burgués, al poco tiempo que ha podido luchar organizadamente, él, un hombre de una generación que nunca conoció la libertad, que ha tenido que levantarse desde el fondo de una tumba, empujando la pesada losa que quería sellarla para siempre... Sí, falta de formación política, más que nada. ¡Todo es tan difícil...!

«Hay que reprimir estas dudas», piensa. Y para conseguirlo procura pensar en sus compañeros, esos hombres y mujeres que son lo mejor de la clase de los explotados. Esos obreros, por ejemplo, que ahora, en la cárcel, le admiran porque creen, erróneamente, que sabe muchas cosas; le admiran porque lucha a su lado, rechazando las solicitaciones de la clase de los explotadores que, así lo creen, le sería propicia por poco que él aceptara venderse... Procura pensar que nunca, por encima de cualquier decepción presente o futura, de cualquier amargura, podrá olvidar a los hombres y mujeres que ha conocido trabajando clandestinamente en libertad, que ha conocido durante los días y días pasados en *Jefatura*, que ahora están con él en la Modelo... Los hombres y mujeres que son el honor de su clase y de su Partido, que encarnan la bondad y la razón militantes en la lucha contra la estupidez y la nada del mundo, la inercia y las tinieblas que otros seres asumen y encarnan. Esos compañeros que, independientemente de todos los fracasos que puedan derivarse de su acción (aquello en que puedan convertirla la persistencia de la estupidez y la nada del mundo, la inercia y las tinieblas) representan la negación de un estado de cosas inhumano y forman parte del punto más alto alcanzado por la conciencia de la época.

Falcón se fuerza a pensar de nuevo en el asunto de los paquetes. «Ya se sabe que hay hombres que fallan en determinados momentos. No hay que extrañarse por ello. Calma, calma... Lo que hay que hacer es sobreponerse y aplicarse a trabajar para derogar la vieja ley natural, la ley implacable de la garra y el colmillo que quiere que el fuerte viva a expensas del débil. Hay que derogar esta ley impuesta por la naturaleza, acabar con esa irracionalidad que hace del hombre el lobo del hombre y le hace aparecer a través de los siglos como impermeable al progreso moral... Porque esta ley salvaje ha estado en la base del régimen esclavista, del régimen feudal, del régimen burgués... La propiedad privada de los medios de producción que, con variantes, es una constante en todos estos regímenes, ¿acaso no es la sublimación, el supremo resumen de la ley de la selva? ¿No expresa así un alto grado de animalidad que nos impide convertirnos en más humanos? Hay que derogar para siempre esa ley, y reemplazarla por una ley humana, es decir, no impuesta por la naturaleza y más o menos consentida, sino surgida de nuestra conciencia y voluntariamente promulgada. Una ley que nos permita llevar adelante esa humanización a la cual nos hemos dedicado...»

Luis, el *destino*, acaba de aparecer en la puerta de la barbería.

—Todavía tengo para tres cuartos de hora —dice el barbero.

—¿Cómo te va la vida de presidiario, Falcón? —pregunta Luis.

Falcón también sonríe.

—Hombre, podría ir peor...

«Por el contrario, todo fascismo, todo autoritarismo de derechas resulta ser —independientemente de su significación, económica u otra— como una crispación de la irracionalidad que se esfuerza por impedir la promulgación de esa ley humana y, por consiguiente, en perpetuar la alienación. Y es que, precisamente, el fascismo, donde el instinto y la pasión no buscan armonizarse con la razón, sino marginarla, se hermana con las realidades biológicas más sórdidas. Para comprenderlo bien, hay que tener una idea de lo que ocurre en la selva, en los pantanos, en el mar; de lo que es la vida de los animales, su comportamiento. Porque el fascismo nada tiene de misterioso, ni de incomprensible. La actitud fascista es natural. Natural en el sentido más profundamente inhumano del término, en el sentido en que puede decirse que las ideas contenidas en *Mein Kampf* —por el hecho de estar calcadas, a través de un darwinismo bastardeado, sobre realidades biológicas de donde el hecho humano se excluye— son naturales, que es natural que un rebaño de bisontes tenga un solo guía, que puede decirse de ciertos niños que se comportan como fascistas... Porque lo que realmente pretenden los fascistas, conscientemente o no, no es más que la aceptación definitiva de la vieja ley salvaje, la institucionalización simple y radical de la animalidad...»

Se oye el ruido metálico que hacen el oficial y dos *funcionarios* al golpear con un hierro los barrotes de la celda en busca de un sonido sospechoso. En la *Segunda*, el oficial acaba de sorprender al *destino* —cajero desleal, condenado a muchos años— y al llamado Traga, escondidos en una celda donde se guardan varios trastos. Todos los otros detenidos están en el patio. Sin inmutarse, el Traga, se abrocha los pantalones. El *destino* lloriquea. El Traga dice:

—Hombre, don Evaristo... ¡Ya que nos va a meter en «celdas», al menos hubiera podido dejarnos acabar!

Esta noche, los habitantes de las barracas del Somorrostro tendrán que luchar contra la lluvia, contra el viento y contra el mar. Hace un año, con motivo de la visita del gobernador civil, un periodista escribió:

«Al enterarse el señor gobernador de que las chozas que estaba visitando se veían invadidas cada invierno por las aguas del mar, accedió a recibir la petición que le entregaron en nombre de setenta familias que allí viven, para que sea construido un número igual de casas ultrabaratas, en los terrenos municipales que hay cerca. El señor Barba se comprometió a ocuparse personalmente y con la máxima diligencia de este problema para que obtengan satisfacción.»

—¡Las promesas de la burguesía! —se burla el Previsor del Porvenir, con las cartas en la mano. Está muy contento porque tiene buen juego—. Os apuesto lo que queráis a que pasan diez años, quince, y en este maldito barrio todo continuará como hasta ahora. ¡El corazón de un burgués sólo funciona cuando le ponen un revólver en los riñones!

—¿Qué quieres decir con eso? —pregunta el Manchao. Hay que tener cuidado con el Manchao, cuando tiene mal juego.

—Nada, hombre, nada. No te sulfures.

—¿Sabes que andas hoy muy subversivo, Previsor? ¿Tienes ganas de volver a Albateras?

—Ya te he dicho que no te sulfures. Además, yo no he estado en Albateras, sino en Nanclares de la Oca, para que te enteres. Y salí enseguida.

—Demasiado deprisa...

—Oye, Manchao...

—¡Venga, coño, ya está bien! —corta el Mamerto—. ¡Callad de una vez! ¿Jugáis o qué...?

El viento de noviembre hace crujir la barraca-taberna del Somorrostro. El mar va y viene, va y viene, contra la sucia playa. Pasan gaviotas blancas que chillan en la neblina. La estufa empieza a humear y los tres hombres tosen, cegados. Afortunadamente, el tiro mejora.

—¡Otro *chato*, Mamerto! —pide el Previsor del Porvenir. El Mamerto deja a un lado las cartas, vuelve a ser tabernero, sirve.

—El gobernador dijo que se ocuparía de nosotros y se ocupará —dice el Manchao, con rencor—. ¿Es que no le visteis...? Tú, Mamerto, ¿no viste cómo acariciaba a los chiquillos? Yo vi sus ojos, ¿comprendéis? ¡Húmedos de lágrimas! Si todavía no ha hecho nada, es porque no ha podido. ¡Es un caballero!

—¡Tienes razón, chaval, tienes razón! —dice el Previsor del Porvenir. Enseña su juego.

—¡Qué leche! —grita el Mamerto.

—¡Eso digo yo! —refunfuña el Manchao—. ¡Qué leche, chico!

—¡Sí, sí... *¡Al saber le llaman leche!* —ríe el Previsor del Porvenir.

Una ráfaga de viento, más fuerte que las otras, hace gemir las paredes de madera. Los tres hombres callan y se miran. El Previsor del Porvenir sonríe torcidamente.

—¡Lo que os decía! —murmura—. ¡Venga, preparad los cubos que esta noche toca achicar! ¿Y para eso has ganado la guerra, Manchao? ¡Desgraciao! Y no hablo del juego, ¿eh? ¡A ver si la próxima vez que coges un fusil te enteras, al menos, de hacia dónde hay que tirar...!

Taciturno, Anselmo Hernández Solanas, alias el *Troncha-Rojos*, comienza a atravesar, sin darse cuenta de que en la esquina el semáforo ha pasado del verde al naranja, pasa del naranja al rojo. No ha dicho adónde iba al dejar el pueblo. Estaba ya más que cansado de que le espiasen desde detrás de los visillos, cuando pasaba por la calle... De darse cuenta de cómo languidecían las más animadas conversaciones, las más encarnizadas partidas de cartas, cuando él tomaba parte. De que incluso sus amigos le mirasen, a veces, con asco.

«Como si ellos se hubieran comportado como las Hermanitas de los pobres. Y el Diego, ¿qué? ¿Y don Daniel...? ¿Y los hermanos Luengo...? ¿Y el secretario...? ¡Y para de contar!»

Su caso se había exagerado mucho. Porque, realmente, no era para tanto. Toda aquella historia de los cinco braceros enterrados hasta el cuello, para que reventasen al sol, toda aquella historia según la cual decían que él había dicho: «¿No queríais la tierra, comunistas de mierda? ¡Pues ya la tenéis!», era falsa. Bueno, no es que fuese falsa, pero no lo había hecho él aquello. Fueron don Conrado y su hijo, el señorito Julio, los propietarios de Los Chopos, porque sus braceros siempre votaban a la izquierda. El 18 de julio y los días que siguieron, don Conrado y el señorito Julio se tomaron la cosa con gran entusiasmo. Y después refunfuñaban ¡Había que oírles...! Y es que se entusiasmaron tanto que en Los Chopos no quedó mano de obra.

—¡Había que pensar en el futuro! —decía don Heriberto, quien, más selectivo, tuvo la precaución de liquidar solamente a los «gerifaltes», a los «malos pastores» como él decía.

—Mire, ¿qué le podría yo decir? —se justificaba don Conrado, consternado—. ¡Cedimos a la indignación del momento!

Una época de lo más bestia, de eso no cabía la menor duda.

Aunque él, al menos, había salido con vida. Pero después llegó al pueblo aquella mujer, aquella amiga de la infancia de Benita, y se puso a explicarle una serie de tonterías sobre el «paseo» de su marido, y sobre él, Anselmo. Sobre él, Anselmo, y sobre sus dos hermanos. Sobre el «paseo» de un vecino del PSOE y sobre él, Anselmo. Le había calentado la cabeza a Benita; incluso le explicó la historia del recién nacido estrellado contra la pared. Y cómo, él y otros, habían puesto en el mercado un puestecillo para vender, de día, la ropa y los zapatos de los muertos de la noche.

Y llegó aquella noche en que quiso acariciar a Benita, aquella noche en que Benita se puso a chillar como una loca.

—¡No me toques! ¡No me toques!

Benita lloraba... Lloraba... Parecía totalmente como si le arrancaran el corazón con unas tenazas. Lloraba como aquella mujer, la mujer de aquel anarquista. Le habían clavado agujas en los pechos para hacerle decir dónde se escondía su marido. Tenía bonitos pechos.

—No me toques, ¿eh? ¡Con estas manos...! ¡Estas manos...!

Y, pues, ¿qué pasaba con sus manos? Eran como las de todo el mundo. Enfadado, el Troncha-Rojos se fue a dormir al establo, con la mula. ¡Al menos los animales no te reprochan nada! Al día siguiente, Benita iba y venía por la casa, como si nada hubiera pasado. Incluso hasta parecía arrepentida y, después de comer, a los postres, sacó almendras de Briviesca y bolaos pasiegos. Pero él, ahora, ya sabía lo que pasaba. Sabía que tenía el enemigo en casa. ¡Y eso que él también había sufrido mucho! Después de tantos «paseos» se había puesto malo, muy malo (incluso un día se puso a llorar, solo, en un rincón y decía: «*¡Ay, Jesusito, buen Jesusito, no me dejes...! ¡No me dejes!*»), y ya nunca más había vuelto a ser el de antes. Hasta le salió una erupción asquerosa por todo el cuerpo. ¡Mira que se había tragado botellas y botellas de medicinas! Era lógico: el cuerpo acaba por rebelarse cuando le exigen ciertas cosas...

«Deberíamos arreglárnoslas, los unos con los otros, para no matarnos así... Pero es imposible. Es imposible, Benita. Siempre se vuelve a empezar. ¿Qué hacer...? ¿Adónde ir...? Hace años, uno del pueblo emigró a Barcelona y se colocó muy bien, como barbero. Pero vaya usted a saber dónde...»

El Troncha-Rojos nota un golpe terrible. En la espalda. La calle da vueltas. El cielo, el cielo de noviembre, el empedrado gris de la calle, sangre y silencio. La señora Lola pela patatas. Gifré retira una bandera catalana, clavada con chinchetas, de la pared del cuarto donde vive realquilado: dicen que el Caudillo volverá un día de éstos a Barcelona. Quizás es un *bulo*, pero no hay que fiarse. Si una vez más vinieran a casa a registrar y encontrasen la bandera... La dobla cuidadosamente, su bandera, como si la acariciara. La deja sobre unos libros que ha retirado del estante: *Los miserables*, de Victor Hugo; el *Origen de las especies*, de Charles Darwin; el *Diccionario filosófico*, de Voltaire; *Las ruinas de Palmira*, del conde de Volney. Y un tratado de espiritismo de Alan Kardec. Mañana se lo llevará todo al taller de don Ramón, y lo guardará en el fondo de un cajón del mostrador. Mientras suena la sirena de la ambulancia que se lleva al Troncha-Rojos hacia el servicio de urgencias del Clínico, la sobrina de doña Celeste sube a su casa en ascensor. Un periódico se arrastra por el suelo, como una bestia de papel. Se habla en él de la *cordialidad hispano-filipina*. De una huelga de locutores en Buenos Aires. Se prepara una conferencia de la Paz. Los procesos de Nuremberg continúan. El periódico destaca la *defensa genial* que el mariscal Goering hace de sí mismo. Kaltenbrunner es proclamado por su defensor *menos culpable de lo que cree el fiscal*, y Alfred Rosenberg, por su abogado, *un amante del pueblo ruso*. Una ola de delincuencia sumerge a Londres. El doctor Weizmann hace una *llamada patriótica* a Inglaterra. El general Marshall se reconoce impotente para detener la guerra civil china, y todo por culpa de *los de siempre*. En Francia todo marcha mal a causa del sistema de partidos, sistema nefasto, que, en España, ya sólo es un mal recuerdo. El derecho de huelga, sobre todo, causa enormes pérdidas a la economía francesa y los obreros, que conste, son los más perjudicados. En Buenos Aires, otra vez, se considera como un *problema secundario* la reivindicación de las Malvinas. El brazo incorrupto de un santo acaba de llegar a Lugo, donde ha sido recibido por las fuerzas vivas de la ciudad. Los ingleses no quieren devolver Gibraltar. En Cáceres tiene lugar una gran procesión para implorar la lluvia. El gobierno Van Acker, en Bélgica, presenta la dimisión. En la ONU los *ataques contra España* continúan, orquestados por Oskar Lange, el *siniestro correveidile*, pero se confía, no obstante, en que *la verdad de España* acabe imponiéndose. En París, el corresponsal de *La Nación*, de Buenos Aires, se ha tirado por un balcón. Los *Cuatro* se ocupan, por primera vez, de Alemania: *sesión tormentosa*. El gobernador civil de Barcelona ha visitado a los niños polacos acogidos por la ciudad. Hay un caso de cuatro millones de pesetas en brillantes robados, y los acusados están ante el tribunal. Un comentarista de política internacional se pregunta qué repercusiones podrán tener los resultados de la experiencia atómica de Bikini en la marcha de los acontecimientos internacionales. El editorialista del periódico dice que *ladran, luego cabalgamos*, y que hay que estar vigilantes contra los *malnacidos* y *los turbios manejos de los eternos pescadores a río revuelto*. En la primera página de los periódicos, el llamado González Ruano escribe un artículo extenso y erudito. Tema: el abanico a través de los años...

Radio España de Barcelona retransmite:

—*¡Grrr! ¡Grrraaurrrg! ¿Quién ruge así? Sí, señora, sí... ¡Es la lejía El Tigre! ¡La lejía que ruge! ¡Y sus rugidos, señoras, asustan a las lejías que no son electrolíticas...! ¡Grrrg! ¡Grrraaurrrg! ¡Lejía El Tigre! ¡La lejía que ruge más y lava mejor!*

No hace mucho, mencionar que la lejía El Tigre se fabricaba de acuerdo con una patente alemana, era una ventaja publicitaria. Pero ya no se dice.

Otra emisora retransmite:

—*... y hacia las diez se han quedado en la capilla de San Esteban, en la catedral, y se han puesto la larga capa blanca. En el lado izquierdo de esta capa inmaculada se puede ver, ligeramente inclinada hacia el brazo, la quinta cruz bermeja, emblema de la Orden. Y seguidamente se han puesto el tradicional birrete negro, con plumas blancas, continuando la solemne ceremonia hasta que...*

Empieza a llover.

10

—Empieza a llover —dice una mujer.

Oxidados tornillos bailan de nuevo en sus alvéolos, y las junturas cansadas revelan una incierta unión. Hay de nuevo un largo crujido de chatarra. El tranvía frena. Lluís mira cómo la lluvia traza verticales rayas de luz sobre los polvorientos cristales.

—Y eso que esta mañana parecía que se mantendría el tiempo... —dice una de las mujeres sentadas en los asientos delanteros. Viste un abrigo gastado sobre las marchitas flores de un viejo vestido de verano. Lluís ve la piel amarillenta de su nuca bajo los cabellos grises.

—¡Con este tiempo, es muy antipático ir al cementerio! —comenta la otra. Es más joven. Lleva el cabello recogido y un moño, en trenza, postizo. Tiene los brazos cortos y las manos regordetas. Viste un abrigo negro, que debe de desteñir—. ¡Y yo que quería llevar un pensamiento muy bonito que compré ayer...!

—¿A quién tiene usted allí?

Lluís mira a una mujer embarazada de rostro cansado y ojos llenos de rímel. En cuanto le vea, se levantará para cederle el asiento. Pero la mujer embarazada no parece verle. Lleva un misal en la mano, nuevo y muy bonito. Mira su encuadernación de cuero, de cuando en cuando, con inquietud. Lo limpia, una vez, con la manga del abrigo y acaba por poner, entre la mano y el libro, un pañuelo bordado con florecitas. Lluís le mira el vientre, disimuladamente. Como todas las embarazadas, le da un poco de asco.

—Sí, mire, mi cuñada... ¡Pobrecilla!

—¿Hace mucho?

—Pronto hará seis meses. Una chica preciosa... Si la hubiera visto... Hacía tres años que se había casado, pobrecilla... Tenía veintiséis. Y se murió... Se murió de uno de esos males que hasta me da reparo decir su nombre. Lo tenía aquí, en el cuello.

—¡Ay, no se señale usted, que trae mala suerte! ¡Dios nos libre!

—Sí, mire, ¡qué le vamos a hacer! Hoy estamos vivos, y mañana...

—¡Y que lo diga, hija...! Por eso yo creo que hay que aprovecharse y si uno se lo puede pasar bien, mejor... ¡Y más, tal y como están las cosas hoy en día, con eso de la bomba atómica! ¡Están locos! ¿Por qué no inventan cosas para alargar la vida...? O, no sé... cosas como eso de la televisión que parece que es tan majo... ¿No lo ha visto nunca, en el cine? ¡Pues sí...! No vale la pena preocuparse tanto. Hay que divertirse todo lo que se pueda y después, *¡que me quiten lo bailao!*

Lluís ve cómo las dos mujeres ríen. La embarazada continúa sin fijarse en él. Pero él sí mira. Tiene una cara bastante bonita.

—¡Señora! —dice, bajito, para atraer su atención. En vano. El cobrador pasa con dificultad entre la gente apretada. Tira de la correa, se oye el timbre, el tranvía vuelve a arrancar. Siete u ocho personas dan codazos para situarse lo más confortablemente posible.

»¡Señora!

Por fin, ella le mira con cierta sorpresa. Lluís se levanta para que pueda sentarse, cosa que hace, aliviada.

—¡Gracias!

—De nada, de nada... —replica Lluís, esforzándose por no mirarle el vientre, y por no pensar en la cara que debía de poner, cuando...

Se siente tan bueno y tan bien educado como cuando

estaba en Francia. Tan bueno y tan bien educado como su madre quería. En Francia, siempre se quitaba la boina para saludar a los mayores. Le gustaría poderle decir, a la mujer embarazada, que ha estado en Francia él, y que allí todo es diferente. (Si ahora se imagina esas cosas tan innobles de la mujer embarazada, es porque es español, seguramente; un extranjero nunca imaginaría cosas innobles de una mujer embarazada.)

«Comparar España con Francia... ¡Ay, señora! No se puede comparar, créame. Mi madre se arrepintió mil veces de haber vuelto, siempre lo decía. Cuando algo se rompe, o no funciona, mi tío Ernest dice, con una risita de despecho: "¡Ya está! ¡Como es de fabricación nacional...!"

Del resto de España, si se excluye el norte, donde viven los vascos, casi tan civilizados como los catalanes, al parecer, Lluís, que nunca ha salido de Cataluña, tiene una pobre idea: de un mar de miseria y suciedad surgen los toreros, las *majas*, las *manolas*, las guitarras, los penitentes de Semana Santa, los gitanos que bailan y cantan *flamenco* y los *señoritos* de Madrid, que se pasan el día sentados en las terrazas de los cafés y, la noche, de *juerga*. («Esta palabra no existe en catalán, Lluís», decía su padre, significativamente.) En resumen, «*la España del ¡vengan días y caigan panes!*», dice Ernest. Lluís cree a pies juntillas que casi todos los castellanos son fascistas. ¿Acaso no es su lengua la de los fascistas? Los andaluces son unos vagos, gente a la que sólo le gusta vivir en la suciedad, siempre cantando «Ay, ay, ay», que «parece que les duelen las muelas», decía su madre... De los gallegos, más vale no hablar... ¡El Caudillo es gallego! Como todos los cobradores y conductores de tranvía, por otra parte. Los valencianos son unos fanfarrones impresionantes y sólo saben hablar de las *fallas*, según don Ramón. («Valdría más que el dinero que queman...», etc.) Los aragoneses... Lluís no tiene una idea muy definida de los aragoneses... Pero dicen que son terriblemente tozudos.

En Francia, en cuanto tenía ocasión decía:

—Yo soy catalán, ¿eh?

—*Ah, bon!*—replicaban los franceses. Se quedaban un poco perplejos. Ellos nunca hubieran dicho, en parecidas circunstancias: «Soy bretón, soy occitano...» Habrían dicho: «Soy francés.» Lluís era vagamente consciente de esto y la cuestión le preocupaba. A veces tenía ganas de decir: «Soy español.» No lo decía porque, en el fondo, le parecía poco auténtico.

Sin embargo, un día, en plena clase, cuando el maestro explicaba con qué precipitación los españoles habían huido frente a Bayard, *le Chevalier Sans Peur et Sans Reproche*, gritando despavoridos: «¡Nunca podremos cruzar el puente! ¡No es un hombre! ¡Es un demonio!», mientras todos sus compañeros de clase le miraban furtivamente, todo aquello no le impidió intercambiar insultos con sus vecinos más próximos, sin preocuparse de saber dónde habían nacido exactamente los fugitivos.

—Pero, a ver —le dijo más tarde *monsieur* Damaison, perplejo—, ¿tú no estás nacionalizado francés?

En aquellos días, *monsieur* Damaison andaba cabizbajo. Habían colgado en la clase un gran retrato del mariscal Pétain, y los niños, al entrar en clase, en pie frente a sus pupitres, debían gritar de cara al retrato:

—*Travail! Famille! Patrie!*

Rabioso, con los ojos llenos de lágrimas, Lluís contestó:

—¡No, señor! ¡Soy español! ¡Soy español y estoy orgulloso de serlo! ¡Y lo que dice el libro de Historia no es verdad! ¡Los españoles son muy valientes!

Monsieur Damaison, que le había guiñado un ojo amistosamente, cuando se conocieron, diciéndole: «*Oh, la, la! Le soleil de l'Espagne! La corridá! García Lorcá!*», *monsieur* Damaison, que miraba severamente la clase por encima del periódico *(L'Humanité)* y cerraba la boca de los charlatanes con un enérgico: «*La paix!*», *monsieur* Damaison dijo, entonces, después de mirar furtivamente hacia el retrato, en colores de cromo de chocolate, del mariscal:

—Lo que dice el libro es verdad... Pero también es verdad que los españoles son valientes. Han luchado valientemente por la libertad durante tres años. Y si han perdido la guerra no es, evidentemente, por falta de valor.

Keller decía que, entre los catalanes, había encontrado muchos arribistas que intentaban situarse lo mejor posible costase lo que costase. Y que nunca se encontraba un catalán allí donde había que trabajar sin recompensa. Eso no había impedido que, un día, leyese a Lluís un poema exaltando a Cataluña que acababa de escribir. «Además —afirmaba—, bailan la jota con el puño cerrado y se lavan poco.» A partir del momento que dijo aquello, Lluís se lavó el cuello y las orejas casi cada día. Llevaba la contraria a Keller con gran amargura, triste, al pensar que alguien como él, un extranjero (es decir, alguien que por fuerza tenía que ser más inteligente que cualquier español) pudiera pensar aquello.

Le gustaría poder decir a la mujer embarazada que él ha vivido en Francia y que «en Francia, señora, todo es diferente. En Francia la gente está muy bien educada porque la escuela es obligatoria, e incluso hay vendedoras de mercado que... ¿verdad que parece increíble?, ¡que llevan sombrero! Sí, señora, sí. Yo, ¿ve usted?, por ejemplo, todos creían que era un niño francés, como le digo...».

Pero la mujer embarazada pasa las hojas de su misal y no le mira.

«... creían que era un niño francés...», se repite Lluís. Y sin saber por qué, se acuerda, de pronto, de Wladimiro-Pepito.

Un pasajero dobla su periódico. Lluís lee un gran titular:

FERVOR MARIANO EN ALBACETE
Emocionantes pruebas de devoción
de la multitud a la Santísima Virgen
de los Caireles

—*Billetes, por favor. ¡Es para hoy! ¡Sale hoy!* —dice el cobrador. Es un gallego pelirrojo, de rostro blanco y fofo, y sonrisa simpática. Un día, Lluís oyó cómo le explicaba a un pasajero, bajando la voz, que a él le habían hecho el «neumo». Siempre tiene ganas de reír. Mientras devuelve el cambio, tararea:

Carlos Arruza...
para-pap... para-pap...
el fenómeno del ruedo...
para-pap... para-pap...
Carlos Arruzaaa...
para-pap... para-pap...
¡Manolete está que bufa!

Lluís se encuentra a menudo al pelirrojo. A veces, cuando baja, le devuelve el billete y así el pelirrojo puede revenderlo. Mucha gente hace lo mismo y de este modo los tranviarios se sacan un sobresueldo. Lluís se coge a una de las asas que hay en los asientos, para evitar que el movimiento le lance contra los que le rodean.

—*¡Cuidado con el paraguas!* —dice un pasajero de cabellos grisáceos y bigote recortado. Se dirige a otro pasajero que acaba de subir.

—¿Y qué quiere que haga? —responde el del paraguas, en catalán—. ¿No ve que me empujan?

Es un hombre pequeño y delgado, vivo y nervioso. Lleva una corbata con los colores del Barcelona F. C. y va endomingado.

—*¡Póngalo donde quiera, pero no me lo clave en los riñones!* —dice el otro.

—Pero, hombre, si no puedo ni moverme. ¿Es que no lo ve? —replica el hombrecillo. Sus manos callosas aprietan el paraguas como si quisiera estrangularlo.

—*¡A mí no me chille! ¿Me oye? ¡Y además, hable en cristiano!*

—¿Cómo? ¿Qué quiere decir con eso? —El hombrecillo palidece; sabe muy bien lo que el otro quiere decir—. Si no está contento, vaya en taxi.

—*¡En España se habla la lengua del Imperio! ¿Lo entiende ahora?*

El hombrecillo mira a los que se amontonan a su alrededor, como si esperase ayuda. Pero las irónicas risitas que se insinuaban en ciertas caras, al iniciarse el incidente, han desaparecido. Parece como si ahora nadie se diera cuenta de lo que pasa.

—¡Vamos, hombre! —dice débilmente el hombrecillo—. ¡Vaya en taxi!

—*¡Cállese!*

Si estuvieran solos, el hombrecillo callaría. Pero allí, ante todos, la ofensa es demasiado insoportable.

—¿Qué quiere decir? —explota—. ¿Por qué tengo que callar? No me da la gana, ¿me oye? ¡Váyase a hacer puñetas! ¡Hace demasiado tiempo que me afeito para que nadie me mande callar!

—*¡Cállese, desgraciado! ¡No sabe usted con quién habla!*

«No sabe usted con quién habla», aquellas palabras sibilinas, que dejan entrever en quien las pronuncia un misterioso poder, se han vuelto ominosas, han adquirido, después de la guerra, un sentido terrible. Revelan, a veces, a un fanfarrón, pero casi siempre, a un «vencedor» —*excautivo, excombatiente, etc.*—, que puede demostrar su calidad de «vencedor» con cualquier carné por delante. Que puede abofetear impunemente, que puede detener, o hacer que detengan por la calle. Un «vencedor» que puede cortarse, en cualquier momento, una ración personal del gran pastel de la victoria...

Al oír la fatídica frase, el hombrecillo palidece. El pasajero de los cabellos grisáceos se esfuerza violentamente por sacar algo del bolsillo interior de la chaqueta. Lo consigue. Es su cartera. Lluís estira el cuello para ver mejor. En la cartera se encuentra el inevitable carnet, protegido por un celuloide azulado.

—*¿Sabes qué es esto, catalán de mierda? ¡Cobrador! ¡Que pare el tranvía inmediatamente!*

El pelirrojo simula no oír.

—*¡Cobrador!*

El pelirrojo tira de la correa. Se oye la campanilla.

—*¡Y ahora te vienes conmigo, perro!* —dice el hombre del cabello grisáceo. La barbilla le tiembla de odio. Cuando bajan, se inicia un amago de abucheo por parte de los otros pasajeros. Pero un hombre alto y delgado, vestido de oscuro, con «manoletinas» de cristal ahumado, uno que hasta entonces nada ha dicho, ordena:

—*¡Silencio todo el mundo! ¡Venga, arranque!*

—*¿Qué ha pasado, Fidel? ¿Era un carterista?*

—*Nada, no ha pasao nada* —dice el pelirrojo—. *¡Hala, Manolo, tira palante, que volvemos a llegar tarde!*

El pelirrojo se pone a golpear con una moneda de diez céntimos.

—*¡Billetes, por favor! ¡Que es para hoy! ¡Sale hoy!*

Tararea, con la mirada perdida:

Carlos Arruza...
para-pap... para-pap...

—Es un «requeté» —dice en voz baja la mujer que cree que trae mala suerte que uno se señale el sitio donde otro ha tenido un cáncer—. Al otro, al chulo de las gafas negras, no le conozco. Pero el que ha bajado es un «requeté». Vive en la calle de Mariano Aguiló. Un día le vi desfilar con el «tomate» y la borla...

Lluís finge no escuchar.

—¿No les dará vergüenza? Parece que cuando entraron en Madrid perseguían a la gente por la calle, como si fuesen conejos... «¡A éste le conozco! Era el secretario de esto o de aquello. ¡Detenedle! ¡Detenedle!» ¡Qué gentuza, madre mía, qué gentuza! Mi marido ya lo decía: «Si perdemos la guerra, Merceneta, nunca más volveremos a alzar la cabeza.» ¡Pobre hombre! ¿Ha visto la cara que ponía? ¡Se ha quedado blanco como la cera!

—¡Qué le vamos a hacer! A mí, ¿sabe lo que me ocurrió un día, en Abastos? Me hicieron entrar y salir cuatro veces, los muy brutos. ¿Y sabe por qué? Porque al entrar decía: «Bon día.»

Lluís finge leer una de las placas metálicas que se han colocado en los tranvías desde la ocupación de Barcelona:

PROHIBIDA LA BLASFEMIA
Y LA PALABRA SOEZ

—Mi marido, que en gloria esté, no era ningún separatista. Pero cuando le cogieron, después de la guerra... Y todo porque había sido alcalde de barrio y republicano, no se vaya usted a creer... Pues mire, le acusaron de ser *rojo-separatista* y de haber asesinado a un cura de un pueblo de Valencia...

—¡Ay, Virgen Santa!

—Sí, hija, sí... Usted no puede imaginarse lo que padecí... Me pasaba el día, arriba y abajo, como una loca... Y por fin tuve como una inspiración... Tal vez me vino de la Virgen de la Merced, que es mi patrona... ¡Le rezaba tanto aquellos días...! Pues tuve como una inspiración y fui al pueblo donde decían que mi marido había matado al cura... ¿Y quiere creer que me lo encontré, vivito y coleando? Aunque, el pobre, ya estaba muy viejo. Pero, pese a estar enfermo, inmediatamente se puso a mi disposición para ayudarme. Sí, las había pasado canutas, pobrecillo... Le arrastraron por todo el pueblo, atado a un automóvil...

¡Y qué sé yo cuántas cosas más! En este lado también se hicieron muchas barbaridades, no crea. Claro que como «ellos», no. No se hacían a sangre fría. Pero de todos modos... ¡La gente es muy bruta! Bueno, lo que decíamos: el cura hizo muchísimas gestiones y, poco después, mi marido salió gracias a él. Lluís y yo decidimos ir a verle para darle las gracias. Le encontramos en la cama, pobre hombre. Hablaba muy débilmente... Nos dijo: «Recordad esto, hijos míos: los únicos caminos que hay que tomar son los que llevan a Dios.» Toda la vida me acordaré de aquella visita. Mi marido nada dijo. Por educación, claro. Y también por agradecimiento. Figúrese que, a consecuencia de los interrogatorios para hacerle confesar el asesinato del cura, las manos de mi Lluís se han quedado así...

La mujer agita las manos, como asaltada por un temblor convulsivo.

—Pero ¿por qué le explico yo todo esto? ¡Ah, sí! Porque decían que era un separatista Lluís. «Fíjate, Merceneta —me decía—, ¡separatista yo!» Me decía esto porque, durante la guerra, unos del barrio no se hablaban con él. Vivíamos en los «Josepets», ¿sabe? No se hablaban con él porque decían que era un renegado. Y, ¿sabe usted por qué? Porque él siempre decía que hay catalanes que son unos sinvergüenzas. Que no hay que ver el mundo dividido entre catalanes y castellanos, o entre franceses y alemanes, sino que hay que verlo, tal y como es, dividido entre explotados y explotadores...

La mujer suspira. Mueve la cabeza. La otra dice:

—¡Tenía razón! ¡Todos esos cerdos, por ejemplo, que se han forrado mientras los pobres pasábamos hambre...! Mire, yo conozco una tía cerda... Y eso que es muy de aquí, ¿eh? Se llama Domenech i Badía. ¡Pues no puede usted saber la cantidad de pobre gente que ha denunciado, cargándoles el muerto de haber incendiado la iglesia del barrio! ¡Pobre de aquel al que le cogía rabia! «Éste tiene cara de haber incendiado la iglesia... Espera, majo, que ya verás...» ¡Y el pobre, fuese quien fuese, ya podía ir poniendo el culo en remojo...!

El tranvía pasa por delante de la Cooperativa.

Ahora, todos los rótulos de la Cooperativa se redactan en castellano, como todo lo que es oficial en todas partes. La biblioteca ha sido expurgada de libros progresistas, en general, y catalanes en particular. Las colecciones de periódicos y revistas en lengua catalana han sido apresuradamente quemadas por los nuevos responsables de la Cooperativa. No hay periódicos en catalán en Barcelona, ni en ninguna parte del país. No hay revistas, ni películas, ni funciones teatrales, ni programas de radio, ni nombres de calles en catalán. Prohibido cantar los viejos himnos, las viejas canciones catalanas. Prohibida la bandera de las cuatro barras. Prohibido enseñar una historia de Cataluña que no sea la oficial. Prohibido enseñar el catalán en las escuelas. Algunos libros —dirigidos a una minoría intelectual avalada por la Iglesia— aparecen después de haber esperado mucho tiempo la autorización de Madrid. Las estatuas de muchos catalanes notorios han desaparecido, la estatua de Casanova, por ejemplo; a pesar de correr un riesgo nada despreciable, ha habido catalanes que han ido a tirar flores, al pie del zócalo vacío, hasta que, por fin, se han hecho construir altas paredes de ladrillo a su alrededor. Quedan las estatuas de catalanes que gozan de un fuerte aval religioso: Verdaguer, por ejemplo. Pero en ningún caso puede tener Barcelona un obispo catalán. O un gobernador civil catalán. O un capitán general catalán.

Con poquísimas excepciones, la burguesía nacional catalana, ocupada en digerir los banquetes de la *Victoria*, acepta este estado de cosas y se compromete a fondo con un nuevo orden que responde bien a lo que, tradicionalmente, ha sido su preocupación principal: la limitación, al máximo, de los derechos políticos de la clase obrera.

En las dependencias oficiales se lee:

¡En España se habla el idioma del Imperio!

Sobre muchas paredes, en Barcelona, en toda Cataluña, se lee:

Si eres español, habla español

Todo eso muestra claramente hasta qué punto la cuestión nacional catalana preocupa a quienes han ganado la guerra, y cómo se «esfuerzan» en estudiarla y resolverla. En toda España, hombres, mujeres y niños han perdido la guerra. Pero a quienes son catalanes, a quienes son vascos, a quienes son gallegos, les han arrebatado, además, la propia lengua; han perdido la guerra, si así puede decirse, un poco más que los otros...

Tres paradas más y Lluís bajará.

Saldrá de casa media hora antes y volverá a la de Keller. También irá a casa de doña Celeste. Y ¿por qué no a la farmacia? Quizás el señor Albadalejo no le reconocerá, porque ha crecido mucho. Pero la farmacia, claro, estará cerrada. Sería una chiripa que estuviera de guardia. De todos modos puede probarlo. También podría ir al piso, al piso de la calle Balmes, a casa de la hermana del señor Albadalejo. ¡Ella sí que le daría las cuarenta pesetas! «¡Lluís, no te rajes aún!» Todavía tiene la tarde por delante, y mañana, y todo el domingo. Mañana, sábado, le dirá a Aurelia que no cobrará hasta el lunes. El lunes dirá a don Ramón que ha estado enfermo: ¡casi seguro que le pagará la semana entera! El problema es encontrar las cuarenta pesetas, para poder presentarse en el taller.

... Colmado La Perla... Bar Tranquilidad... Granja La Confianza... Cervecería... Peluquería La Amistad... Pollería El País...

11

Aurelia deja de mirar la sartén donde se doran los trozos de berenjena.

—¿Dices que no te ha dado nada? —pregunta.

—Nada.

Mira a Lluís de arriba abajo.

—Dime la verdad, Lluís, dime la verdad. No me cuesta nada telefonear a don Ramón, ¿oyes?

—Te digo que no me ha dado nada. Lo juro.

Aurelia empieza a registrarle la ropa. Primero, los bolsillos del abrigo, poco mojado porque, del tranvía a casa, Lluís ha corrido. Después, los de los pantalones. En el suelo, Lluís ve un gran barreño de cinc, lleno de ropa medio cubierta de agua azulada.

Hace cinco meses, Aurelia descubrió que cuando enviaba a Lluís a algún recado —a comprar sal, vino, leche, pan— no pagaba. Compraba al fiado y se quedaba el dinero. Desde entonces desconfía.

—Hoy no tendrías que haber ido. ¿Han ido los otros?

—No.

—¿Lo ves? ¿Qué te ha hecho hacer?

—Le he ayudado. He rebuscado en lo que recojo al barrer, para sacar el oro y el platino. Ya sabes cómo se hace, te lo he explicado.

Aurelia coge los trozos de berenjena con un tenedor y, antes de ponerlos en un plato, los deja escurrir delicadamente para que todo el aceite posible vuelva a caer en la sartén.

—¡Anda! —dice Lluís para cambiar la conversación—. ¡Mientras venía he visto una cosa...!

Con el dorso de una mano se seca unas gotas de lluvia que le han escurrido del cabello hasta la nariz.

—¿Qué has visto? —pregunta Ernest desde el comedor. Lluís sale al pasillo y dice, de forma que ambos puedan oírle:

—En el tranvía, un falangista ha pegado a un hombre porque hablaba en catalán.

Una pausa.

—Ah, ¿sí?

Desde el pasillo Lluís lee:

MUCHEDUMBRES ENFERVORIZADAS
ACLAMAN AL JEFE DEL ESTADO
A SU PASO POR PONTEVEDRA

Ernest deja el periódico.

—Sí... Con la pistola en la mano... Una «luger» alemana, por cierto... Ha parado el tranvía y ha pedido auxilio a dos o tres falangistas que pasaban, y se lo han llevado. Y dicen que le han dado una paliza terrible. Incluso parece que, a consecuencia de la paliza, las manos le han quedado así...

Mueve ambas manos, como si tuviera un temblor convulsivo.

—¿Ha sido en el tranvía setenta?

—Sí, sí... En el setenta.

—¡Qué vergüenza!

—El hombre se ha defendido, ¿sabes, tío? Era alto y fuerte, con unas venas...

—¿Cómo con unas venas?

—Quiero decir unos bíceps. Pero el otro le ha amenazado con la pistola...

Aurelia le mira, desconfiada. Ernest, también. Lluís, no obstante, adivina que Ernest hace esfuerzos por creerle.

—¡Que sigan jodiendo la marrana...! ¡Pronto les llegará la hora! ¡Esto ya no puede durar mucho!

—Se ha pegado a puñetazo limpio con el falangista. ¡Así, y así...!

Lluís golpea el aire. Da los puñetazos preferidos de Flash Gordon, que tanto le cuesta copiar.

—En la ONU, cada vez les pican más la cresta. ¡Ese Giral hace unos discursos...! Dicen que son formidables... ¿Y Vichinsky? Radio España Independiente dijo ayer que España es un *campo de incubación del fascismo.*

Ríe satisfecho.

—*Caaampo... de incubaaación... del fascismooo...*

Hincha los carrillos al decirlo. Alza la cabeza. Y, tras las gafas, los ojos se le empequeñecen. Añade, agitando un puño, como si estuviera moliendo café:

—*¡Toma, geroma, pastillas de goma!*

Lluís entra en el comedor. Percibe el olor dulzón de las alpargatas.

—¿Cómo está el abuelo?

—Igual.

Ernest hojea el periódico. Lluís mira hacia la puerta cerrada de la habitación del viejo. Todo está silencioso, como si estuviera muerto. Puede que ya se haya muerto. Lluís se da cuenta de que pensar esto no le conmueve. Y se siente vagamente culpable.

Papitu no está en casa. Lluís deduce, por lo que ha visto en la cocina, que no comerán enseguida. Entra en la habitación que comparte con su primo.

Mira la página de Dan Stone, *el Piloto Audaz*, por Lewis Marty. La mira atentamente, cejijunto. La deja en su sitio.

Los libros de Lluís están por el suelo, al lado de las carpetas del «archivo».

La soga del ahorcado, de Ponson du Terrail.

Durante mucho tiempo, Lluís ha soñado con poderse comprar, un día, todos los volúmenes de las aventuras de *Rocambole* y otros, editados igualmente por Sopena, con emocionantes y variopintas portadas llenas de jovencitas que defienden su virtud a golpes de candelabro; de padre y maridos, con la raya en medio y grandes bigotes, que matan a seductores a tiros; de mujeres atadas a vías de trenes que llegan puntualísimos, con maquinistas aterrados porque ven que no van a poder frenar a tiempo; de nobles obreros con gorras, pañuelos al cuello y largos guardapolvos azulados, que educan a angelicales niños, peinados con tirabuzones, a los que les cuelgan misteriosos medallones del cuello; de cristianos servidos a lo vivo a los leones del paganismo, y de rusos e ingleses que hacen mediciones geográficas o dan intrépidamente la vuelta al mundo en globo...

El judío errante, de Eugenio Sué.

Fue Leoncio quien le dio este libro editado antes de la guerra y ahora prohibido. Era de su padre, y Leoncio lo escondió cuando la señora Lola emprendió la quema de la pequeña biblioteca de su marido: Kropotkin, Elíseo Reclús, Max Stirner, Felipe Trigo, Federica Montseny, Pedro Mata, el Marqués de Hoyos y Vinent, Álvaro Retana, Fray Candil, Blasco Ibáñez —representado con su serie antijesuítica de *La araña negra*— y Joaquín Belda, representado con *Las noches del Botánico*. Leoncio comunicó a su amigo que este último autor había escrito un libro, muy divertido, que se titulaba *Tres noches sin sacarla*. Era, aclaró al ver que Lluís se había quedado boquiabierto, la historia de un estudiante madrileño que empeñaba la capa en pleno invierno y se pelaba de frío, durante tres noches, sin poderla recuperar del Monte de Piedad...

El libro de Sué estaba en la base de lo que Lluís creyó durante mucho tiempo: hay algunos curas como es debido, pero cuanto más suben en la jerarquía, más malos se vuelven. Y más tarde, antes de conocer a Keller: Cristo era bueno, los curas son malos, tan malos como el jesuita Rodin...

El peregrino de la estrella, de Jack London.

Lo ha leído y releído varias veces. Le gusta mucho eso de la metempsicosis. Ha pasado horas —como si también él estuviera en el penal de San Quintín, como Adam Strange— imaginando todo lo que ha podido ser en existencias anteriores: quizás un poderoso rey, o un gran guerrero como Ragnar Logbrodt, el vikingo. Horas imaginando lo que será en existencias futuras: quizás un dibujante norteamericano como Milton Caniff, que gana tantos miles de dólares al año...

Koennigsmark, de Pierre Benoit.

Al leer este libro, Lluís se enamoró locamente de la gran duquesa de Lautenbourg-Detmold... Ha leído otras novelas de Pierre Benoit: *La Atlántida*, *Axelle*... Ha descubierto que lo que más le gusta de este escritor (además del perfume sadomasoquista que deja la descripción de tantos amores imposibles con bellas damas, cuyo nombre siempre empieza con la letra A) es su capacidad de crear, entre adversarios (como por casualidad, siempre es gente que pertenece a la misma clase social), un espíritu caballeresco, ideal, que los sitúa totalmente *au-dessus de la mêlée*...

Clepsidra roja, de Vargas Vila.

Lluís casi no se ha enterado de nada, en este libro, punteado tan caprichosamente. Pero, eso sí, recuerda algunos pasajes eróticos...

La cabaña del tío Tom, de Harriet Beecher-Stowe.

Lloró mucho al llegar a la muerte de la dulce Evangelina St. Clair, y también cuando llegó a la de Tom. Sin embargo, encuentra que Tom es un poco irritante. A los malos tratos, sólo opone rezos y una humildad enfermiza... ¡Ah, si Simon Legree se las hubiera visto con Ragnar Logbrodt, o con Flash Gordon! Hablando de Tom con Keller, Lluís comprendió que le reprochaba lo mismo que a Cristo: no haber luchado contra sus enemigos... Pero al mismo tiempo se dice que su conducta es admirable.

¿Qué, pues...? ¿Hay que perdonar a los Simon Legree de este mundo? Lluís no acaba de ver clara la cuestión. A su alrededor, la radio, los periódicos, los tebeos, hablan siempre de la venganza como de una cosa muy fea...

Lluís no consigue perdonar a los Simon Legree de este mundo, y sufre por ello. Y todavía más, porque no está nada seguro de querer, verdaderamente, conceder este perdón.

El Chancellor, de Julio Verne.

Es una edición de antes de la guerra, en catalán. Lluís lee muy mal el catalán, no entiende muchas palabras (sabe todavía menos escribirlo) y, a causa de esto, el libro le aburre.

Sin novedad en el frente, de Erich Maria Remarque.

Le gusta mucho este libro (también superviviente de un auto de fe). El libro le ha causado, verdaderamente, una gran impresión. Otro libro, sobre un tema parecido, *Cuatro de infantería*, también le había impresionado profundamente. Los dos libros ocasionaron una discusión con Keller, que los calificaba de «decadentes».

De hecho, Lluís se siente cada vez más inclinado a la lectura de obras donde se plasman ambientes, situaciones y personajes parecidos a los que él conoce por propia experiencia... Empieza a considerar que estas descripciones reflejan verdaderamente la realidad. Y que, por tanto, estos libros dicen más la verdad que otros. En él se produce así, insensiblemente, una preferencia por los libros que describen la vida de aquellos que se encuentran al pie de la escala social, y las feroces injusticias de que constantemente son objeto... Y se va impregnando de las ideas que estos libros contienen.

Hay también algunas novelas de un género que va perdiendo atractivo para Lluís: *Tarzán*, diversos números de *Doc Savage* y *Pete Rice*. Dos números de *La Sombra*, editados en la Argentina. Unas novelas de Zane Grey, James Oliver Curwood, Peter B. Kyne...

El hombre, ese desconocido, de Alexis Carrel.

Este libro ha convencido a Lluís de la urgente necesidad, si es que quiere conservarse la pureza de la raza blanca, de esterilizar a quienes pueden transmitir enfermedades hereditarias, y de eliminar, sin más contemplaciones, a los «tarados». El dinero que se malgasta con los «cretinos» en los «establecimientos especializados» ¿no podría utilizarse mejor?

—Ese dinero —decía Lluís a Leoncio, con expresión grave— lo pagamos nosotros.

—¡Venga, calla, calla! —contestaba Leoncio—. ¿Y qué...? ¿Hay que matar a todos esos pobrecillos? ¿Tú los matarías?

Miraba a Lluís, entre asustado y burlón.

—¡Estás como una cabra, Lluís!

Por culpa de la «pureza de la raza blanca» se pegó a puñetazo limpio con Leoncio, que le dijo que era un cerdo si de verdad creía que los negros eran inferiores, «aunque sea tanto así», a los blancos.

—Mi padre —decía Leoncio, procurando que la camisa no se le manchase con la sangre que le salía de la nariz— tenía un amigo filipino, que había sido cocinero en un barco. Y decía que era cojonudo. ¡Si continúas diciendo tonterías, partiremos peras, chaval!

Todavía había otro libro:

Así hablaba Zaratrusta, de Friedrich Nietzsche.

Este libro —que tiene un prólogo que a Lluís le divierte mucho, donde los traductores, padre e hija, se desolidarizan totalmente de las ideas del traducido— le parece incomprensible con todo aquello de hombres bañándose juntos, que resultan demasiado iguales, y de látigos que hay que coger cuando se va a ver a las mujeres... Con todo, se lo ha leído de la primera a la última página, igual que se lee las páginas de Milton Caniff, editadas en Estados Unidos y en Suecia, en sus idiomas correspondientes...

Keller le ha traducido del alemán unos párrafos de

otro libro del mismo autor... Después de su lectura, Lluís llegó a la conclusión de que las Cruzadas, siempre tan elogiadas, habían sido una vasta empresa de pillaje llevada a cabo, por motivos inconfesables, contra una civilización superior a la cristiana...

En la lista de títulos y autores que Lluís encontró en la solapa de la portada de una novela, descubrió varios nombres que retuvo: Diderot, Voltaire, D'Alembert, Jean-Jacques Rousseau, Máximo Gorki, Victor Hugo, Honoré de Balzac, Bocaccio, Stendhal, Charles Darwin, Anatole France, Émile Zola, Miguel de Unamuno, García Lorca, Antonio Machado... Quiso documentarse sobre estos autores en diversas librerías de lance, donde siempre entraba a rebuscar libros. Pero siempre le daban la misma respuesta, con una sonrisita entre irónica y triste, que Lluís no acababa de comprender: «No, guapo, no. ¡No tenemos nada de eso!»

Gifré le había dicho que, en la Biblioteca Central, se encontraba fácilmente el *Mein Kampf*. Pero que se necesitaba un certificado especial, avalado por una autoridad eclesiástica, para poder leer *Los miserables*.

Un día, paseando con Ernest, Lluís le preguntó de pronto:

—Oye, tío, ¿quién era Karl Marx?

Ernest se puso rojo. Miró a derecha e izquierda, y murmuró:

—¿Quieres callar, comprometedor?

Seguro de que nadie les oía, aclaró:

—Era un escritor... Un gran escritor comunista. El más grande, ¿sabes? Pero basta, ¿eh? Ni lo nombres, ¿me entiendes? ¡Ni lo nombres! Nunca más.

Lluís hubiera querido preguntar quién era un tal Lenin, pero la actitud de su tío le desanimó. Otra vez, le oyó decir que los vencedores habían quemado muchos libros... Y que los que ellos no habían quemado, los habían quemado los propios vencidos, por miedo.

—¡A comer! —dice Aurelia.

Lluís ya ha estudiado la posibilidad de revender todos estos libros. Pero el problema —sin contar que es muy dudoso que den por ellos cuarenta pesetas— es cómo sacarlos de allí sin que Aurelia se dé cuenta. Y más teniendo en cuenta que ella ya está sobre aviso, desde un día en que intentó vender una silla del comedor, una de las sillas que su madre decía siempre que eran suyas.

—Aurelia —dice Ernest—. He encontrado una piedra en las lentejas.

—¿Qué dices? —pregunta Aurelia desde la cocina.

—Que he encontrado una piedra en...

—¿Crees que tienen que venderme las lentejas exprofeso para ti?

Aurelia aparece con otro plato, para Lluís. Se oye el ruido de una llave en la cerradura de la puerta del piso.

—Soy yo —dice Papitu desde el recibidor. Lluís come una cucharada de lentejas. No hay piedras. Come otra. Tampoco. Entrevé a Papitu endomingado. Papitu entra en la habitación.

—Yo también —dice Lluís, masticando con repugnancia.

—¡Calla! —dice Ernest, sentado frente a Lluís, de espaldas al pasillo. Mira furtivamente hacia allí.

—¿Qué dices? —pregunta Aurelia.

—Nada, tía. Que si quieres hacerme el favor de traerme un vaso de agua, cuando vengas.

Papitu sale de la habitación. Se ha puesto unos pantalones que le vienen cortos y una americana *sport*, con los codos rotos, que era de Ernest. También se ha quitado la corbata nueva.

—¿Has ido al cine? —pregunta Lluís con precaución, porque el otro más bien parece estar de mal humor.

—Sí.

—¿Qué has visto?

—La de María Montez.

«Vaya», piensa Lluís. A ver si esta noche volverá a oír cómo se menea la cama de hierro de Papitu, y su respiración alterada. Aurelia deja el vaso de agua frente a Lluís. Trae un plato de lentejas para Papitu y otro para ella. Se oye la voz de la señora Pilar, en el segundo piso; canta:

En los cristales dibuja la luz
cuatro puñales en forma de cruz,
cuatro mortales heridas en flor
que rasgan mi amor...
¡con turbio doloooor...!

—¡Qué latazo, con la cancioncita de los cojones! —protesta Ernest—. ¡Se la pasan cantando esto!

—La radio también —dice Aurelia.

Lluís bebe agua. Aurelia se sienta. La lluvia brilla sobre la barandilla del balcón. Papitu cata las lentejas, arruga la nariz y enseña un poco los dientes. Empieza a comer.

El abuelo llama desde la habitación:

—Aurelia...

—Espere un poco, padre.

—Aurelia...

—Ya voy, padre. Espere un poco.

—Ve, mujer —dice tímidamente Ernest.

—¡Bastante sé lo que tengo que hacer! —dice Aurelia de mal humor. Se levanta de golpe. Su tenedor choca contra el plato.

—Aurelia... Aurelia...

Desde su sitio, Lluís ve la cama de hierro, la forma del abuelo bajo la manta oscura, una silla, una mesilla de noche. Sobre el mármol de la mesilla hay unos frascos, una cuchara, prospectos de los medicamentos, un vaso. El vaso está vacío. No se ve en él la dentadura postiza. La dentadura del abuelo, con algunas piezas de oro.

Aurelia entorna la puerta. El somier cruje. Lluís ve una pierna muy delgada. Piensa en las fotos de los campos nazis que tanto le impresionaron la primera vez que las vio. Una mancha blanca sube desde el suelo a la cama. Durante unos segundos, nada se oye.

—¡Vamos, vamos! —dice Aurelia bajito. Otro silencio. Y entonces se oye el siseo que se hace a veces para que los niños orinen.

»¡Ya está! —dice Aurelia. La mancha blanca vuelve al suelo. El somier cruje una vez más.

»He comprado una pechuga de gallina, padre, y he hecho un poco de caldo. ¿Querrá usted?

Se oye una respuesta ininteligible. Ernest, atento a lo que pasa, deja de comer. Se alza un poco.

—Aurelia... Puede que hasta se comiera la pechuga.

Aurelia no contesta.

—Digo que puede que se comiera también la pechuga.

Se levanta totalmente y se dirige a la habitación.

—Padre... ¿Comerá un poco de pechuga?

Está en la puerta. Una ráfaga de viento, más fuerte que las otras, envía salpicaduras de lluvia contra los cristales.

Papitu pone la radio.

—*... y frente a los trasnochados campeones de una democracia ñoña, rosa y cursi, que no nos va, hemos jurado defender esos valores eternos de los que el hombre es portador, esos valores por los cuales supieron derramar su sangre generosa los mejores, esos valores que hacen del Occidente cristiano el más firme baluarte contra la siempre posible embestida de las hordas de un Asia chata y abotargada, encarnada, hoy, en la bestia soviética. Como decía Spengler...*

Papitu cierra la radio.

—¿Verdad que no se la comerá, padre? —pregunta Aurelia—. Podría sentarle mal. Ande, descanse, que ahora le traeré el caldo.

El abuelo dice algo que no se entiende.

—Le hará daño, padre, de verdad. El caldo le sentará mejor.

Aurelia sale. Cierra la puerta.

—Pero Aurelia, si quería la pechuga... Vamos, mujer, ya le pondré yo la dentadura, si es eso lo que te da asco.

—¿Asco? ¡No, hijo, no hago tantos remilgos! Además, ¿no ves que lleva puesta la dentadura? Yo misma se la he colocado esta mañana, para darle las sopas con leche.

—Anda... Pues habría jurado que ahora no la lleva...

—¡Lo habrías jurado, lo habrías jurado...! ¡Ve a verlo, hombre, ve a verlo!

—No, mujer, si no digo que...

—No quiero darle la pechuga, porque el médico dijo ayer que sólo podía comer líquidos y papillas...

—No me acuerdo.

—¡Pues yo sí! ¡Y se acabó! A fin de cuentas, la que paga el pato soy yo, ¿no?

—¡Pobre padre!

—Pobre padre, pobre padre... Y yo, ¿qué? Tú sólo estás aquí a la hora de comer, pero yo... Guisar, lavar, planchar, limpiar... ¡Y además, esto!

Aurelia tiene las mandíbulas apretadas.

—Vamos, mujer, que pronto descansarás... Ya sabes lo que ha dicho el médico... De un momento a otro, se quedará en el sitio... Quién sabe si ahora mismo, con el esfuerzo que ha hecho para incorporarse...

Aurelia le da la espalda y se va hacia la cocina. Lluís mira la puerta cerrada, encuentra otra piedra en las lentejas.

—¡Están llenas de piedras estas lentejas! —protesta Papitu.

Sobre el aparador hay florecillas amarillas, envueltas en papel violeta. Aurelia vuelve con una fuente de berenjenas fritas.

—¿Qué hay después? —pregunta Papitu.

—¡Una patada en el culo! —dice, riendo, Ernest. En vano su mirada busca la aprobación de su mujer. Busca las sonrisas de Papitu, de Lluís. Papitu está serio. Lluís sonríe.

—No hay nada más.

—Pues hazme un huevo frito, por favor.

Aurelia sirve las berenjenas. Papitu busca en el bolsillo de su americana *sport*. Reflexiona, se levanta y va a su cuarto. Al volver dice:

—Te dejo el dinero del huevo junto al plato.

Se cruza con Aurelia que va hacia la cocina.

—Bueno.

Ernest come berenjenas. Tiene los párpados hinchados, como si fuera a llorar. Bebe un poco de vino y dice con una sonrisa triste:

—Ya que padre no come la pechuga, ¿por qué no se la das a Lluís, que siempre tiene una tripa floja?

—Precisamente eso iba a hacer. No es necesario que me digas nada, Ernest.

—Mujer...

—Sí que me la comería muy a gusto... —dice Lluís, apresuradamente—. Y me iré enseguida. Don Ramón me ha dicho hoy que vaya media hora antes.

12

Nadie contesta. Lluís escucha con la oreja puesta en la puerta.

«Tal vez la vieja me ha visto por la mirilla... Puede que la mala bruja no quiera abrir.»

Vuelve a llamar. Silencio.

Vacila unos segundos y sube al piso superior. En el rellano hay un poco más de luz. Llama a la única puerta: una mujer madura, envuelta en franela azul, abre.

—¿Qué quieres? —pregunta con una sonrisa bondadosa en su rostro ajado.

—¿Sabe si hay alguien abajo?

—Creo que no. Cuando he subido, hace una hora, me he encontrado a la señora Matilde por la escalera. Debía de ir al cementerio, porque llevaba un ramo.

—¡Ah!

—¿Quieres algún recado?

—No, no. Es igual.

«Lo que quiero son cuarenta pesetas. Puede que esta señora me las diera, si me atreviese a...»

—¡Mamá! —dice una voz de niño, desde dentro—. ¿Quién es, mamá?

Sale un aire tibio del piso. Huele a chocolate.

—¡Nadie, Quimet! Bueno, pues si no quieres nada, cierro, que el piso se enfría. Adiós, guapo.

—Adiós.

¿Dónde podría encontrar a Keller?

No tiene familia en Barcelona. ¿Quizás está con una

chica? Las últimas semanas de estar en el despacho de la lejía El Tigre, Joan le dijo que Keller le había confiado que salía con una secretaria de otro despacho del inmueble. Durante algunos días, los últimos que pasaron juntos, Lluís se mostró enfadado con Keller para vengarse por no haber sido informado de aquel hecho memorable. Pero acabó por volver a su actitud habitual, porque Keller —como tenía por costumbre en situaciones parecidas— simuló no notar nada y estuvo con él de una amabilidad extraordinaria.

Quizás ha salido con un amigo.

Lluís no le conocía muchos. Gerick debía de estar todavía en la cárcel. ¿Baumenfeld?

Era un hombre pequeñito. Andaba sacando pecho, estirando el cuello. Tenía la nariz grande, ojos pequeños y vivos, un bigote recortado coquetonamente, el labio inferior siempre sobresaliéndole despreciativamente. Lluís le vio, por vez primera, en el despacho. Quería hablar con Keller.

Se pasaron más de dos horas hablando en alemán y, durante todo ese rato, Baumenfeld no dejó de calzarse y descalzarse. Llevaba unos zapatos usados y sucios y se toqueteaba constantemente los pies. Por fin, cuando se levantó para despedirse, Lluís vio que Keller le daba discretamente dos billetes de cien pesetas. Keller explicó que le había conocido, por casualidad, durante un paseo el día anterior. Baumenfeld había iniciado la conversación con él al oírle hablar en alemán con su madre. Keller añadió, sonriendo, que Baumenfeld, que hablaba correctamente ocho idiomas, había perdido su trabajo de intérprete en el obispado a causa de su mal genio. Y ahora se encontraba en muy mala situación económica.

Lluís iba a objetar algo, pero le pareció más prudente callar.

En días sucesivos vio a menudo a Baumenfeld, hasta el punto de sentir ciertos celos de él. A veces, él y Keller hablaban en castellano, pero si Lluís o algún otro intentaba tomar parte en la conversación, Baumenfeld los fulminaba con la mirada y cortaba:

—¡Usted no sabe nada de literatura! (o de cualquier otro tema). ¡Nada de nada! ¿Cómo pretende entender de literatura, si ni tan siquiera ha oído hablar de Björnsterjne Björnson?

En una ocasión, mientras Baumenfeld y Keller discutían de cosmogonías, Joan consiguió meter baza. Baumenfeld dijo:

—A ver, por ejemplo, la teoría de Laplace. Usted conocerá la teoría de Laplace, ¿no, joven?

Miraba a Joan con una sonrisa amable, como animándole.

—Sí, sí... Claro...

—Ah, ¿sí?

—Hombre... La... La teoría de Laplace...

—A ver, explíquenosla, por favor, porque me parece que dice que sí a todo sin saber de qué habla.

Joan se puso rojo. Comenzó a balbucear:

—Laplace... Laplace... La... place...

—*¡La place de la Concorde!* —rugió Baumenfeld (le encantaban los juegos de palabras en francés; su favorito era: *On Fichte le Kant?*)—. Hala, hala, vuelva a sus carpetas y procure seguir con el cepillo en la levita de sus superiores, joven, un trabajo para el que parece usted especialmente bien dotado.

Con Lluís no era tan duro. Llegó hasta prestarle *Hambre*, de Knut Hamsum, libro que dejó a Lluís perplejo y que le hizo sufrir realmente cuando su propietario le pidió *un compte rendu*.

Baumenfeld se exaltaba fácilmente, aquellos días, con los esfuerzos que se estaban realizando en Palestina, y en todo el mundo, para instaurar un Estado judío. Elogiaba a los combatientes de las organizaciones clandestinas judías: *Hagannah*, *Irgun Zwai Leumi*, *Stern*... Reverenciaba la memoria de Eliahu Hakim y Eliahu Bet Zuri, ejecutados en El Cairo por el atentado contra lord Moyne; la memoria del poeta Abraham Stern, muerto por la policía inglesa... Con Keller, hablaba largamente del gran proyecto.

—No es raro que estén de acuerdo —dijo un día, con desprecio, el hermano del señor Nicolau—. ¡Entre nacionalistas, ya se sabe...!

Un día en que Keller acababa de depositar en la caja un vale personal para poder prestar a Baumenfeld cien pesetas, Lluís no pudo evitar preguntarle:

—Pero oiga, señor Keller, el señor Baumenfeld, ¿verdad que es judío?

—Claro que es judío.

—¡Ah! Entonces, ¿cómo es que usted...?

Lluís no supo continuar y Keller se puso a hacer arqueo. Era evidente que no quería discutir la cuestión.

Mucho tiempo después, Lluís oyó a Baumenfeld decirle a Keller que había sido condecorado personalmente, por Mussolini, por su contribución a la lucha anticomunista.

Ya no llueve, pero el agua cae todavía del alero de la casa donde vive Keller.

Las luces empiezan ya a encenderse tras los cristales de las ventanas, porque los pisos son aquí estrechos y oscuros, y la falta de claridad todavía se hace más evidente los días de lluvia. La calle está desierta. Lluís alarga la mano hacia un gato refugiado en la puerta de un almacén. Pero el animal desaparece perezosamente por una gatera.

Lluís irá a casa de doña Celeste y, si no quiere ayudarle, irá a ver a la hermana del señor Albadalejo. No encontrar a Keller, que siempre ha sido tan amable con él, le ha entristecido...

Le asalta el recuerdo de los viejos tiempos. Los ojos

se le llenan de lágrimas. Si Joan, o Vicente, o incluso Bormells aparecieran de pronto frente a él, los abrazaría. Pero la calle está desierta bajo el viento de noviembre. Lluís se da cuenta de que todo cuanto le ha ocurrido, a lo largo de su vida, no le interesa a nadie. Para él, toda Barcelona está tan desierta como aquella vieja calle. Barcelona sólo prolonga hasta el pie de las montañas el desierto gris del mar. Lluís se da cuenta de que todos los que le querían están muertos, o lejos de él por siempre jamás.

«En vez de ir a casa de doña Celeste, más valdría que me tirase al mar.»

Disfruta pensando en la consternación de quienes le han conocido cuando se enteraran de su muerte. Se ve tendido en una extraña habitación... La habitación del abuelo... Pálido, elegante, con la cabeza braquicéfala y, por fin, rubio. Aurelia llora sin parar y Papitu baja los ojos, pensando en las muchas ocasiones en que ha rehusado comprarle un frigo.

—¡Está muerto! ¡Está muerto! —dice Ernest a los vecinos. Don Ramón, Just, Gifré, Pellicer, el señor Panisello... Todos van al entierro. ¡Ah, ya no gallean tanto, ahora! Dorita se pone un velo negro. Miran sus carpetas de dibujo y dicen:

—¡Era un genio! ¡Un joven Goethe del dibujo! ¡Y qué bien sabía resolver el problema del barro!

—¡Ya podía Milton Caniff ponerse a temblar!

—¡Vosotros sois los culpables! —acusa Keller—. ¡De las cenizas saldrá un vengador!

Todos se disculpan. («Hombre, de haberlo sabido...», etcétera.) Es una lástima que no pueda moverse, que esté tan muerto. Caer en las aguas del puerto, abrir la boca y morir. Lluís intenta imaginar aquello y lo consigue con tal lujo de detalles —el momento en que entra en el agua negra, en que la nota en el cuello, en que bracea desesperadamente, en que todo se oscurece para siempre— que se estremece. (Al mismo tiempo, se plantea el eterno problema: ¿cómo dibujar el agua para que parezca realmente «agua»? ¿Cómo sorprender el movimiento de las pequeñas olas, donde se reflejan las luces del puerto? Sobre todo, ¿cómo pasarlo a tinta? Habrá que verlo en Foster, en Raymond, en Caniff, porque el agua que dibuja Hogarth se ve demasiado «dibujada»...) Se estremece de horror, sí. Y renuncia inmediatamente a resolver sus problemas de este modo...

Recibe, casi con agradecimiento, el viento frío en la cara. Pasa rozando las paredes para que el agua que cae de los aleros le moje el rostro. El agua cae. Cae de allí arriba, como cayó sobre Keller, aquel día de verano, ya lejano. Aquel día de verano en el despacho de Vía Layetana...

—¡Venga conmigo al lavabo! —había dicho Keller—. Fabricaremos una trampa caza-Bormells...

El «caza-Bormells» era un cubo de agua colocado en equilibrio sobre la puerta del lavabo. Se trataba de hacer entrar a Bormells y ponerle bajo el cubo. Después...

Keller puso el cubo en su sitio. El agua le cayó encima. Joan y Lluís rompieron a reír y, entonces, alguien entró en el despacho: el señor Nicolau, el responsable del almacén.

Lluís se ocupó de él. Del lavabo salían las risotadas ahogadas de Joan y de Keller. El señor Nicolau, mordisqueando su boquilla mentolada —quería dejar de fumar—, preguntaba, con los ojos entornados:

—Oye, Lluís, ¿eso es aquí? Quiero decir, esas carcajadas...

Avergonzado, Lluís bajó afirmativamente la cabeza.

—¡Ostras, Pedrín!

Keller salía sin camisa, sin corbata, con la americana sobre la camiseta. Con el rostro más bien severo. Asombrado, el señor Nicolau le miró, pero al final hubo de bajar los ojos, intimidado por la mirada interrogante de Keller. Como si tal cosa, Keller se sentaba, empezaba a contar el dinero que había traído el señor Nicolau. El responsable del almacén murmuraba:

—¡Ostras, Pedrín!

Sin duda pensaba ya en la información confidencial que, al día siguiente, redactaría para el señor Ferrán.

El agua resbala por la cara de Lluís... Se retira de la pared y continúa caminando.

En aquel momento, llegó Gerick. Joan debía de haberle explicado, en el lavabo, los efectos del «caza-Bormells», porque cuando entró en el despacho hacía esfuerzos para no soltar la risa.

Fue la última vez que Lluís vio a Gerick. Llevaba el cabello rubio peinado a lo Reinhardt Heydrich y vestía un traje claro, muy bien cortado. Lluís pensó en la primera vez que le había visto, meses antes. Llevaba entonces un traje tan usado como el que Keller se ponía aún, y no parecía muy alegre. Ahora los azules ojos le brillaban traviesamente, y tenía un color de piel como el de la gente que se pasa las mañanas de trabajo dorándose en la playa. Cuando el señor Nicolau se marchó, habló en alemán con Keller hasta la hora de cerrar.

—¿Cómo ha prosperado tanto el señor Gerick? —preguntó Lluís a Keller al día siguiente.

—No lo sé. Es un misterio. Sólo responde con evasivas. Tengo la sospecha de que se ha metido en algún fregado... Uno de esos tinglados que, tarde o temprano, acaban mal.

No volvieron a ver a Gerick. Lluís casi le había olvidado cuando, meses después, Keller le explicó que se había enterado, a través de otro miembro de la colonia alemana, que la policía le había detenido.

—¿Detenido? ¿Por qué? ¿No lo sabe?

—Desdichadamente, sí...

—¡Cuente, cuente!

—Primero, cuadremos caja. Luego, ya hablaremos.

Lluís camina por el centro de la calle. Si Keller no está en casa, quizás es porque ha ido a la Modelo, a visitar a Gerick, que todavía debe de estar allí.

Al final de la calle hay estacionada una camioneta.

Después de cuadrar caja, Keller comenzó a hablar de Gerick con Joan. No llamó a Lluís, que se enfurruñó. La curiosidad, no obstante, más fuerte que todo, hizo que se acercase por fin a ellos.

—Ustedes ya sabían que Gerick había pertenecido a una brigada especial de la Waffen SS, ¿verdad? —preguntó Keller.

—Sí...

—Supongo que, más de una vez, le han oído explicar sus desventuras...

—Sí...

—Bueno, el caso es que el final de la guerra le sorprendió muy lejos de su casa, en un lugar donde la vida de un SS no valía mucho. Se las compuso para huir, y con la ayuda de los dioses pudo coger un avión que volaba hacia España...

—¿Es cierto que los SS llevaban las letras «SS» tatuadas en la piel del brazo? —preguntó Joan. Con el ceño fruncido, Keller le miró severamente. Joan bajó los ojos.

—Resulta que en el mismo avión viajaba un cura español, más o menos de su edad. Un buen cura que se ofreció amablemente a guiar los primeros pasos de Gerick por Barcelona. Pero Gerick siente verdadero horror a lo que nosotros, nacional-sindicalistas, llamamos los «hechiceros de Roma», aunque sólo fuera por el papel de «defensores-de-la-Cristiandad-contra-la-barbarie-bolchevique»

que nos han querido hacer representar, costara lo que costara. Así pues, se despidió de él lo más pronto posible, no sin aceptar, sin embargo, una de sus tarjetas de visita. En Barcelona, Gerick no fue muy bien recibido. En aquellos días los amigos que Hitler tenía en España se hacían los desentendidos, no fuera a ocurrir que, el día menos pensado, llegasen los tanques del Ejército Rojo a la plaza de Cataluña... Era la época de la ruptura de relaciones con el Japón, y pronto había de estallar el asunto Laval...

»¡En fin! No seré yo, precisamente, quien se escandalice de este maquiavelismo. En un mundo donde todos luchan contra todos, inspirarse en él se transforma, en definitiva, en la única forma de sobrevivir. Y si no, que se lo pregunten a aquel príncipe de la Iglesia que cita Arthur Koestler, en su *El cero y el infinito*... Dietrich von Nieheim, obispo de Verden, que vivió allá por el siglo XIV, si no me equivoco, y que dice, más o menos: "Cuando su existencia se ve amenazada, la Iglesia..."

Keller hizo una mueca, tratando de recordar.

—Sí, esto es... «cuando su existencia se ve amenazada, la Iglesia está dispensada de los mandamientos de la moral. La unidad, como fin, santifica todos los medios: la astucia, la traición, la violencia y la simonía, el encarcelamiento y la muerte. Porque todo orden existe... Todo orden existe...». En fin, eso ya no interesa tanto. Ya ven la idea: *Benditos sean los cañones, si en las brechas que abren florece el Evangelio*, como dicen que dijo un santo varón, durante la guerra de ustedes... Pero no nos apartemos del tema.

»Alguien de la colonia alemana, que me conocía, dio a Gerick mi dirección y vino a verme. Pero, como ustedes comprenderán, poco podía yo hacer por él. Llegó, pues, el día en que nuestro buen Gerick se encontró vagando por las calles, con las manos en unos bolsillos que estaban vacíos como su estómago. En pocas palabras, que decidió ir a ver al padre Martínez. El sacerdote le recibió muy afectuosamente. Le alimentó con abundancia y pasearon juntos durante toda una tarde. Parece ser que, en un momento dado, Gerick, a quien le gustan mucho los coches deportivos, casi se cayó de culo frente a un espléndido Alfa Romeo. Parece ser, igualmente, que entonces el padre Martínez murmuró con su voz más dulce:

»“Sería un buen negocio robar coches así.”

»A pesar de todo lo que había visto y oído a lo largo de su vida, sobre todo durante los dos o tres últimos años, Gerick se quedó con la boca abierta. Pero repuso rápidamente:

»“Robarlos, lo que se dice robarlos no es tan difícil... Lo realmente difícil es procurarse la documentación... y todo lo necesario... para revenderlos...”

»El padre Martínez sonrió dulcemente.

»“Mire, hijo mío, si usted se ocupara del aspecto, llamémosle, técnico, yo, con mucho gusto, me ocuparía de la parte... administrativa.”

»Y así debutó una asociación que sólo pudo romper, mucho tiempo después, la policía. Una asociación que, en su género, batió el récord de duración. Gerick robaba los coches y el padre Martínez hacía las gestiones necesarias para colocarlos, dentro o fuera de las fronteras españolas. Hay que añadir que estas operaciones comerciales no se realizaban *Ad Majorem Dei Gloriam*. Los beneficios eran divididos entre los dos socios y los “contactos” del cura. Y así pasó algún tiempo... El padre decidió, por fin, ampliar el negocio creando una nueva rama. ¡Ah, perdonen! He olvidado señalar que el sacerdote era el alma de una parroquia frecuentada por gente distinguida de Barcelona y que, gracias a la bondad de sus sentimientos, a su alta figura y a la belleza viril de su rostro (el rostro de un santo de Piero della Francesca) era el confesor de las más ricas pecadoras de la ciudad. Fue gracias a él que Gerick se enteró de los nombres, las direcciones y las debilidades de algunas de aquellas damas... Y para un hombre de su aspecto y de su audacia, hacerlas suyas fue cosa fácil...

»Cuando la pasión de las desdichadas llegaba a su cenit, el demonio de Gerick las colocaba en la siguiente alternativa: o bien le confiaban una joya realmente preciosa, o bien iría inmediatamente a explicar, con pelos y señales, algunos detalles íntimos a sus esposos. Naturalmente, las pobres pecadoras cedían. Y no es insensato suponer que, a partir de aquel momento, se convertían en fervientes aliadófilas.

Lluís murmuró:

—¡Ostras, Pedrín!, como dice el señor Nicolau...

—Sí —añadió Joan—. Ya dice mi padre que todo está podrido...

Keller arrugó ligeramente la nariz.

—Ya pueden imaginarse el tipo de vida que se daban los dos compinches. La última vez que Gerick apareció por aquí, me parece que fue el día del «caza-Bormells», ¿no se fijaron en sus anillos?

—¿Se quedaban las joyas?

—No, Lluís, no. Las joyas, que el padre guardaba regularmente en el cepillo de las limosnas de la parroquia, las revendieron casi todas a las mejores joyerías de Barcelona. El asunto iba así: el padre entraba, con aire humilde y como intimidado, en una joyería de lujo y pedía hablar con el dueño. Le explicaba que tal o cual joya se la había dado un feligrés rico... que quería, así, arrepentirse de algún pecado... Añadía que él, pobre sacerdote, no tenía idea del valor exacto de la joya... Que confiaba totalmente en la honradez del joyero...

Joan y Lluís soltaron una risita cínica.

—Gerick y el cura pronto se hicieron clientes habituales de los lugares más caros de la Barcelona nocturna. Se convirtieron en fuente de ayuda financiera, nada despreciable, para algunas bellas de cierta categoría... Se pasaban la vida paseando en coche... Un Alfa Romeo, evidentemente... O en la *garçonnière* que Gerick alquiló en Sarriá...*

* Barrio residencial de Barcelona. *(N. de la T.)*

¡Cuántas veces el padre Martínez, tras una noche pasada oficiando ante el altar de Venus, salía de allí, a toda prisa, para ir a oficiar ante el altar de Cristo!

Keller calló y añadió:

—Pero todo hay que decirlo, entre bacanal y bacanal, una cosa atormentaba al padre Martínez. No, no era el remordimiento. No tenía ninguna preocupación de índole moral, sino más bien... ¡turística! Sí, turística. Porque toda su vida, el padre Martínez había soñado con ir a California... A California, a ver las blancas misiones construidas por los conquistadores... ¿Quizá se identificaba, de alguna forma, con fray Junípero Serra? No lo sé... Probablemente, su sueño era uno de esos sueños que nos asaltan en la adolescencia... Uno de esos sueños que, ya lo verán ustedes, sobreviven por siempre más en nosotros... Uno de esos sueños que, a veces, en nuestra mayor felicidad de adultos, nos asaltan para llevarnos a la amargura...

—¿Qué pasó entonces, señor Keller?

—Nada, durante un cierto tiempo, Joan. Nada. Continuaban trabajando en el ramo de la industria del automóvil y de la orfebrería. Continuaban llevando una vida alegre... Quiero decir, una vida de disolución y pecado. Inopinadamente, un día Gerick se sentó al volante de un Porsche suntuoso y dos hombres le abordaron, dos hombres muy bien educados, un poco tensos. Fue eso que los periódicos españoles, siempre tan apresurados a la hora de los elogios a la policía, llaman *un brillante servicio de la BIC*...

—¿Y qué...? ¿Cantó?

—¿Qué te crees, Lluís? ¡Todos cantan!

—Pues no cantó, como tan vulgarmente dicen ustedes... Aguantó. Pero llevaba encima la dirección del cura... Una carta... Nada, que se descubrió el pastel.

—Y claro, al cura no le detuvieron.

—¿Quiere dejarme acabar? ¿Sí? Gracias. Un día, cuando Gerick se encontraba en la parte más dura de su calvario, le sacaron del calabozo. Le llevaron hasta un oscuro y polvoriento despacho. De la penumbra salió entonces una alta silueta ensotanada. Un viejo majestuoso, de rostro ascético, transido de dolor, le tendió la mano, que Gerick besó... El viejo empezó a quejarse: el padre Martínez era una oveja extraviada y él, Gerick, sin duda había contribuido a su extravío...

»Con su formación pagana, con su *Weltanschauung* anticristiana y, en definitiva, con todo aquello que la Iglesia (y la española más que ninguna) no veía en nosotros, cuando los dioses de la guerra nos sonreían, Gerick había influido sobre el padre Martínez. ¡Satán tentador, disfrazado de SS! ¡Qué escándalo! Gerick protestó. ¡No, no! ¡Las cosas no habían sido así!

»Pero la alta personalidad que tenía frente a sí no podía perder tiempo en el conocimiento de menudos detalles accesorios... ¡El mal ya estaba hecho! El padre Martínez, arrepentido de verdad, se pasaba los días y las noches rezando (se le habían hecho unas llagas en las rodillas) implorando el perdón del Altísimo, con el cilicio bien apretado bajo la sotana. ¡El castigo más inmediato, el del César, iba a caer sobre él!

»Ningún periódico de la ciudad había dicho ni pío, pero subsistía el peligro de escándalo. Los enemigos de España, en el exterior, podían utilizar todo aquello con fines políticos... ¡Afortunadamente la Iglesia gozaba de la protección divina, y cosas parecidas no conseguían mancillar su pura imagen! Pero... el castigo... El castigo, sí... Podía atenuarse, si Gerick quería. Si en su declaración a la policía aceptaba... ¡haber sido el instigador! El principal responsable de que el alma, antaño tan pura, del padre Martínez, etc... Gerick rehusó con todas sus fuerzas, apretando los dientes que le quedaban. Su interlocutor le habló, entonces, de todo lo que la Iglesia estaba dispuesta a hacer por él si exculpaba al desdichado sacerdote diciendo la verdad... ("En fin, hijo mío, todo eso que tú y yo sabemos que es, en definitiva, la verdad.") Dos meses de cárcel en la Modelo y... ¡fuera! Desde allí, a la frontera del país que Gerick eligiese, con un pasaporte de aquellos ya tan apreciados por los peces gordos de las SS y de la Gestapo. Sin olvidar, naturalmente, algo de dinero que le serviría para... ¡Para no tener que extraviar a otras ovejas del Señor, vaya!

»Fuertemente impresionado por el acento paternal y el noble aspecto del anciano, y creyendo aliviar así las largas horas de explicaciones penosas que aún le esperaban, Gerick cedió. Acabó por firmar todo lo que el anciano quiso.

—¿Y le han soltado?

—No. El amigo alemán de quien les hablaba hace un momento, me ha dicho que está en la Modelo desde hace más de seis meses... Y tiene la impresión de que el asunto está archivado para mucho tiempo.

—¡Es fantástico! —murmuró Lluís, moviendo la cabeza.

—¿Y el cura? —preguntó Joan—. ¿Qué le han hecho al cura? Supongo que le habrán dejado tranquilo, ¿no?

—¡Ah, no! —protestó Keller—. No suponga usted tanto. Seamos justos: hay que decirlo todo. Pese a que se arrepintió sinceramente, obligaron al padre Martínez a dejar su parroquia. ¡Desdichado! Sin duda han querido hacer un ejemplo con él. Sí. Le han obligado a expatriarse. Le han enviado a California.

13

Es una camioneta de modelo antiguo. Un hombre joven todavía, que viste un mono azul muy gastado, descarga una caja de madera blanca de las que se usan como envase para los tomates de Canarias. El hombre sólo tiene el brazo derecho. La manga izquierda de su grueso *pullover* desaparece bajo el mono, a la altura de la cintura.

—¿Qué? ¿De mirón mientras los otros currelan? —dice, entre irritado y jovial. Con la caja bajo el brazo, recostada en la cadera, mira a Lluís. El humo de la colilla que le cuelga de los labios le hace guiñar los ojos. Lluís le sonríe tímidamente. El hombre se dirige hacia una estrecha puerta, al lado de una pequeña tienda de comestibles que tiene el cierre echado, y se adentra por ella. Vuelve a salir, minutos después. Todavía hay una decena de cajas de fruta y legumbres en la camioneta.

—¿Quiere que le ayude?

—Hombre, si no tienes nada mejor que hacer... Entre los dos terminaremos antes.

Lluís coge una caja con entusiasmo. Espera que el manco haya cogido otra y le sigue. Dos o tres metros más allá de la puerta, hay otra que da a la tienda de comestibles.

—¿Comprendes? Si abro la tienda me arriesgo a que me pongan una multa —explica el manco.

La tienda huele a jamón y a azafrán. Es pequeña y una bombilla de quince vatios basta para iluminarla. Dos jamones y una ristra de salchichas penden sobre el mostrador, donde también hay una balanza automática, cajas de galletas, botellas de lejía El Tigre y algunos botes de melocotón en almíbar. Frente a la puerta cerrada se amontonan cajas de madera medio llenas de frutas y legumbres que, al día siguiente, ocuparán parte de la acera, ante la tienda. También hay un saco de castañas, gordas y relucientes.

Lluís coloca la caja en el lugar que le señala.

—No hace mucho que tiene la tienda, ¿verdad?

—¿Por qué lo preguntas?

—Porque, antes, yo iba por las tiendas cobrando facturas y ésta no la recuerdo.

—Antes era una mercería —explica el manco, mientras salen.

—¡Ah, ya!

—¿Qué facturas cobrabas tú?

—Facturas de la lejía El Tigre.

—Y, ¿qué pasa? ¿Ya no sigues trabajando, o es que te han subido a jefe?

Lluís ríe. El manco también. Coge una caja, la alza hasta el borde de la camioneta y, con un hábil tirón, se la carga al flanco.

—No. Es que todo se fue a hacer puñetas.

—Pues, por la radio, El Tigre continúa rugiendo. Es la marca que más se vende... Mira, yo vendo fácilmente diez cajas a la semana, que ya es vender, ¿no?

Se pone a silbar la musiquilla publicitaria de la lejía El Tigre. Las mejillas se le hunden, la cara pálida y mal afeitada todavía parece más delgada.

—¡Grrrumpf! ¡La lejía que ruge! —dice Lluís, retozón. Dejan la caja y vuelven a salir.

—¿Y por qué dices que todo se ha ido a hacer puñetas?

—Hombre, quiero decir la oficina donde yo y otros más trabajábamos. Resulta que había dos socios y el uno estafó al otro. Uno que se llama Almirall. Durante mucho tiempo decía que estaba malo, y que por eso no venía al despacho. Pero el señor Ferrán, el que tenía el dinero, se enteró por fin de que Almirall le había estafado cien mil pesetas... Cien mil, ¿eh? El dinero faltaba en caja... Una caja especial que había en su despacho. Entonces, el señor Ferrán le puso de patitas en la calle y decidió cerrar el despacho. «De ahora en adelante —dijo—, los corredores pasarán los pedidos directamente a la fábrica, en Santa Coloma.»

—Y los de la oficina, ¿qué...?

—Los de la oficina...

El manco coge otro fardo. Lluís le espera desde hace un momento con una caja a la espalda.

—El señor Ferrán aprovechó para despedir a un señor alemán, muy buena persona, que estaba al frente del despacho. Y es que ese señor alemán era protestante. O, por lo menos, eso decía él, aunque, si hablabas de religión, decía que no creía en nada de nada y que todos los que van a misa...

Lluís mira de reojo al manco. Pero el manco ni siquiera parpadea. Van de nuevo hacia la puerta.

—... que todos los que van a misa son como los salvajes, que adoran un trozo de madera pintada y que creen que eso arreglará sus asuntos. Había hablado de religión con el señor Ferrán algunas veces, y por eso el señor Ferrán más bien le miraba con recelo, con cierta manía, porque parece que los católicos y los protestantes no pueden verse. Fíjese, que casi no se hablaban porque el confesor del señor Ferrán le dijo que más valía no hablar con un protestante, porque se exponía a no sé cuántas cosas... Por lo que se refiere a rezar y todas esas zarandajas, el señor alemán me decía: «No puede imaginarse, Lluís —porque me llamo Lluís, ¿sabe?—, ¡no puede imaginarse la cantidad de gente que, cada noche, antes de dormirse, habla sola!» Pero, en fin, de todos modos él decía que era protestante.

—Buena razón tenía... No era tonto, no. Los alemanes son muy listos, ¿verdad?

—Ya lo creo.

—Es el *toco-mocho*, muchacho. El *toco-mocho*. Mira, aquí vienen a pedir dinero muy a menudo. Siempre les doy algo, no sea que me pongan en una lista negra, ¿sabes? Hay que tener cuidado porque son muy putas. Pero nunca les doy más de una peseta, no creas. ¡Si quieren «monis», que arrimen el hombro, tú! Hombre, mira, yo, las monjitas que están en los hospitales, sí que me parece bien... Pero, los otros... ¡Venga, hombre! Tenía razón ese alemán. ¡Los alemanes son listísimos!

Con el índice se da un golpe en la frente.

—Ya lo creo.

—¡Pero, chico, también es muy jodido que, cada quince o veinte años, jodan a todo Cristo! ¡Y eso que siempre acaban recibiendo! ¡Pero ellos, erre que erre! Y que no se paran en chiquitas... La última vez, la armaron buena, ¿no?

—¡Hostia, si la armaron!

—Con todo eso de los campos de concentración y de matar a los judíos...

Lluís aprueba.

—Porque, ¿qué importancia tiene el hecho de ser judío, o chino? A ver, digo yo. ¿Acaso no son personas como las demás?

Lluís considera que no vale la pena ponerse a discutir, con un tendero de nada, para demostrarle la indiscutible superioridad de la raza aria. «No hay que tirar margaritas a los cerdos», como decía Baumenfeld.

—Mire, yo no quería hablar con aquel señor del asunto de los campos... No, porque conmigo se portaba muy bien y de verdad que le aprecio mucho. A veces hablaba de la guerra, pero yo nunca decía ni pío de los campos. Pero uno que también estaba allí, uno que se había venido del pueblo, ¿sabe...?

—Ya, ya...

—Muy buen chico, no crea usted, pero a veces, un poco tonto... Se llamaba Vicente... Mire, por cierto que ahora es él quien va a cobrar las facturas... Pues resulta que un día trajo una revista llena de fotos y dijo: «¡Eh, mire esto, señor Keller!» El alemán se llama Keller. «¡Mire, mire, lo que pone aquí!»

Están en la tienda, esperando a que el manco acabe de liar un cigarrillo. Lo hace muy hábilmente e incluso con una especie de ostentación. Mira dos veces hacia Lluís, sonriente, como si esperase una felicitación.

«¿Por qué no se comprará los cigarrillos hechos?»

—Se veían muchas fotos terribles, con montones de gente muerta. Y hornos, donde la quemaban... Se veía a los guardianes, a quienes los norteamericanos, los ingleses y los rusos, cuando llegaron, obligaron a limpiar los campos y a enterrar a los muertos... Y también guardianas... ¡Unas tías, con unas caras...! Aunque también las había guapas, ¿eh?

—Y ¿qué dijo el alemán?

—¡Oh!, se puso encarnado y dijo que no quería ver aquello, que eran mentiras de la propaganda norteamericana y de la rusa, que los muertos los habían recogido de las ruinas de las ciudades alemanas... Dresde, Hamburgo, Berlín... Yo le hice una seña a Vicente para que se llevase la revista y no insistiera más, porque a mí todo aquello me daba mucha pena, por el señor Keller, quiero decir. Pero no se puede contar con Vicente para una cosa así. Ya lo decía el señor Keller: «Vicente, Vicente, *¡parece usted un elefante en una cacharrería!*» ¡Y no se iba! A mí me daba lástima porque, en un momento dado, el señor Keller miró las fotos... Las miraba, las miraba y movía la cabeza como si pensase: «Ostras, Pedrín, ¡qué horror!» Estaba pálido, ¿sabe?, y le sudaba la frente. Y el animal de Vicente, ¡duro que te pego!

El manco enciende el pitillo y dice:

—Venga, vamos, que si no me equivoco es el último viaje.

—¡Duro que te pego! —dice Lluís, ya afuera—. Y de golpe, dijo: «Pero oiga, señor Keller, yo he visto bombardeos. Y los pobres que mueren en los bombardeos casi siempre quedan hechos pedazos o con heridas muy grandes. ¿Usted cree que adelgazan hasta ese punto, así, de golpe? Mire, mire estos desdichados. ¡Están en los huesos, pobrecillos! ¡En los huesos!» Entonces ocurrió algo muy tonto... Llamaron al señor Keller por teléfono y mientras iba, Vicente no dejaba de mirar la revista y dijo: «¡Pobrecillos! ¡Pobrecillos!» Y yo pensé: ¿a que se pone a llorar? Porque Vicente es un llorica... Llora por cualquier cosa... Pues sí, tenía los ojos llenos de lágrimas y dijo que aquello le recordaba a los muertos que había visto en el frente y que acabar asesinado así era aún peor que morir en el frente. Y también dijo que aquello le recordaba a los hombres que había matado, a los rojos que había matado, tantos que había perdido la cuenta. Y dijo que él no quería, que se vio obligado a hacerlo para defenderse, porque resulta que, al principio, disparaba al aire, pero que luego se había visto obligado a tirar de verdad, y que Dios no se lo perdonaría nunca, por mucho que rezase y rezase, y aunque se pasara, como ya lo había hecho, una semana entera encerrado con los jesuitas haciendo «ejercicios espirituales». Que ya estaba harto de todo, que no comprendía nada de nada y que tenía ganas de morirse, porque todo era una mierda y una cabronada. Y se quedó así, mirando la revista y llorando, mientras repetía: «¡Pobrecillos! ¡Pobrecillos!»

—Yo nunca he tenido que matar a nadie —dice el manco cogiendo la última caja—. Era demasiado joven.

—Deje, ya la llevaré yo.

—No, hombre, no.

—¡Sí!

«Me dará veinticinco pesetas. ¡Veinticinco pesetas! ¡Bah, tendré suerte si me da un duro! Aunque, si fueran veinticinco pesetas... Si aguanto hasta la puerta conteniendo la respiración, quiere decir que me las dará. Sólo me faltarán, entonces... Sólo quince...»

—¿Qué murmuras? ¿Te faltan quince, qué?

—No, nada. —Lluís se ruboriza. Añade rápidamente—: A mí lo que me pasó es que mi tío no quiso que fuese a la fábrica. La fábrica de Santa Coloma, quiero decir. Dijo que no quería porque yo, en aquella oficina, sólo había tenido malos ejemplos. Decía esto, ¿sabe?, porque, además, había un corredor que también hizo otra estafa... Uno que se llamaba Antolín... Se hacía servir pedidos a sí mismo y, después, los revendía. El señor Almirall le hizo firmar una declaración, y le dijo que abusar de la confianza de la gente estaba muy feo.

—Vaya, hombre.

—Sí. El señor Almirall decía que la madre del cordero era el frontón. Pero Antolín decía que no, que si había estafado era porque estaba sifilítico y el tratamiento le costaba muy caro.

El manco ríe.

—Y el alemán, ¿qué decía el alemán?

—Que las dos cosas juntas.

Vuelven a salir. El manco cierra la puerta con llave.

«Ya está. Ahora me las dará. ¡Me dará las veinticinco pesetas!»

El manco se vuelve hacia Lluís.

—¿Vamos a tomar un café? ¡Te convido!

Caminan. Lluís quisiera preguntarle por qué es manco. Pero no se atreve.

—Iremos a un café, cerca de aquí, en la esquina. Hacen un café estupendo. ¡Café café, no creas!

—Pero, y ¿por qué le explicaba yo todo eso? ¡Ah, sí, porque mi tío decía que allí ya había tenido demasiados malos ejemplos! Además, creía que más valía que aprendiese un oficio. Pero, mire, el otro chico que estaba conmigo, y que se llamaba Joan... Y Vicente, el llorica... Están en la fábrica, ahora.

—¿Y tú qué haces?

—¡Oh!, yo trabajo en casa de un clavador... De esos de las joyas, ¿sabe? Pero a mí lo que me gustaría es ser dibujante.

Dice que le gustaría ser dibujante para llegar a hacer retratos a personas importantes, porque decir que le gustaría ser dibujante para llegar a hacer tebeos, que es lo que realmente quiere, le parece poco respetable.

—Pues mira, yo tengo un niño que ahora cumplirá seis años que dibuja muy bien. Y sin copiar, ¿eh? Porque copiando no tiene mérito. Cuando yo era niño, también dibujaba muy bien... *Esto es un seis, esto es un cuatro, y aquí tienes tu retrato.*

Se ríe.

—Pero si quieres ser dibujante, ¿por qué trabajas en casa de un clavador?

—¿Qué puedo hacer? Vivo en casa de mis tíos y tengo que trabajar. El único dinero que entra en casa es el que ganan mi tío, que es cobrador, y mi primo, que es ebanista... Hombre, si supiera dibujar mejor quizá me darían trabajo en las editoriales. Bien se lo dan a otros. Entonces ganaría mucho, mucho, y no tendría que trabajar de clavador. Pero, para dibujar mejor tendría que practicar mucho más, y todo el día, cosa que no puedo hacer, porque si dibujase todo el día, no ganaría nada. Sólo puedo dibujar los domingos y los días de fiesta. También, un poco por la noche, ¿sabe? No mucho, porque mi tía dice que gasto demasiada luz.

Lluís menea la cabeza, reflexivo.

—Cada día dibujo peor. El otro día quise hacer una mano aguantando una pipa y ¿sabe que no podía? Ni siquiera copiándola de *Rip Kirby*, que salía una que me iba muy bien... Eso de *Rip Kirby* es un tebeo norteamericano... Últimamente he dibujado un barro que es una birria. Quiero decir que no parece barro, ni nada. Cuando estaba en la oficina, siempre podía dibujar, ¿sabe? El señor Keller quería que yo fuese dibujante, y hacía la vista gorda. Hasta el señor Almirall la hacía. Un día que María Montez me salió muy bien, me dijo: «Si trabajas mucho, a final de año le pediré a Ferrán que la oficina te pague una academia de dibujo. ¿Te gustaría?» ¡Imagínese! ¡Una academia! Nunca he ido a una academia. Pero a final de año, el señor Almirall no me volvió a hablar del asunto. Y yo no me atrevía a recordárselo, porque desde hacía algún tiempo ponía una cara de vinagre, que...

—¡Ya, ya!

Angustiado, Lluís percibe que su interlocutor le escucha ya con aire distraído. Está empezando a aburrirle.

14

—Y no crea que el señor Almirall era malo —dice Lluís, preocupado, con la esperanza de volver a despertar el interés del manco—. La verdad es que había tenido muchas preocupaciones. Mi madre decía siempre que la gente sufre tanto, que es un milagro que se porte bien. Mire, durante la guerra, el señor Almirall luchó con los republicanos...

Lluís se para; aprieta los dientes, observando al otro. «Puede que hubiera sido mejor que dijese los rojos, porque...»

El manco no parece nada escandalizado. Ni hostil. Ya se ve el bar.

—¿Y qué?

—Pues, eso. Y era de buena familia, ¿eh? Quiero decir que había nacido en una casa rica... Se quedó con los republicanos y, finalmente, tuvo que cruzar la frontera. En Francia le llevaron a un campo de concentración, igual que a mi padre.

—¿Tu padre fue a parar a un campo?

—¡Sí!

—¿Qué campo?

—Bram.

—¡Ya ves! Pues yo tenía un hermano, el mayor, que murió en un campo. Pero era otro... Saint-Cyprien. Sí, se llamaba Saint-Cyprien. Y tu padre, ¿por qué tuvo que irse?

—Porque era policía. Policía de la *Generalitat*, ¿eh? No del Estado.

En casa de Lluís siempre se había hecho aquella distinción.

El manco arruga la nariz.

—Espere, espere —protesta Lluís—. Mi padre era como es debido, ¿eh? Mire, una vez, cuando estábamos en Camprodón, le mandaron que trajese a Barcelona a un cura que habían cogido. ¿Y sabe lo que pasó? Se ve que era un cura muy viejecito, y cuando pasaban por la plaza de Cataluña se le puso a llorar. Pidió a mi padre que le diera permiso para ir a decirles adiós a sus hermanos, que vivían en el Clot. Y mi padre le dijo: «Bueno, hala, pues vaya usted y quédese allí... Pero escóndase bien, ¿eh? Yo ya lo arreglaré todo.» El cura parece que hasta quería besarle las manos, pero mi padre le dijo: «¡Pero, hombre! ¿Qué hace? ¡Venga, váyase, váyase...!» El cura no sabía qué tranvía tenía que coger y mi padre se lo indicó... Después fue a *Jefatura* y él mismo se puso el sello, el comprobante que tenía que ponerse sobre la hoja, el albarán o lo que fuese, como si hubiera entregado al cura.

Llegan al bar. El manco reniega.

—¡Uno de esos chorros de agua me ha caído justamente en el cogote! ¡Sí, hombre, ríete! ¡Brrr!

—Y que conste que mi padre no era de los que pegan, ¿eh? Otra vez, con un compañero, llevaron a un fascista a la cárcel. De golpe, el fascista dio un empujón al compañero de mi padre que fue a parar al suelo, lleno de barro... ¡Y el tío echó a correr! Cuando volvieron a cogerle, el compañero de mi padre le quería pegar porque el uniforme le había quedado hecho una mierda. Pero mi padre no se lo consintió.

El manco sonríe torcidamente.

—¡Ah, ya! Se ve que tu padre, en los interrogatorios, debía de hacer de «policía bueno», ¿eh?

—¿Qué...?

—Nada, hombre, nada, dejémoslo.

Se paran. El manco alarga la mano hacia la puerta encristalada, donde se lee, en letras de diferentes colores:

—¿Crees que si tu padre pegaba o no, iba a decírtelo a ti? ¿Y las checas, qué? ¿Era una broma? Yo he visto las fotos, muchacho. Había ladrillos puestos de canto para que no pudieran tumbarse; había una silla eléctrica y otras cosas raras... No sé, chico, no sé. Y dicen que a los curas les pasaban películas con tías desnudas para hacerles colgar los hábitos... Entre nosotros, esos curas no se lo debían pasar muy mal, ¿no? ¡Je, je, je! Bueno, a ver, ¿qué me dices de eso de las checas...?

—Mi madre —dice Lluís con vehemencia— decía que todo eso eran cuentos inventados por esa gente. ¡Mentiras para desacreditar a la República!

—Bueno, hombre, bueno —el manco echa una ojeada al interior—, no chilles tanto. Ni te sulfures. Cualquiera diría que tienes tú algo que ver con las putadas que unos y otros hacían.

Lluís entra en el bar, siguiendo al manco. Huele a sudor y a café con coñac. El suelo está lleno de serrín.

—¿Qué tomas, chico?

—Lo que usted quiera.

—No, hombre, no. Elige tú mismo. ¿Qué quieres?

—Un café con leche.

—¡Manel! —dice el manco—. ¡Un café con leche y un carajillo!

—¿Un carajillo de coñac, como siempre? —pregunta el hombre gordo y calvo, que está detrás del mostrador. Sonríe.

—Ya veo que hoy también has trabajado. ¿Quieres hacerte rico, o qué?

—¿Trabajando quieres que me haga rico? No me jodas...

Se ríen. Lluís también. Nota la cara caliente. Quisiera estar en otro sitio.

—Por aquí el único que se enriquece eres tú.

—¡Sí, sí! —dice Manel. Empieza a toquetear la cafetera exprés. Al fondo, en la penumbra, hay dos o tres veladores ocupados y se oye el ruido de las fichas de dominó al chocar contra el mármol.

«¿A que este tipo acaba por no darme nada? ¡Me lo estoy viendo venir!»

—¿No fumas, verdad? —pregunta el manco, encendiendo otro cigarrillo. Mira de reojo a la mujer que está sentada a la mesa más cercana al mostrador. Lee una novela de la *Colección Pueyo*. Es una mujer de unos cuarenta años, alta y fuerte. Sus cabellos negros, espesos, brillantes, los lleva recogidos en un moño. Su boca es grande, excesivamente pintada, y lleva los ojos llenos de rímel. Menea suavemente una de sus piernas, que mantiene cruzadas, al son de una música que nadie oye.

El manco se vuelve hacia Lluís, medio se muerde el labio y dice:

—¿Has visto qué tía?

Lluís vuelve la cabeza. Mira las piernas de la mujer, bajo la mesa. Tiene una carrera en una media que desaparece bajo la falda, muslo arriba. Lluís vuelve la cabeza para otro lado.

—¡Lástima! Porque me parece que es una de esas que tiene mucha teta y poca cadera. Sí, sí, tiene las piernas delgadas. Y a mí eso no me gusta. A mí me gusta que haya de todo, por todas partes.

Manel, el dueño, espera a que el vasito donde sirve el carajillo se llene. Mueve los labios. Tararea:

En mi soledad,
ya no hay más que sollozos...

—Pero qué te cuento yo a ti, ¿verdad? —dice el manco—. ¡Si todavía estás en la edad de los juegos de manos!

Lluís trata de sonreír. Piensa en las veinticinco pesetas que el manco, sin duda, le dará. Intenta pensar sólo en eso. Pero no puede, y tiene que meterse una mano en el bolsillo.

—¡Sólo basta con ver las ojeras que tienes!

Lluís sonríe por compromiso. Entorna los ojos. Quisiera irse.

—Pues no es bueno para la salud, ¿eh? —dice súbitamente el manco, con una expresión severa, como si se acabara de descubrir una responsabilidad de adulto—. Puedes volverte tuberculoso.

—¡Va uno! —dice Manel. Deja el vasito frente al manco y le añade un poco de coñac—. Ahora te traeré tu café con leche, chico.

—Y también se te puede secar la médula, ¿sabes? —insiste el manco. Mira de reojo a Manel, y cuando cree que no puede oírle, añade—: ¿Sabes lo que le hicieron a la hermana de éste? Pues, cuando entraron en el pueblo donde vivía, se tiraron a todas las mujeres... Después, como el padre de Manel era uno de los más comprometidos del lugar, era alcalde, desnudaron a su hermana y la pasearon por todo el pueblo. Completamente en pelotas, ¿eh? Y no fue la única.

—Y después, ¿qué? ¿Las mataron?

—No. Las dejaron en libertad después de divertirse con ellas cuanto quisieron... Manel dice que una de las chicas se volvió loca... Y que otra se tiró al tren. A su hermana, que está muy buena, ¿sabes?, lo único que le ocurrió es que su novio la plantó.

—¿Por qué?

—¡Pues porque ya no era virgo!

Manel trae el café con leche y el manco dice, para cambiar de conversación:

—¿Qué me contabas de aquel estafador?

—¿Quién? ¿Antolín?

—No, el otro.

—¡Ah! ¡El señor Almirall...! Pues fue a parar a un campo de concentración, en Francia. Pero se escapó y volvió a España. Vivió algún tiempo aquí, escondido. Fue durante la guerra, la grande, la de los alemanes... Un día empezó a trabajar para los ingleses. Les daba información. Todo eso me lo explicó el señor Keller, el alemán. Pero acabaron por atraparle. Y entonces le dijeron que si no quería ser agente doble, le entregarían a la policía... Y que como tenía una ficha muy comprometida... una ficha del tiempo de la guerra, de la nuestra, lo iba a pasar mal.

El manco asiente con la cabeza. Silba suavemente.

—¡Qué chanchullos! Los desgraciados como nosotros no sabemos de la misa la mitad.

—¡Y que lo diga! Desde entonces, el señor Almirall hizo lo que quisieron. Le dejaban tranquilo durante algún tiempo, y cuando menos se lo esperaba, ¡paf!, le llamaban. Y tenía que hacer cuanto le mandaban. Una vez vi cómo le tomaban el pelo.

—¿Tú? ¿Cómo?

—Encima de nuestro despacho había otro igual. Una tarde llamaron al señor Almirall por teléfono. Keller me dijo con una sonrisa muy extraña: «Está arriba, en casa de sus "amiguitos". Suba a avisarle, suba...» El señor Keller no apreciaba al señor Almirall, porque un día vio cómo, cuando contaba el dinero de caja, cogió mil pesetas y se las metió, como quien no quiere la cosa, en el bolsillo. Más tarde, cuando el señor Keller terminó de hacer arqueo, las mil pesetas, claro, faltaban. Almirall, entonces, le llamó y le dijo: «Mire, Keller, ya sé que a veces se puede tener una necesidad imperiosa... ¡Quién sabe! Hasta un mal pensamiento... Dígame lo que ha pasado con las mil pesetas. Pero, la verdad, ¿eh? Yo intentaré arreglarlo todo con Ferrán.»

—Menuda cara tenía ese Almirall... Y ¿qué pasó?

—Se oyeron unos gritos... Fuimos todos al despacho y vimos cómo el señor Keller tenía cogido al señor Almirall por el cuello. Quería estamparle la cabeza contra la pared. «*¡Que le mato! ¡Es que le mato!*», gritaba. Suerte que pudimos separarlos. El señor Almirall, aunque estaba muy sofocado, no perdió la serenidad. Sólo dijo:

«No es nada, señores. Un malentendido. ¡Vuelvan a sus puestos!»

—¡Qué rostro! —dice el manco—. Pero ¿qué me contabas del otro despacho, que...?

—¡Ah, sí! Pues, nada, que subí al despacho de arriba. La puerta estaba entreabierta y, desde la entrada, vi lo que pasaba. Era un despacho muy grande y bonito, con mapas en las paredes. El señor Almirall estaba de pie, frente a una mesa. Al otro lado había un hombre de paisano. Estaba medio tumbado en su butaca. Llevaba la corbata floja y se carcajeaba... Era gordo, con gafas negras y bigote. Yo me había encontrado algunas veces con él en el ascensor... Había otros tipos que reían también, sentados en sus butacones. Todo estaba lleno de humo. Dejaron todos de reír cuando el de las gafas negras dijo: «*¿No sabes más? ¿De verdad?*» El señor Almirall parecía más pequeño que cuando estaba en el despacho de abajo. No se movía. Se diría que le habían encogido.

—Y, ¿qué pasó entonces?

—Nada. Con voz finita, como nunca se la había oído, dijo: «*¿Saben ustedes el del viajante que vuelve a casa y se encuentra a la mujer en la cama con un bombero?*» «*¡No, no, cuenta!*», dijo el de las gafas negras. Empezó a reírse. Pero, entonces, me vio y preguntó: «*¿Qué hay, valiente?*» Yo dije: «Llaman al señor Almirall por teléfono...» Y me contestó: «*Cuando entres en alguna parte, tienes que entrar más decidido, hombre, como si te fueras a comer el mundo... Y no como si estuvieras acojonado.*»

El manco pregunta:

—¿Y lo sabes?

—¿El qué?

—El chiste... El chiste del viajante...

—¡Ah, sí! Va y entra en el cuarto. Y la mujer, en la cama junto al bombero, se pone a gritar, como si nada: «*¡Fuego! ¡Fuego!*»

El manco ríe. Mira a la mujer sentada. Ella alza los

ojos y le sonríe. Hace una seña con la cabeza, como invitándole. Lluís se vuelve hacia el mostrador. Keller dice que un hombre que se respeta, nunca va con esas mujeres. Que esas costumbres sólo son admisibles en gentes física o moralmente enfermas.

Una mosca sube laboriosamente hacia el borde de una fuente de callos, dejando tras de sí un reguero de salsa de tomate.

—¡Si en el barrio no me conociesen tanto... —dice el manco en voz baja— ésta pasaría por el tubo! Pero, por aquí, todos conocen a mi mujer, ¿sabes? A veces, cuando tiene frío en la tienda, viene a tomarse un café con leche.

Como arrepintiéndose de haber hecho esta confidencia, añade:

—Sí, chico, sí... Lo que hace falta es no dejarse embarcar. La gente que esté jodida, que se espabile por su cuenta. Aunque estés reventando de hambre, puedes estar seguro de que nadie te dará nada. Mira, de todo esto yo tengo un buen ejemplo en mi propia casa, ¿sabes? Con mi hermano. Mi hermano era el colmo, tú. Para él, sólo existían los «camaradas»; los «camaradas» por aquí, los «camaradas» por allá... Figúrate que cuando empezó la guerra, ya estuvieron a punto de matarle. Le hirieron de dos balazos en la plaza de Cataluña. Una bala le entró por aquí, y la otra por aquí. ¿Qué te parece? Pues él como si nada, chico, ¡duro, que es sevillano! Y cuando se curó, se fue voluntario. Yo tenía tu edad, más o menos. Quizás algo mayor. Me acuerdo que mi madre se desesperaba... Porque no teníamos padre, ¿sabes? Era pintor. Se cayó desde lo alto del andamio, dos meses antes de nacer yo, y se mató. Mi madre se desesperaba, te lo aseguro. Decía: «Jordi, te matarán... Y, ¿para qué, vamos a ver? ¿Crees que arreglarás algo? Siempre habrá ricos y pobres, hombre. No hay nada que hacer. Venga, haz caso a tu madre, que el que no hace caso del padre y la madre...» Se iba a llorar a casa de las vecinas. Siempre decía: «¡Ahora ya lo tengo criado, ahora que podría sacarle algún provecho, sólo quiere hacer lo que le da la gana! ¡Dios mío, Dios mío, nunca se acaba de sufrir!»

»Y, pobre, tenía razón... Jordi era el colmo. Una vez vino del frente con permiso. Había ascendido a capitán, y yo qué sé cuántas medallas le habían dado. Pues, mira, apenas llegó a Barcelona se metió en el lío de la Telefónica. Hubo muchos muertos, ¿sabes?, por el dichoso edificio de la Telefónica. No me acuerdo qué año fue, pero era por el mes de mayo.

—Yo tampoco me acuerdo. No vivíamos en Barcelona.

—Había un montón de tipos que querían ocupar la Telefónica y los de dentro no querían. En fin, hirieron otra vez a Jordi, como puedes imaginarte. Pero abreviemos: acabada la guerra, pasa a Francia y me lo envían a Saint-Cyprien. Y allí murió.

—¿Tuvo noticias suyas?

—Sí, gracias a un tipo que volvió, mucho tiempo después. Jordi era muy bueno, no tenía nada suyo... Me explicaron que la última noche, cuando comprendió que iba a morir, empezó a dar todo lo que tenía... Para ti, la chaqueta... Para ti, las botas... ¡Los «camaradas»! ¡Siempre los dichosos «camaradas»! Me gustaría saber de qué le sirvió quemarse tanto la sangre por los demás... ¿De qué, a ver? ¡Tantas historias para acabar muriendo como un perro...! ¡Venga, hombre, venga! Y fíjate que el tipo aquel me explicó que mi hermano le había dicho que no se arrepentía de nada, que si hubiera que volver a empezar, él habría hecho lo mismo... Que había que tener fe en la humanidad... ¡La humanidad! ¡Vaya una broma, tú! La selva, la selva... ¡Y pobre de ti si no te espabilas!

El manco calla. Mira al mostrador. Pasa un dedo por él y menea la cabeza.

—¿Has visto esa mosca?

Lluís vuelve la cabeza.

—Manel, mira... Una mosca...

Viene Manel.

—¿Una mosca?

Saca la mosca con delicadeza de la fuente de callos. La tira al suelo.

—Se arrastran, medio acojonadas por el frío —dice como para justificarse.

El manco continúa:

—¡Pobre Jordi! A mí que no me digan, chico...

Se suena largamente con un pañuelo sucio.

—Era muy bueno, muy bueno. Pero ¿de qué le sirvió? Créeme, vale más ocuparse de uno. Hombre, yo antes eso no lo veía tan claro como ahora... ¡Pero desde que tengo la tienda...! Nada, hombre, nada. Hombre, de cuando en cuando también me gusta hacer un favor, ¿comprendes? Pero sin exagerar. *La caridad bien entendida empieza por uno mismo*. Y sobre todo, eso, ¿eh? ¡Nada de política! No puedes ni imaginarte la cantidad de gente que han matado —baja la voz—, la cantidad de gente que todavía está en la cárcel, por haberse metido en política en vez de ocuparse de sus asuntos.

Lluís dice:

—¡Bastante sé cómo van las cosas!

El manco le mira, inquisitivo.

—Lo sé por mi padre —explica Lluís, halagado por la atención del otro—. Y por cosas que me han pasado a mí, cuando todavía vivía mi madre y vendía en el mercado de la Boquería.

—Ah, ¿sí? ¿Qué te pasó?

Sábado por la tarde... Lluís acababa de salir del Cine Mar y subía por las Ramblas, silbando bajo las hojas de los plátanos, con las manos en los bolsillos, pensando en algunas páginas de Milton Caniff que le habían ofrecido, en el mercado de libros viejos, a un precio altísimo. De pronto, a la altura del Llano de la Boquería, dos hombres que le seguían le abordaron. Eran altos y fuertes. Vestían gabardinas y uno de ellos llevaba sombrero.

—*Te gusta mucho silbar, ¿eh, jovencito?* —preguntó el de la cabeza descubierta. Tenía la voz ronca. Lluís le miró con ojos sorprendidos y sintió el miedo habitual en el estómago.

—¿Por qué? —intentó preguntar con indiferencia. Pero la voz se le estranguló.

—¿Qué silbabas ahora mismo?

—¿Yo...?

—Sí, tú. ¡Venga, contesta! ¡Si lo sabemos todo!

«*La Marsellesa. ¡La Marsellesa!* —pensó Lluís, aterrorizado—. ¡Pero vale más que no les diga que era *La Marsellesa*...!»

—Vengo del Cine «Mar»... Y tocaban esta música. No sé lo que es...

—¡Ah, no lo sabes! ¿No sabes que esta música la cantan los enemigos de España?

—Pero, la película... Yo... Era una película francesa... Napoleón... Abel Gance...

—¿Ganz? ¡Eso huele a judío!

El tipo del sombrero agitó una gruesa mano, manchada de nicotina, frente a los espantados ojos de Lluís.

—¡Si vuelves a silbar ya verás lo que te pasará! ¿Entendido? ¡Venga, lárgate!

Lluís no se movía.

En el colegio, en Francia, antes de la derrota del ejército francés, habían proyectado una película que se llamaba *Mein Kampf*. Al principio de la proyección, muy grande y ocupando toda la pantalla, se veía la cara de Adolf Hitler. Y poco a poco, muy poco a poco, la cara se iba transformando en una calavera y de las órbitas, vacías y negras, salía, de pronto, fuego y metralla...

Cuando el tipo del sombrero le dijo que se fuera, Lluís recordó uno de los momentos del filme. Se veía a dos hombres, altos y fuertes, con largos abrigos de cuero. Hacían bajar de un coche a un hombre y a una mujer, viejos, temblorosos, a la cuneta de una carretera desierta. Les ordenaban que se fueran. Y cuando lo hacían, los mataban por la espalda.

—¿Qué te pasa, idiota? ¿Qué esperas? ¡Largo!

Piernas para que os quiero, hasta la calle del Hospital. Torció por la calle de las Cabras y mientras subía los escalones gastados que, bajo el arco, dan acceso al mercado, volvió la cabeza: no le seguía nadie.

Bajo el tejado metálico, donde brillaban pobres luces, el mercado estaba desierto. Ratas bien nutridas iban y venían por el suelo de cemento, bajo la mirada indiferente de gatos ahítos de desperdicios de pescado.

Lluís corrió entre los puestos y, sin aliento, se escondió tras el mostrador de una carnicería. Miraba hacia el arco. Pero nadie vino.

También explica al manco el incidente del presidente Kruger.

—Es lo que digo yo, chico —concluye el manco—. ¡Eso de la política, *p'al* gato!

15

Lluís mira pasar las nubes grises sobre el agua amarilla de uno de los estanques de la plaza de Cataluña.

A juzgar por los restos, han naufragado allí dos barcos de papel de periódico. Angelotes de bronce, montados sobre delfines juguetones, alzan sus manos de bebé sobrealimentado hacia el cielo de la tarde. Pura y húmeda, en medio del verde oscuro del césped, una diosa blanca parece esperar la llegada de un dios helénico, tan blanco, tan puro como ella, que pueda llevársela lejos, muy lejos, más allá del tiempo y del espacio, hacia una imposible Citerea.

Parejas de enamorados pasean bajo el follaje de los árboles, grávido de lluvia, entre sillas plegables que parecen insectos de madera mojada. A través de los cristales del Círculo Artístico, brillan ya algunas luces y se oye la canción que tocan en el vecino salón de té:

Sucedió en Kaloa,
la noche en que te fuiste...
dejándome en mi alma la nostalgia
de tiiii...

Frente al Cine Cataluña, donde proyectan la biografía de un gánster norteamericano, se ha formado cola para la sesión de las seis. Las vendedoras de tabaco, siempre atentas a la llegada, muy posible, de alguna «autoridad», ofrecen discretamente: «*¡Tabaco rubio! ¡Tengo tabaco rubio! ¿Chester...? ¿Lucky...? ¡A dos reales el pitillo!*»

Procedentes de las Ramblas, tranvías rojos y blancos suben hacia la Ronda de la Universidad, o hacia el paseo de Gracia, y los coches, entre los que hay taxis amarillos y negros, se dispersan o se juntan al compás de los semáforos.

Los suntuosos edificios de los bancos se alzan alrededor de la plaza. En su interior —mármoles caros, metales dorados, ringleras de máquinas de escribir y de calcular— reinan el silencio y el lujo sobrio de las tumbas faraónicas. A intervalos, vigilantes cansados y solitarios recorren pasillos y salas crudamente iluminados, en busca de algún posible profanador. En el secreto de cajas de caudales, acorazadas de acero, el dinero nuevo y el dinero viejo se mezclan, exhalando el mismo olor dulzón de cadáver mal embalsamado. El dios más de verdad adorado en Barcelona es un dios que huele mal.

Sobre los cristales cubiertos de vaho del Café Zurich, ruidoso de vida, se refleja el ir y venir de la gente que pasa por el ángulo de Pelayo-Ramblas. La proximidad de la Navidad empieza a alegrar los escaparates.

Una moneda de diez céntimos brilla en el fondo del estanque. Lluís la cogería, pero piensa que no vale la pena mojarse el brazo por diez céntimos. Intenta calcular cuántas monedas de diez céntimos componen cuarenta pesetas.

Parece que es más fácil reunir cuatrocientas monedas de diez céntimos que cuarenta pesetas. Si tuviera la suerte de que cuatrocientas personas...

«Si cogiera estos diez céntimos, sólo me faltarían trescientas noventa y nueve monedas.»

El manco había pagado a Manel. Miró su reloj.

—Bueno... —dijo.

«Las veinticinco pesetas.»

—Vuelvo a la tienda. Mi mujer ya no tardará mucho en volver para llevarme a casa, en la camioneta. Mientras yo descargaba, ha ido con el niño a casa de su hermana, que vive en la calle de Fernando...

«¡Las veinticinco pesetas!»

—Entonces, ¡adiós, chico! Y muchas gracias por tu ayuda. No se puede decir que seas un gandul, tú.

—De nada.

Desde la puerta, el manco repetía:

—Adiós, ¿eh?

Lluís ve su propia imagen en el agua. Mueve un poco la cabeza y la moneda, en el fondo del estanque, se vuelve un monóculo. «No, hombre, no. Keller decía que el monóculo se lleva en el ojo izquierdo.»

Detrás de la balaustrada de piedra, unas palomas se arrullan. Una chica baja corriendo los escalones. Un soldado la coge de la mano, en el centro de la escalera. Ríen.

—*Bueno, ¿me lo das o qué?* —pregunta él. Es moreno, fuerte.

«Tiene la cabeza braquicéfala.»

Acerca los labios a los de ella. Parece que ella consiente, pero, bruscamente, retira la cara. No obstante, están apretados uno contra el otro.

Lluís los espía, de reojo. Ella es rubia y lleva los cabellos largos. La mirada de Lluís va hacia las finas piernas y el busto que un jersey gris perla, bajo un abrigo cheviot, pone de manifiesto cuando intenta zafarse.

—¡Déjame! ¡Déjame, Alberto! Me enfadaré, ¿eh?

Inquieta, mira a su alrededor.

—Me acabas de decir que me darías un beso —dice él. Ya no ríe. Le tiembla la barbilla.

—¡Alberto! ¡Alberto, déjame! ¿Quieres dejarme? ¡Nos pondrán una multa!

El soldado ve a Lluís de repente. Descubrir en aquel lugar, en aquel momento, a otra persona, parece extrañarle mucho. Lluís baja los ojos. Vuelve a mirar la moneda de diez céntimos.

Entre las nubes, un avión atraviesa el cielo de Barcelona. Lluís ha vuelto la espalda a la pareja, que se va. Apenas si oye el ruido de los tacones de la chica. Lluís vuelve la cabeza para mirarla, pero no la ve. Busca en vano el avión en el cielo. Sube los escalones. De pronto, ve el avión...

El avión surge de entre las nubes y empieza a bajar hacia la plaza de Cataluña. Se oyen gritos. El avión cae. Algunas personas corren, ahora, gritando de miedo, pero una hábil maniobra de Dan Stone, *el Piloto Audaz*, por Lewis Marty, le hace esquivar la cima de la Telefónica. Parece que vaya a elevarse, pero no, el aterrizaje forzoso se impone. Con terrible estruendo, el cuatrimotor aterriza y se inmoviliza. Nadie se atreve a acercarse. «De un momento a otro —dice Dan Stone, *el Piloto Audaz*, por Lewis Marty— los motores estallarán, *¡y esto, caballeros, será un infierno!*» Sólo cuarenta metros separan a Lluís del avión en llamas. Entra en él. Sale. Lleva a la azafata en brazos. Es una rubia preciosa, una rubia Agfacolor, como las de *Signal*. Sus cabellos, largos y sedosos, brillan sobre la manta de cheviot, y Lluís hunde la cara entre sus pechos desnudos, mientras la cama cruje desagradablemente...

Sus conocimientos eróticos —casi estrictamente librescos y cinematográficos— que han proporcionado esta imagen, proporcionan otras. La chica ríe, mientras acaricia los cabellos de Lluís.

—*Lástima* —murmura—. *Lástima, capitán Stone, que no tenga usted la cabeza braquicéfala...*

Todo se esfuma.

Sólo queda un ronroneo lejano, hacia el aeropuerto del Prat. La plaza mojada, vacía. El viento. Un papel manchado de grasa y tres palomas grises.

Lluís camina hacia la Rambla de Cataluña.

«Le diré: doña Celeste, espero que me perdone por no haber venido a visitarla. Es que, ¿sabe?, vivimos muy lejos. Además, trabajo. ¿Los domingos? ¡Oh, los domingos también! Quiero ser dibujante. ¿Sabe cuánto ganan los dibujantes norteamericanos? ¿Sabe cuántas veces diez céntimos...? No, claro, ¡usted qué ha de saber! He venido porque quería verla, so bruja, y también porque quería pedirle un favor. ¡Oh, ya me imaginaba que al oír la palabra "favor" pondría esa cara! Mamá decía que usted no es más que una bruja y una *dama de la Estropajosa*. Sí, déjeme cuarenta pesetas que las necesito mucho. Se las devolveré. Cada semana, mi tía me da algo para ir al cine, cuando le entrego lo que gano. Es que... Es que, ¿sabe? Quiero hacerle un regalo a mi tía, y si le pido las cuarenta pesetas ya no será una sorpresa, ¿verdad que no? Por eso he pensado en usted. En usted, que es tan buena, cabrona, que quería tanto a la pobre mamá... Sí, sí, he ido al cementerio. Esta mañana, a llevarle unas flores. Florecitas de esas amarillas, ¿sabe? ¡Claro que he rezado! ¡No faltaba más! ¿No sabe que cada domingo voy a misa? ¡Le pido a Dios que le cure el asma, puerca, más que puerca, que así reviente...! Sí, sí, se lo pido. De verdad. Yo no miento nunca, doña Celeste. Cuarenta pesetas, eso es. ¡Vaya, pero si es la señorita Nuri! ¡Buenos días, señorita Nuri! ¡No sabía que estaba aquí, señorita Nuri...! He venido a ver a esta cerda para pedirle cuarenta pesetas. ¡Oh, señorita Nuri! ¡Señorita Nuri...!»

La señorita Nuri sale del Café La Luna y empieza a atravesar la plaza en dirección a él. Viste un albornoz blanco, entreabierto, que deja ver su piel dorada. Lluís cierra los ojos y todavía la ve mejor...

Abría la puerta. El comedor olía a las hierbas que doña Celeste quemaba para calmar su asma. Los viejos muebles estaban en la penumbra, en el silencio. Los padres de doña Celeste le miraban desde la pared, desde el resplandor amarillento del día de su boda.

La veía al sol violento de la galería. Acababa de ducharse. Sólo debía de llevar el albornoz blanco.

—Me estoy bronceando las piernas, Lluís... Entra, entra. ¿Quieres algo?

Le miraba con sonrisa traviesa.

—No, no, señorita Nuri. Yo...

No intentaba taparse los muslos. Un sostén rosa se secaba al sol. Lluís daba media vuelta y cerraba la puerta del comedor. Entraba en su habitación, se echaba sobre la cama «de matrimonio» que compartía con su madre. Doña Celeste, por lo que se refería a aquella cuestión siempre tenía que decir algo.

—¡No sé de dónde querrá que saque el dinero para comprar dos camas! —se quejaba Tere.

—A tu edad —decía doña Celeste— ya no tendrías que dormir en la misma cama que tu madre. ¿No comprendéis que no está bien? Los vecinos murmuran, ¿sabes? Y si nadie lo ha denunciado todavía, es por pura caridad cristiana. ¿Que cómo lo han sabido? ¡Ay, niño, yo qué sé! Tienes que decir a tu madre que compre dos camas. Si fueras una niña, sería diferente. Pero no eres una niña, ¿verdad?

Lluís reconocía que no era una niña.

Un día le dio a leer un documento de una alta personalidad eclesiástica de Barcelona. Todos los periódicos lo habían publicado. El documento estigmatizaba el grosero materialismo y el deseo de gozar, imperantes en nuestra época, y ponía de relieve la inmoralidad del baile en locales públicos o privados. Hacía notar, igualmente, cuán degradante y contrario era a las buenas costumbres y a la moral cristiana, enseñada por la Santa Iglesia Católica, Apostólica y Romana, el hecho de que hombres y mujeres se bañasen juntos en las playas, y que los vestidos, en general, fuesen tan insultantemente cortos y escotados...

—¡Si ese santo varón supiera que, a tu edad, duermes todavía en la cama de tu madre...! —comentó doña Celeste, estremeciéndose sólo de pensarlo.

Echado en la cama, Lluís intentó leer:

Maître Corbeau, sur un arbre perché
tenait dans son bec un fromage...

Era sábado por la tarde. La habitación era un horno.

—Es lo que ocurre con las habitaciones que están bajo la azotea —explicaba Tere. No volvería del mercado hasta la noche. Doña Celeste se había ido al cine, a ver una de Bud Abbot y Lou Costello, que le hacían mucha gracia...

Apprenez, monsieur, que tout flatteur
vît au dépens de celui qui l'écoute...

La puerta del comedor chirrió. La señorita Nuri caminó sobre el mosaico del pasillo. Tarareaba. Entró en su habitación.

Le corbeau, honteux et confus,
jura, mais un peu tard, qu'on...

Lluís se levantó silenciosamente, intentando conseguir que el lecho no crujiera. Cerró la ventana para que la señora Mari, la vecina, no pudiera verle desde el otro lado del pasillo. Se puso a escuchar contra la pared, cerca del armario. La señorita Nuri continuaba tarareando:

Yo siento en el alma
tener que decirte
que mi amor se extingue
como una pavesa...

Abrió un cajón. A Lluís le pareció oír un frufrú. El somier de la cama de la señorita Nuri gimió bajo su peso. Lluís se la imaginó, como otras muchas veces, medio desnuda, sonriente. Una señorita Nuri sin voluntad, que le dejaba libre de hacer cualquier cosa con ella. Tibia, dulce, sumisa. Una muñeca.

Lluís se apartó de la pared y recostó la cara contra la luna del armario. El espejo no le refrescó la frente.

Abrió un cajón de la cómoda, sacó un calcetín limpio. Se echó otra vez sobre la cama.

Llamaron. Escondió el calcetín bajo la almohada. Cogió una toalla.

—Pero ¿qué haces a oscuras? —preguntó la señorita Nuri. Lluís murmuró una excusa y se precipitó a abrir la ventana.

—¡Estás sofocado! ¡Tienes las orejas como un tomate! ¿Qué estabas haciendo?

—¿Yo...? Nada, nada...

Lluís sostenía la toalla como si fuese una cosa casual. La toalla le cubría de cintura para abajo. Ella estaba en la puerta, con un libro en la mano. Llevaba el albornoz muy escotado.

—No quiero estorbarte. ¿Ibas a dormir un poco...?

—No, no. Yo...

—Sólo quería devolverte este libro. Abróchate los zapatos, que te caerás... ¿Me dejas otro?

—Sí, señorita...

De la caja de madera que le servía de biblioteca, Lluís cogió, trémulo, *Manon Lescaut*.

—Tenga.

No se atrevía a mirarla porque, cada vez que lo hacía, la mirada se le prendía en el escote. Y ella se daba cuenta.

—¡Ay, madre! Un libro escrito por un cura... ¿Será divertido?

—Sí, sí... Ya lo verá...

—Pero ¿qué te pasa? ¿Por qué estás tan asustado? Pareces un conejo.

—¿Yo? ¿Un conejo...? No sé... No...

—A ver, mírame.

Le cogió la barbilla. Se oía la radio de la señora Mari:

Un traje en Casarramona
de primera comunión...

Y ruido de patines sobre la pista de cemento. Los ojos de la señorita Nuri escudriñaban los suyos.

El viejo armario crujió débilmente, como una bomba que estalla.

—¡Te has sobresaltado! —dijo ella—. ¡Mira que eres tonto! Asustarte así porque cruje un armario... Oye... ¿Nunca te han dicho que tienes unas pestañas muy largas y muy bonitas? Ya me gustaría tenerlas yo así...

Lluís cerró los ojos. El perfume de la piel dorada le envolvía.

—Oye, Lluís, si alguna vez tu madre y tú encontraseis un piso, ¿podría ir a vivir con vosotros? ¡Ya estoy hasta el moño de doña Celeste!

Retiró la mano. La sangre volvió al rostro de Lluís.

—¿De verdad que podría vivir con vosotros?

Tenía las uñas de los pies pequeñas y pintadas de rojo.

—De verdad.

—Muy bien. Recuerda la promesa, ¿eh? Y si esta bruja os habla mal de mí, no le hagáis caso.

Dio media vuelta hacia la puerta. Desde el dintel le amenazó con el libro.

—Si es una birria, ya verás, ¿eh?

Poco después, de nuevo en la sombra, la respiración de Lluís fue recobrando el ritmo normal. Las imágenes que acababa de crear ya le habían abandonado y la habitación le parecía todavía más triste. Sonrió. En el último momento había emitido una sola palabra, en un murmullo, entre sus dientes apretados: «¡Señorita! ¡Señorita!» «¡Señorita!» Lluís se rió de sí mismo.

En el Oro del Rhin, uno de los camareros le mira con hostilidad en cuanto atraviesa el dintel de la puerta. Se está bien allí. El ambiente es tibio y huele a buen café.

—¿Qué quieres? —pregunta el camarero.

Lluís quiere ir al váter.

—Quería... Quería telefonear —miente, intimidado por un rótulo:

RESERVADO EL DERECHO DE ADMISIÓN

que ve en la pared, cerca del retrato del Caudillo. El camarero le mira de arriba abajo.

—El teléfono no funciona. ¡Venga, andando que es gerundio!

Sale. Empieza a andar hacia la plaza de la Universidad, bajo los plátanos de la avenida de José Antonio Primo de Rivera, empapados de lluvia. El edificio de la universidad se alza en el atardecer. Hay unos retratos del Caudillo y del Fundador, impresos en negro sobre las paredes, con la inscripción *Fe en Franco*. Por encima de las ramas de los plátanos se ve la maciza torre, y la esfera de su reloj brilla, en el aire azul, con un débil resplandor anaranjado.

De cuando en cuando, Lluís se aproxima a los plátanos y al pasar arranca un trozo de corteza. Se entretiene rompiéndola en pedacitos.

16

Cree que ya no hay nadie en casa de doña Celeste.

Pero la puerta se abre y un hombre aparece. Se pasa una mano por los cabellos grises, despeinados, y mira a Lluís con ojos medio dormidos. Retiene maquinalmente los pantalones de su pijama, como si tuviera miedo de que se le cayeran.

—¿Qué quieres? —pregunta en castellano, con fuerte acento catalán.

Durante unos segundos, Lluís cree que se ha equivocado. Hay en este recibidor muebles nuevos y claros. No obstante, aquél es el quinto, primera puerta. Al lado está la puerta de la azotea. Y el mosaico del recibidor...

—A ver, ¿qué quieres?

—¿Está doña Celeste?

Las cejas del hombre se alzan nuevamente. Se le arruga la frente. Una extraña arruga le cruza, en diagonal, uno de los carrillos. «Estaba durmiendo y acaba de levantarse.»

—¡María! —llama el hombre. Da media vuelta y, sin decir nada, desaparece por el pasillo. Lluís oye un ruido de voces. Una mujer entra en el recibidor. Rubia, pequeña, viste un albornoz azul.

—¿Querías ver a doña Celeste?

—Sí.

—¡Oh, pues no sabes cuánto lo siento! Veo que no sabes que la pobre señora se ha muerto.

—No, no lo sabía. No sabía nada.

—Sí, nos ha dejado. Hace casi dos meses. Precisamente, esta mañana he ido al cementerio a llevarle unas flores. ¿La conocías?

—Ya lo creo. Soy Lluís. Vivía aquí, con mi madre, hace tiempo...

—¡Ah, ya!

—¿Nunca les habló de nosotros?

—Sí, creo que una vez nos escribió diciendo que tenía gente realquilada... Es que antes vivíamos en Zaragoza, ¿sabes? Cuando vinimos a Barcelona, para atenderla tan bien como pudiéramos, ella no hablaba mucho, porque ya estaba casi paralítica. Sólo podía mover un lado de los labios, ¿comprendes?

—Sí, sí...

—Al menos no sufrió mucho. A veces, con estas cosas, se arrastran durante años y años, y es una molestia y un gasto terrible. Y al final, ¿de qué sirve? De nada. ¡Pobrecillos! La tía Celeste se murió como un gorrión. Un día, en el váter. Yo me esperaba fuera, para ayudarla. Pero ella no decía nada. ¡Ignasiet!, grité. Es mi marido... Entramos, pero ya no pudimos hacer nada. Se quedó así, pobre, con la mano crispada en la cadena del váter.

Se miran en silencio. La mujer continúa.

—¡Ya ves! Y tú venías a hacerle una visita. Pues, mira... Te dejaría entrar y te ofrecería alguna cosa, un poco de café... Pero es que estamos en la cama... Un poco de siesta... Aprovechamos la fiesta, ya ves... ¡Y todo está tan desordenado...!

Baja en ascensor. Baja en ascensor, intentando encontrar, sobre el tabique de madera, el perfil tan anguloso de Red Barry, que grabó un día, con el canto de una llave. Sí, todavía está, bajo una nueva capa de barniz. El contorno es todavía visible.

—¡Adiós! —dice cerrando la puerta del ascensor, en dirección al quiosco de la portería. Al subir ya ha observado que la portera no estaba. En su lugar hay una vieja vestida de negro. Con los pies sobre un brasero, zurce calcetines. Sobre el ocre sucio de la pared, Lluís ve un calendario policromado donde la cara de María Montez sonríe, insinuante, sobre un escote retocado a efectos de censura. La vieja mira a Lluís por encima de las gafas, con la aguja suspendida entre dos dedos hinchados y enrojecidos.

—¡Adiós! —responde.

Hay muy poca gente en la calle de Viladomat. El ruido de los patines sobre la pista de cemento es más fuerte que el rumor de los tranvías y de los coches que circulan por la avenida de José Antonio Primo de Rivera. Un disco gira en la pista de patinaje:

Él se fue una tarde,
con rumbo ignorado...
en el mismo barco
que le trajo aquí...

Lluís se para junto a un plátano. Una vez, arrancando la corteza de este árbol, descubrió toda una colonia de orugas.

Arranca un trozo de corteza. No hay orugas. No hay cuatrocientas monedas de diez céntimos. Cierra los ojos y todo lo que oye le hace pensar en las tardes de domingo que ha vivido allí. Cierra los ojos y cree tener la misma cara que le ha dibujado a Dan Stone, *el Piloto Audaz*, por Lewis Marty, cuando recuerda a una enfermera que conoció, bajo un bombardeo de «zeros» japoneses, en las islas Salomón... Entre Tulagi y Matanikau, para ser más exactos.

El sol se ponía y sus últimos rayos hacían resplandecer algunas ventanas de las casas que se veían desde la azotea. Acodado a la barandilla, bajo la que anidaban algunas de las golondrinas que ahora volaban en el aire dorado, Lluís miraba la pista.

Chicos y chicas iban y venían sobre sus patines. Todos parecían divertirse mucho. En el bar se formaban grupos alegres. Lluís hubiera querido encontrarse entre ellos, pero sus ropas siempre eran viejas y estaban deslucidas, casi siempre llevaba los zapatos rotos, o a punto de romperse, y tampoco tenía dinero para alquilar los patines o para pagar cualquier consumición en el bar.

Tere estaba muy contenta de haber encontrado un alojamiento en aquel barrio.

—Así el niño no cogerá malas costumbres, ni tendrá malas compañías... —decía.

Lo animaba a encontrar nuevas amistades en el barrio, le reprochaba sus amistades con chicos calzados y vestidos igual que él: Wladimiro-Pepito, Esteban, Antonio, Carlos-Adolfo, el Perdis... Por culpa de Tere se sentía como prometido a un destino superior, que identificaba con el destino de los que patinaban en la pista.

¿Cómo entrar, pues, en su mundo, con todo lo que eso comportaba?

«Cueste lo que cueste», se decía Lluís. Apretaba los dientes.

«Cueste lo que cueste», porque se había caído del tranvía cuando iba a bajar, y se había roto los únicos pantalones decentes que tenía.

«Cueste lo que cueste», porque, por falta de dinero, había tenido que volver, para hacerse arrancar una muela, al sórdido dispensario para indigentes donde le habían hecho tanto daño la última vez.

«Cueste lo que cueste», porque Just decía:

—¡Calla! ¿Entiendes? ¡Calla y ahueca el ala, cabezota, que eres un cabezota!

Y él respondía humildemente:

—Sí, señor Just. No se enfade, señor Just. No lo haré más, señor Just.

«Cueste lo que cueste», porque su madre tosía mañana tras mañana, al levantarse, mientras afuera llovía y todo estaba oscuro.

—No puedo quedarme en casa, Lluís... No voy a quedarme en la cama. Primero, tengo que ir al Born, y después, a vender... Debo dinero, Lluís. Y siempre he sido buena pagadora. El dinero no te lo traen a casa, ¿sabes?

«Cueste lo que cueste»... Aquella decisión encajaba perfectamente con todo lo que en él gozaba cuando se rebelaba contra Just, contra su madre. Cuando robaba a Tere para comprarse tebeos, cuando contestaba groseramente, cuando se gastaba el dinero de una factura, cuando conseguía viajar en el tranvía sin pagar, o «colarse» mientras otros esperaban dócilmente su turno. Cuando se pasaba largos ratos encerrado en el váter, con la colección de cromos de *Estrellas de cine*... (¡Ah, Fay Wray, Marion Davies, Gene Tierney...! Besos perdidos sobre unos colores de *offset* barato, que ni de lejos se asemejaban a los vuestros.) Aquella decisión encajaba perfectamente con su deseo intenso de saltar sobre Just cuando, estando inclinado sobre el fregadero de la trastienda, le oía decir:

—¿Lo ves? ¡No sirves para nada! ¡Burro! ¿Crees que es así como tienes que limpiar las botellas? No, si es lógico, ¿qué puede esperarse de un hijo de un rojo?

Encajaba con todo lo que en él se liberaba cuando, desanimado después de haber intentado muchas veces hacer el dibujo correcto de una cara, apuñalaba la pared, a golpes de pluma. Mientras golpeaba rabiosamente, se sentía en íntima comunión con el mundo que conocía, de acuerdo con aquello que, así lo intuía, era una realidad profunda de aquel mundo...

«Cueste lo que cueste.» Realmente, «¿cueste lo que cueste...?». Algo se rebelaba en él. Era el mismo sentimiento que le impedía pegar a su adversario caído bajo él, que le hacía gozar cuando estaba entre amigos o entristecerse cuando sabía que tenían alguna pena... El sentimiento que había de ensombrecer, de modo turbador, su admiración por las altas y relucientes botas bajo las cuales se estremecía Europa, su admiración por los crueles labios nórdicos, los bellos uniformes, el empuje irresistible de los panzers, la luz clara y dura de los ojos alemanes, y los signos totémicos del irracionalismo organizado: águilas despreciativas sobre cruces gamadas; yugos y flechas; estilizadas calaveras...

¿Cómo había nacido en él aquel sentimiento? Era, tal vez en parte, debido a una regla de inspiración cristiana que Tere le inculcó, cuando niño: «Lo que no quieras para ti, no has de quererlo para los demás», regla a la que se habían unido otras de la moral laica que enseñaba *monsieur* Demaison y de aquella moral que, en España, predicaba la Iglesia católica.

No podía evitar que aquellos fragmentos de moral le influyeran. El deseo de olvidarlos para siempre le asaltaba con frecuencia, sin embargo, porque comprobaba que sólo servían de estorbo en un mundo donde la garantía de la supervivencia y de la felicidad parecía residir en la inobservancia de toda moral. Pero todavía era demasiado joven para aceptar sin más semejante olvido.

Lluís cree que de las ramas de los plátanos caen gotas. Pero se equivoca. Es que empieza a lloviznar.

Atraviesa la avenida de José Antonio Primo de Rivera. La farmacia del señor Albadalejo está cerrada.

Camina bajo los balcones, hasta llegar al vestíbulo del Cine Gloria para ver las fotos de las películas que echan. *Guadalcanal* y *El puente de Waterloo*.

Frente a la taquilla hay dos viejecitos. Con la cartera en la mano, el hombre da a la taquillera un billete azulado. Lluís oye decir a la taquillera:

—Y ¿qué quiere que haga? No tengo cambio, lo siento. No me puedo sacar el cambio de la manga...

El viejecito lleva un sombrero y un abrigo negros, un bastón y botines. Parece que tenga la cara empolvada, tan empolvada como la de la mujer que está a su lado. Tiene ésta dos arrugas profundas a ambos lados de una boquita de labios finos y apretados: un rostro de niña que ha envejecido, de pronto, justo en el momento en que tenía una de esas expresiones tozudas que tienen, a menudo, los niños.

El anciano se aparta de la taquilla. Vacila unos segundos, va hacia el quiosco de bebidas, al otro lado del vestíbulo. La mujer que está allí le sonríe.

—Lo siento... Ya lo he oído, pero...

Hace una mueca, refiriéndose a la taquillera.

—Sólo tengo cincuenta pesetas en caja. Intente en el bar que está aquí al lado, en la calle de Calabria. Diga que va de parte de Carmen, del Gloria.

El anciano le da las gracias. Mira hacia la avenida, bajo la llovizna. Se mira los zapatos relucientes, los blancos botines.

—¡Eh, tú! —dice a Lluís.

—Mándeme...

—¿Quieres ganarte cinco pesetas?

«¿Qué...?»

El viejo sonríe amablemente. Sus dientes, demasiado blancos y demasiado iguales, relucen demasiado.

—Sí, sí... Sí, señor...

—Toma esto y ve hasta el bar, en la calle Calabria, a ver si tienen cambio. ¿Sabes dónde está la calle Calabria?

—Sí, señor.

—Hala, pues, ve. Di que vas de parte de Carmen, del Cine Gloria.

Lluís sale con el billete de quinientas pesetas. La mujer dice algo al hombre, que Lluís no oye, pero que imagina. El viejo le hace un signo amistoso, encogiéndose de hombros.

¡Quinientas pesetas! Podría pagar las cuarenta pesetas y aún le quedarían... ¡Cuatrocientas sesenta!

¡Cuatrocientas sesenta pesetas!

«¿Cuántas monedas de...?»

Podría comprarse todos los libros de dibujo de Emilio Freixas e incluso... Incluso el de Andrew Loomis, aquel de *El dibujo de figura en todo su valor*. Un cartabón de plástico... Plumas de dibujo Perry... Tinta china para unos cuantos meses... Y en el mercado de libros viejos, el domingo por la mañana, ¡muchas páginas de Milton Caniff! Ni nota ya la lluvia que cae sobre él.

—He tardado un poco —dice al volver— porque no tenían cambio en la calle Calabria... ¡He tenido que ir más arriba!

Entrega cinco billetes de cien pesetas. El viejo dice:

—Muy bien. ¿Te has mojado mucho?

No obstante, no mira a Lluís. Mira a la anciana. Ella tiene los labios un poco más apretados.

—No, no señor.

Espera un poco.

Da un billete de cien pesetas en la taquilla. Y cuando le entregan el cambio y las entradas:

—¡Ten, para ti!

«¡Diez pesetas!»

Simulando que no mira el dinero que le dan, Lluís se las guarda en el bolsillo.

—Muchas gracias —murmura.

—De nada. Al contrario, hombre.

Entran en el cine. Lluís se pasa el dorso de la mano por la frente mojada. Oye decir al viejo:

—¡Porque me da la gana, Rosita! ¡Como si hubiera querido darle veinte!

Lluís se acerca al quiosco de bebidas y pide:

—Déme una palmera.

—¿Muy tostadita?

—Sí, sí.

Mientras le da la palmera, la mujer, llamada Carmen, dice:

—Creían que no volverías, ¿sabes? Ella... Era ella. Él parece buena persona, y muy sencillo. Pasan por aquí cada tarde. Pero lo que es ella... ¡parece una mierda en un solar! Estoy contenta. Eres un chico como es debido.

Lluís sonríe. Sólo ha cumplido con su deber. Dan Stone, *el Piloto Audaz*, por Lewis Marty, sonríe después de haber llevado a cabo una de sus arriesgadas misiones. Sonríe, sólidamente instalado en la honestidad absoluta, con la sonrisa del niño bueno de aquel libro escolar, un niño bueno incapaz de mentir, de jugar malas pasadas, a quien la colección de *Estrellas de cine* sólo le inspira buenos pensamientos...

Los primeros faroles se encienden ya en la plaza de la Universidad cuando Lluís salta de un tranvía en marcha.

—¡Un día de éstos te cogeré, ya lo verás! —grita el inspector, que ha subido en la parada anterior.

Durante un segundo, mientras saltaba, Lluís se ha visto resbalar sobre las piedras mojadas, ha visto su cuerpo bajo el remolque. Ha oído crujir sus huesos bajo las ruedas, con tanta precisión que hubiera podido dibujarse la mar de bien. (¡Y eso que las figuras caídas en el suelo le cuestan mucho!) Se estremece.

Pero está en pie. Ve que el inspector le amenaza con el puño, tras el vidrio de la plataforma trasera. La lluvia le cae por los cabellos, por la cara.

Con la palmera en el estómago y el dinero en el bolsillo se siente reconfortado.

«¡Debe de ser cosa del capicúa!»

Mientras anda hacia la calle de Balmes, hace muecas, habla solo y, en un momento dado, hace una cabriola que podría tomarse por un paso de danza.

Antes de entrar en la casa donde viven el señor Albadalejo y su hermana se para unos instantes. Los faroles de la calle de Balmes brillan entre la lluvia, y su trémulo resplandor forma halos coronados de plata viva.

«¿Cómo dibujarlo? ¿A lápiz? Primero a lápiz, pero ¿y la tinta? Creo que Milton Caniff no tiene nada que se le parezca. Ni Raymond. ¿Y a la aguada? Sí, a la aguada, porque no resultaría bien hacerlos todo en negro. Pero la aguada sólo la ha intentado una vez, cuando hicieron con Leoncio aquella cara de Gene Tierney que resultó un churro...»

La garita de la portera se ilumina. Dentro, hablan y ríen. Cantan:

... cinco de mayo, seis de junio,
siete de julio... ¡San Fermín!
¡A Pamplona hemos de ir...!

Desconfiada, una anciana abre la puerta de la garita y mira a Lluís, que ya pone un pie sobre el primer peldaño.

—¿Adónde vas?

—A casa del señor Albadalejo.

—Los pies.

—¿Qué?

—Los pies, que te los limpies.

—¡Ah!

Se para frente a la puerta del piso del señor Albadalejo. Huele a barniz. Llama al timbre con un dedo vacilante. Se sobresalta al oírlo sonar. Oye pasos. Pasos sobre una alfombra. La puerta se abre.

—¿Qué desea? —pide una mujer de cierta edad, con cofia y delantal blancos. Lluís entrevé el vestíbulo que ya conoce: cuadros, cosas doradas, cortinas verdes, sillas y cómoda con motivos cervantinos... La alfombra es del mismo color que las cortinas.

—¿La señorita Josefina, por favor?

—Ha salido. ¿Qué desea? —dice la mujer, en castellano.

—Quería hablar con ella.

—¿Es urgente?

—Sí, sí...

—¿No puede decirme de qué se trata?

—No. Ya volveré. ¿A qué hora estará?

La mujer le mira con impaciencia.

—Espere un poco. Avisaré al señor.

«El señor Albadalejo. Bueno, le diré que...»

La mujer desaparece. Lluís oye su voz.

—No lo sé, señor. Es un chico joven. Debe de tener algo que ver con las obras de caridad de la señora.

Alguien se acerca.

«A la aguada, sí, decididamente.»

Un hombre, en batín color morado con cuello negro reluciente, y zapatillas de piel... Lleva un número de *Marca* en la mano y fuma un cigarrillo. Lluís le reconoce, aunque ha cambiado. La grasa empieza a acumularse en sus carrillos, en el cuello, en la cintura...

—¿Qué? ¿Qué quieres? —pregunta Just.

17

Continúa lloviznando. Lluís avanza, arrimado a la pared. Después de todo, tal vez se pueda hacer a la manera de Milton Caniff: pequeños trozos de *gouache* blanco, hechos sobre el fondo negro con un pincel casi seco, para evitar la rigidez, para conseguir un efecto de flexibilidad... Manejar bien el pincel de este modo es difícil. Pero igualmente puede obtenerse este efecto de lluvia haciendo trazos con el pincel mojado, muy mojado; una vez secos los trazos, se pueden retocar con la pluma.

El Tibidabo todavía está más oscuro que el cielo, y algunas luces amarillas brillan en sus flancos. La oscuridad se obtiene fácilmente: una masa de tinta. Las luces también; pequeños erizos de *gouache* blanco. ¿El ciclo? Hay que hacer un entramado de líneas finas. Como hace Raymond, en las tiras de *Rip Kirby*...

«Pero el estilo de Raymond y el de Caniff no tienen nada que ver...»

No obstante, los trazos blancos darán cierta unidad.

Just se ha quedado extrañado al ver que se iba tan deprisa.

—Pero, vamos... ¿No quieres que dé ningún recado a mi mujer?

—No; no, señor, gracias. ¡Muchas gracias! Es igual. Ya volveré.

Lluís ha dado media vuelta y ha empezado a bajar. Just se ha quedado indeciso unos instantes. Su silueta se recortaba en el dintel iluminado.

—¿Cómo te llamas? ¿Quién le digo que ha venido?
—Nadie. Ella no sabe mi nombre. Adiós.
Y la puerta se ha cerrado bruscamente.
En la garita de la portera cantaban:

¡Nos han dejao solos, a los de Tudela!

Ahora sólo necesitaba veintiocho pesetas con ochenta céntimos.
Veintiocho con ochenta. Veintiocho con ochenta.
Baja por Balmes.
Desde la plaza de la Universidad llega hasta él el ruido de los tranvías. Los tranvías gimen:
«Veintiocho con ochenta... Veintiocho con ochenta...»
De pronto, Lluís se acuerda del señor Falcón.

Tere y Ernest, al encontrarse por casualidad en una parada del tranvía, se dieron un beso. Hablaron como si nada. Ernest quiso demostrar su buena voluntad.
—¿Cuánto gana el niño en la farmacia? —preguntó.
—Quince pesetas.
—¡Qué miseria! Mira, ¿sabes lo que podemos hacer, Tere? Si quieres hablaré con el contable de la fábrica donde voy a cobrar facturas... La casa Bofill y Serra, S. A. Es una casa de tejidos muy importante.
Cuando se separaron, Ernest besó a su hermana en la mejilla.
—Bueno, Tere, ya sabes que a Aurelia no hay que hacerle caso... Es buena chica, pero tiene mal genio... Yo, ya sabes que te quiero, ¿verdad? ¡Soy tu hermano!
El señor Falcón, jefe de los contables de la casa de tejidos Bofill y Serra, S. A., era alto, delgado y calvo. Ernest hablaba muy bien de él.
—¡Es tan buen hombre...! —se extasiaba—. Y nada orgulloso, ¿eh? Mira, que cualquiera en su sitio se daría

un pisto... ¡Un hombre tan joven, con un cargo tan importante...!

Después de haberle conocido, Lluís opinó que el señor Falcón estaba siempre en las nubes. A veces, parecía darse cuenta, de pronto, de que no escuchaba lo que decía su interlocutor, y se excusaba:

—Perdón, perdón... ¿Qué decía?

Su sonrisa amable hacía olvidar su falta de atención.

Según Ernest, si Lluís conseguía entrar en Bofill y Serra, S. A. podría cobrar, aparte del sueldo, tres puntos familiares. El señor Falcón hizo una mueca.

—¿La madre de este chico no trabaja? —preguntó.

—No —mintió Ernest. Temeroso, añadió—: ¿Hay algún inconveniente por los puntos?

—En todo caso, no por parte mía, Soler —respondió el contable, bien instalado en su confortable butacón de cuero. Lluís se sentía intimidado en aquel suntuoso despacho. Todo estaba en orden y no se veía ni una brizna de polvo. Detrás del señor Falcón había un cuadro que Lluís hubiera querido examinar más de cerca.

»Lo que pasa con los puntos lo sabe usted tan bien como yo: cada mes se distribuye una cantidad equis, entre equis puntos... Si la cantidad en cuestión debe repartirse entre doce puntos, no es igual que si debe distribuirse entre veinte, pongamos por caso. ¿Me entiende, no?

Una mujer de unos cuarenta años entró, sin pedir permiso, y presentó al señor Falcón unos papeles. Los firmó casi sin mirarlos. Ernest guardaba un respetuoso silencio.

—Ocúpese de esto enseguida, María Teresa —dijo el señor Falcón. Y cuando la mujer salió, se volvió hacia Lluís y su tío y dijo, haciendo una mueca que descubrió sus dientes:

»Perdón, perdón... ¿Dónde estábamos? ¡Ah, sí, en los puntos! Bueno, pues resulta que en la fábrica tenemos una comisión de puntos. Y cada vez que entra un nuevo empleado, refunfuñan si es alguien a quien le corresponde cobrarlos. ¿Me entiende, verdad?

—Sí, sí, señor Falcón. Pero la comisión está formada por obreros, ¿no?

—Claro, Soler, claro. En esta historia de la comisión de puntos, la empresa se lava las manos. Los señores Bofill y Serra nos han prohibido, a los directivos, hacer la más mínima presión.

—¡Ya ves! Pues, ¡bravo por los obreros! —dijo Ernest, queriendo resultar agradable a un jefe como el señor Falcón—. ¡Después, nos darán la lata con sus historias de solidaridad y de fraternidad! ¡Ay, madre de Dios!

El señor Falcón no sonrió, como esperaba Ernest. Abrió los brazos en un gesto de impotencia.

—Todo es muy difícil, Soler... Muy difícil... Partiendo de un hecho aislado, no conviene generalizar.

Ernest sí que sonrió. Movió la cabeza.

—¡Ay, señor Falcón! ¡Es usted demasiado bueno!

Falcón apoyó las manos sobre el vidrio de la mesa y se inclinó ligeramente hacia delante.

—Mire, ¿sabe qué podemos hacer, Soler? Vuelva la semana que viene, y ya veremos cómo ha ido el asunto.

Ernest esperó a que el señor Falcón hubiera anotado algo sobre un pequeño rectángulo de papel, que cogió de un montoncito que tenía frente a sí, y dijo:

—Gracias por su amabilidad, señor Falcón. Volveremos.

—Perdón, ¿qué me decía? ¡Ah, sí!

Se levantó, les estrechó la mano y los acompañó hasta la puerta.

Una semana más tarde, el señor Falcón no los recibió. Desde el dintel de la puerta de su despacho, les dijo:

—Todavía no sé nada, Soler. A ver... Vuelva el jueves. Es decir... ¿Por qué no manda solo a su sobrino? ¿De acuerdo?

Cuando Lluís llegó, el día convenido, le hicieron pasar al despacho, pero no había nadie.

—Tendrás que esperar un poco —dijo la mujer que el jefe de los contables había llamado María Teresa—. El señor Falcón ha bajado a tomar café con el señor Bofill.

Lluís se quedó en pie en el centro del despacho, aspirando el agradable olor a cuero de las butacas. En la pared, más allá de la mesa, había un cuadro. Seres pequeños y negros paseaban bajo árboles multicolores que parecían de goma.

«¡Qué mal dibujado!»

Lluís quería acercarse para leer el nombre impreso, al pie de la reproducción. Pero ¿y si el señor Falcón entraba en aquel momento? Miró hacia la puerta. Avanzó. Desde detrás de la mesa leyó:

Henri Rousseau - *Le Douanier*

Se preguntó dónde demonios estaba en aquel cuadro el aduanero.

Iba ya a volver al centro del despacho, cuando al bajar los ojos vio, medio abierto, uno de los cajones de la mesa. Había un libro, sobre carpetas numeradas de color salmón. Lluís leyó:

Georges Polit
Principes élé
PHILOSO
Publiés sous le patro
1947
Editions Socia

Volvió rápidamente al otro lado de la mesa. La puerta se abrió. El señor Falcón le saludó amablemente. Le dijo que, por desgracia, le había sido imposible persuadir a los miembros de la comisión de puntos. Se interesó por la vida de Lluís. Animado, Lluís empezó a hablar. Explicó cómo, después de la caída de Barcelona, había pasado a Francia, con sus padres, y cuál había sido su vida hasta aquel momento.

El señor Falcón le dijo que tenía que ir, costase lo que costase, a la escuela nocturna. Afirmó que el hecho de estudiar era lo más importante para un chico de su edad.

—¿Te gusta leer? —preguntó, levantándose de la butaca para despedirle.

—¡Oh, sí, señor!

—¿Qué te gusta leer?

Lluís enrojeció.

—Todo...

—Pero, veamos. Dime el nombre de algún autor...

—Todo... Julio Verne, Pierre Benoit, Zane Grey... Las novelas de Doc Savage...

El señor Falcón cerró los ojos. Pareció sorprendido. Cerró el cajón.

—Perdón, perdón... ¿Qué decías? ¡Ah, sí! Doc Savage, ¿eh?

Suspiró.

—Mira, ¿sabes lo que podemos hacer? La próxima vez que pases por aquí, entras y preguntas por mí. Te dejaré algunos libros que tengo en casa. ¿Has oído hablar alguna vez de Howard Fast? Es un novelista...

—No, nunca.

—¿Sabes quién era Espartaco?

—No, señor.

—Era un gladiador romano que se rebeló para luchar por la libertad.

—¡Ah!

—Bueno, ya hablaremos cuando hayas leído el libro. Te gustará.

Acompañó a Lluís hasta la puerta y dijo, cuando se iba:

—No te olvides de venir, ¿eh? Y trae algunos de los dibujos que haces, para que pueda verlos.

Y añadió:

—Sobre todo, no te olvides de mi consejo. Hay que estudiar mucho.

A consecuencia de todo aquello, Lluís y su madre fueron a visitar a Ernest. Aurelia casi estuvo amable. Por fin, cuando se iban, Ernest dijo a Tere:

—¡Cuídate, Tere, que tienes mala cara!

Y procurando que Aurelia no le viese, puso dos billetes de cincuenta pesetas en las manos de su hermana.

Lluís atraviesa el paseo de Gracia. Todas las luces del paseo se reflejan sobre el suelo mojado. El paseo parece doblemente iluminado.

«Le diré que quiero el dinero para comprarme una caja de pinturas... Pero ¿por qué me hago ilusiones? No estará...»

La escalera está oscura y silenciosa. No hay nadie en la portería. Es en el primer piso. Lluís sube conteniendo la respiración.

EMPUJAD

Empuja. No esperaba que la puerta estuviera abierta. Lo está. Las luces del recibidor están apagadas pero, al final de un largo pasillo, se ve claridad.

—Buenas noches...

Se oye, hacia el fondo del pasillo, un ruido metálico y un débil chapoteo. Una voz femenina empieza a cantar:

En mi soledad
ya no hay más que sollozos...

—Buenas noches —repite Lluís. Alguien sale del fondo del pasillo. Una mujer, con una bayeta en la mano.

«¡Formidable! Todo en negro, aparte de la luz y las

manchas de claridad que hace sobre la cabeza, los hombros, el suelo...»

—¡Jesús! ¿Quién es? —pregunta la mujer en castellano, con acento andaluz.

—Servidor.

«Servidor, ¿de qué? —dice siempre Keller—. Eso es una fórmula de esclavo, Lluís.»

La mujer se acerca, desconfiada.

—¿Por dónde has entrado?

—Por aquí...

La mujer enciende la luz del recibidor. Mira a Lluís con una risita.

—Qué miedo me has dado. Habría jurado que cerré la puerta. ¿Qué quieres, chico?

Va vestida de negro. Lleva un delantal —un saco atado con un cordel—, tiene los cabellos blancos.

—¿Está el señor Falcón?

—¡Ay, madre! —se sorprende la mujer—, si hace mucho tiempo que ya no está aquí.

—Ah, ¿sí? ¿Trabaja en otro sitio?

La mujer mueve la cabeza.

—No, muchacho. Nunca ha trabajado en ningún otro sitio. Entró aquí de aprendiz y llegó a ser el jefe de los contables.

Mira a Lluís como para persuadirse de que no es otra cosa que lo que aparenta ser: un pobre muchacho, mojado por la llovizna de noviembre.

—Está en la Modelo —dice la mujer en voz baja, como si tuviera miedo de que alguien, al acecho en la casa oscura y silenciosa, les pudiera oír—. El pobre señor Falcón está en la Modelo.

«¡Vaya! ¡Otro como el señor Almirall!»

La mujer baja todavía más la voz y añade:

—Dicen que le han metido allí porque defendía a los obreros. Porque era comunista.

18

Nunca ha visto fotos de la Rusia moderna, ni en las revistas ni en los periódicos. Nunca ha visto la Rusia moderna en el No-Do. Ha leído *Miguel Strogoff*, ha visto *Miguel Strogoff* en el cine.

Al evocar Rusia, siempre ve aquella gran plaza donde la gente corre, donde una gran multitud se dispersa en uno de esos impulsos repentinos que tienen, al surgir el peligro, todos los enjambres, todos los rebaños. Piensa en Rusia como en un país donde el sol no atraviesa nunca una densa atmósfera gris. Un gris que es el de las imágenes de aquella vieja película soviética de su infancia... Bandas de chicos y chicas corren a través de las ruinas; rebuscan en los cubos de basura, atacan a la gente para robarla. Los rusos sólo comen pepitas de girasol y sopa de repollo. Hay campos de concentración donde los niños españoles que han tenido la desgracia de ir a parar a Rusia al acabar la guerra, se consumen...

Artur parece haber tenido admiración por los rusos. Sobre todo, antes de la firma del pacto con Hitler, pero Lluís recuerda haberle oído decir:

—En un momento dado me ofrecieron adherirme al Partido Comunista, pero no quise. A mí no me gustan los compromisos. Quiero ser libre. Lo mejor es una república donde todos tengan derecho a decir lo que piensan. A nosotros, los catalanes, lo que nos interesa son los «estados federados...».

Ernest oye Radio Moscú y Radio España Independiente, Estación Pirenaica. Sin embargo, un día dijo a Lluís:

—Allí también hay una dictadura, ¿sabes? Todos los extremos son malos. Yo, el fanatismo, ¡*pa'l* gato! A mí me gustan las cosas en su justo medio. Como los franceses, los ingleses, los norteamericanos...

El Previsor del Porvenir, que a los comunistas los llamaba *chinos*, como tienen por costumbre los anarquistas españoles, explicó un día a Lluís, a Wladimiro-Pepito y al primo Rogelio:

—Perdimos la guerra por culpa de los *chinos*. Empezaron con sus historias: primero ganar la guerra, primero ganar la guerra... ¡Ya la habríamos ganado, la guerra, si hubiéramos empezado por hacer la revolución, como queríamos nosotros! Pero los *chinos* se aliaron con la burguesía. ¡Y todo se fue al carajo! ¡Ahora vosotros pagaréis el pato, chicos!

Miraba fijamente a los tres chicos y en sus ojos había una terrible certeza.

—Lo pagaréis, ya lo creo... ¡Tan seguro como que me he de morir...!

El padre de Antonio había sido comunista. Al empezar la guerra, Antonio y su madre estaban en Salamanca. El padre, que estaba de viaje a Barcelona, ya no pudo volver.

Antonio explicaba a Lluís que él, a causa de su madre, siempre había ido al colegio de los *hermanos*. («Aunque no era la escuela de verdad, ¿eh, Lluís? La escuela de verdad era para los hijos de los ricos.») Iba a un anexo al que llamaban *la pequeña escuela*, donde todo estaba destartalado y sucio porque los alumnos apenas pagaban. Cuando un hijo de rico se portaba realmente mal en *la escuela de verdad*, le enviaban a pasar una semana a *la pequeña escuela*, con los hijos de los obreros, como castigo.

Durante la guerra, cuando en clase tocaba *Formación*

Política, el *hermano* siempre decía, antes de que llegase el instructor falangista:

—Antonio Fernández... ¡Aquí, enseguida!

Antonio se apresuraba a ir hacia la tarima y el *hermano* añadía:

—Acércate a la pizarra.

El *hermano* era el único superviviente de un grupo de cinco frailes que unos incontrolados habían decidido fusilar después de haber tenido lugar un bombardeo italiano. Muchas veces había explicado a los niños cómo le hicieron subir a un camión, y cómo se lo llevaron, con los otros, en pleno día, hasta un lugar aislado.

—Os aseguro que no acababa de creérmelo. Lo más sorprendente era que cualquiera hubiera dicho que aquél era un día como los demás. El cielo estaba azul, el sol brillaba... Se oía el cricrí de los grillos. ¡No acababa de creerme que iban a matarnos! Cuando llegó el gerifalte marxista nos ordenó que nos pusiéramos en fila, cerca de unos robles. Se aproximó con un misal en las manos y nos dijo: «¡Y ahora, os comeréis este misal, canallas!»

»Indecisos, nos miramos. Aquellas bestias sedientas de sangre tal vez quisieran asustarnos solamente. Lo último que el hombre pierde, realmente, es la esperanza, queridos niños. *Dum spiro, spero!* ¡Suárez! ¡Suárez! ¿Quieres sacarte el dedo de la nariz? Sí, queridos niños, así ocurrió la cosa. El mayor de todos nosotros, el *hermano* Pedro, que en gloria esté, dijo entonces con mucha calma: "¡Démelo!"

»Partió el santo libro como si fuera pan y nos dio algunas hojas a cada uno. Empezamos a comer. ¿Verdad que parece mentira? Yo tenía la boca muy seca, ¿sabéis? ¡El papel no se traga fácilmente!

»"¡Que aproveche!", nos gritó uno de aquellos bárbaros despiadados. Reían, los muy salvajes, soltaban blasfemias espantosas contra la Santísima Trinidad. Cuando nos hubimos comido el misal, el gerifalte marxista, que había sido jardinero en el convento... ¡Había que verle entonces hacer genuflexiones...! El gerifalte marxista, como os digo, empezó a bromear de forma satánica... Quiso saber lo qué sabía mejor: las hojas o la encuadernación.

»"Bueno —dijo aquel demonio—, y ahora os perdonaremos, os dejaremos la vida salva, si cuando volvamos al pueblo os comprometéis a no seguir haciendo señales, con linternas, de noche, a los aviones fascistas. Si os comprometéis a decir la verdad: que sois los cómplices de los ricos y de los militares y que, para vosotros, la religión no es más que una pantalla para embolsaros mucho dinero y embaucar al pueblo."

»"No, no —dijo entonces otro rojo que no había bajado del camión—. ¡Nada de eso! *¡Hay que abrirles el pico!* ¡Hay que vengar a los muertos del bombardeo! ¡No os dejéis enternecer! ¡Hay que acabar de una vez con toda la raza latina!"

»Observad bien, de paso, hijos míos —explicaba siempre el *hermano* al llegar aquí—, que aquel desgraciado llamaba a los ministros del Señor "raza latina" porque decimos la santa misa en latín. —El *hermano* reía nerviosamente—. ¡Qué ignorantes!, ¿verdad, hijos míos? Pero entonces el *hermano* Pedro habló en nombre de todos. Dijo firmemente:

»"¡Nunca renegaremos de nuestra fe!"

»"¡Muy bien! —dijo el gerifalte marxista—. A mí no me gustan los cobardes. Pues, venga, poneos de cara a los robles y empezad a rezar."

»El *hermano* Juan de Dios, que era jovencito, el pobre, empezó a lloriquear:

»"¡No, no! —suplicaba—. ¡No me matéis! ¡A mí me han engañado! ¡Diré todo lo que queráis!"

»"¡Calla, hijo mío! —dijo el *hermano* Pedro—. ¡Calla y piensa en Nuestro Señor. Pídele valor y dignidad."

»De repente me encontré de cara a los robles. Sonaron los tiros. Una salva. Sentí un gran golpe en la espalda, pero ningún dolor. Oí lamentos. Me pareció que la tierra subía hacia mí. El *hermano* Pedro gritaba: "*¡Viva Cristo Rey!*"

»Esta vez, tiros aislados. Sentí un golpe en la oreja. Un golpe que quemaba. Y oí el ruido del camión que arrancaba y las blasfemas canciones que empezaron a aullar aquellos bárbaros sin Dios...

Hijos del pueblo que oprimen cadenas...

»¡Miserables ganapanes! ¡Que Dios los perdone! Por mi parte, debo deciros que yo ya los he perdonado... Más tarde, he tenido que asistir a algunas ejecuciones de tíos y tiorras de éstos... Os aseguro que, cuando llegaba el momento, no galleaban tanto... Yo, aunque la verdad es que me costaba un poco, les llevé los últimos consuelos con verdadero amor cristiano. Los ayudé a bien morir. Porque Cristo es amor y hay que perdonar a nuestros enemigos. Y no sólo perdonarlos, sino quererlos... Pero, aquel día... ¡Ay, aquel día! El cricrí de los grillos continuó, pero el pobre *hermano* Pedro, y el pobre *hermano* Juan de Dios, y los otros, ya no estaban aquí abajo, para poderlo oír. Oían una música infinitamente más dulce, allá arriba, en el Paraíso. Pero ya veis, hijos míos, a mí la Santísima Trinidad me había salvado. ¡Suárez! ¡Suárez! ¡No quiero volvértelo a decir!

Cuando Antonio se acercaba a la pizarra, el *hermano* se levantaba. Se aclaraba la voz, dejaba de mascar almendras tostadas, daba algunos pasos y, de pronto, dando una furiosa media vuelta, extendía hacia el niño el índice acusador y exclamaba:

—¡Miradlo bien! El padre de este niño... Este niño que parece igual que cualquiera de vosotros... El padre de este niño... ¡Es un comunista!

Antonio había explicado a Lluís que, al principio, se había sentido avergonzado, pero que se fue acostumbrando. Y cuando el *hermano* se volvía de espaldas para decir: «Los comunistas, hijos míos, tienen cuernos y cola», Antonio se ponía los dedos índices en la frente y hacía después un gesto cómico, como si se estuviera acariciando una cola imaginaria.

Todos los alumnos de *la pequeña escuela* le tenían simpatía. Antonio no era como Fermín. Fermín también era *hijo de rojo* y su padre había sido fusilado. Un día, el hijo mayor del coronel Regales, el pequeño y cuatro chicos más, habían querido ahogar a Fermín en el Tormes, porque no quería gritar: Arriba España. Por suerte, intervino un *hermano*. Pero Fermín no era como Antonio. Era feo, protestón, rabioso y solitario. A casi nadie le importaba el hecho de que el padre de Antonio fuese un rojo. De cuando en cuando, le preguntaban:

—Antonio, aquí entre nosotros... *Inter nos*, que dice el *hermano*... ¿Tu padre tiene cola?

—¡Qué va a tener! —replicaba Antonio.

Explicaba a Lluís que su padre también acabó fusilado. Pero le tuvieron que fusilar sentado porque le habían roto las rodillas a golpe de barra de hierro.

—Nos escribió una carta, la última, donde nos pedía a mi madre y a mí que no nos preocupáramos por él. Decía que no estaba triste.

Antonio y su madre se enteraron de que el cura que acompañaba al padre de Antonio frente al pelotón de fusilamiento se enfadó mucho porque el comunista se obstinó en no besar el crucifijo. El cura, entonces, se lo estampó contra los dientes gritando:

—¡Bésalo, desgraciado! ¡Bésalo de una vez! ¿Quieres perder tu alma?

Antonio explicaba:

—Pero que conste que no lo besó, su Cristo, ¿eh? Nos dijeron que apartó la cabeza hasta el final. Y murió cantando *La Internacional*.

Antonio explicaba, igualmente, que un día, en *la pe-*

queña escuela, un chico se había puesto en pie para preguntar:

—*Hermano, hermano*. ¿Es verdad que los comunistas comen hierba? —El chico mostraba un número del tebeo falangista *Flechas y Pelayos*—. ¿Ve, *hermano*? Aquí hay una historieta donde se ve al chico ir al campo. ¡Y una vez allí, ve a unos comunistas a cuatro patas, pastando!

—¡Ah, sí, sí, claro, Ortega! Naturalmente que comen hierba —dijo el *hermano*, después de haber reflexionado un momento, mientras seguía mascando almendras—. Tened en cuenta, hijos míos, que aunque Dios, en su infinita misericordia, les ha dado una apariencia casi humana, en su interior son como los animales. ¡Pero dejemos estas tristes evidencias! Es hora de rezar el rosario.

—Ya lo ves —concluía Antonio—. ¡Yo, chico, te aseguro que cuando sea mayor, seré comunista!

Lluís había conocido a otro hijo de comunista...

Un día que estaba en el mercado, jugando con Wladimiro-Pepito, el Perdis y dos o tres más, se acercó a ellos un chico desconocido que dijo:

—*¡Le echo un pulso al que quiera!*

Le miraron más bien con desprecio, porque no parecía un adversario temible.

—*¿Can estus bracitus de fideu?** —contestó el Perdis—. ¡Anda, ven para acá, chalao!

—*Pero sin faltar, ¿eh?* —dijo el desconocido.

Diez minutos después, los había vencido a todos.

—*Estoy delgao, pero es que tengo mucho nervio* —dijo, como excusándose por haber vencido. Y eso hizo que la rabia que habían empezado a sentir por él desapareciera.

»*¡La de «cuartas» de pan que he conseguío yo así cuando estaba en el «cole» de Paracuellos!* —prosiguió.

* Mala pronunciación castellana de alguien que habla habitualmente catalán. *(N. de la T.)*

Y acabó ganándoselos definitivamente, cuando añadió:

—*¡Hala, venga, machotes, que pago pipas pa tos!*

Mientras comían pipas, el chico explicó que se llamaba Lenín, pero que en el colegio de huérfanos de Paracuellos del Jarama, donde había estado interno, le habían obligado a bautizarse y le habían puesto Carlos-Adolfo. Carlos en recuerdo de Carlos I de España y V de Alemania. Y Adolfo, en recuerdo del Führer. «*O sea, que me llamo Carlos-Adolfo a pesar mío*», explicó, no sin cierta satisfacción. A partir de aquel momento, todos le llamaron, sin que él se enfadase, «Carlos-Adolfo A Pesar Suyo». Como el chico era madrileño, al principio Lluís le miró con la prevención del caso. Pero pronto le apreció como a uno más de los amigos. Al padre de Carlos-Adolfo A Pesar Suyo le habían matado al intentar huir, cuando le llevaban, *en conducción* desde el penal de San Migue de los Reyes al del Dueso. El chico vivía con una tía, que se pasaba día y noche haciendo ojales a diversas prendas, por una miseria. La madre del chico, activista de las Juventudes Comunistas, había muerto durante la defensa de Madrid. Después de la guerra, Carlos-Adolfo había ido a parar al mencionado colegio. Y allí estuvo hasta que la hermana de su madre, que se había exiliado en Francia, decidió volver. Ella no se había metido nunca en nada, pero había tenido miedo de que le pidiesen cuentas de la actividad de sus familiares.

Algunas de las cosas que Carlos-Adolfo A Pesar Suyo había vivido en el colegio, llamaron mucho la atención de Lluís. Cuando empezaba a contarlas, parecía que le dieran cuerda. Se le iluminaba la cara, le brillaban los ojos y, a veces, hasta se habría dicho que disfrutaba con la consternación que despertaban sus relatos.

Parece ser que el colegio estaba situado en una cima pelada donde en verano hacía un calor espantoso y en invierno un frío mortal. Fuese invierno o verano, los niños de seis a diez años que vivían allí, iban vestidos igual. En invierno no había ninguna calefacción, aunque en la nómina del colegio figurara un mítico *encargado de la calefacción*, y, para conseguir calentarse un poco, había que *acurrucarse*, como los más pequeños designaban al hecho de agacharse en los lugares más protegidos.

El colegio estaba dirigido por mujeres. Se dividían en *profesoras* y *guardadoras*. Las *guardadoras* eran chicas que procedían de colegios parecidos, para chicas, y que habían venido a Paracuellos a cuidar niños, como castigo por su mala conducta. La educación de los niños se realizaba, básicamente, a través de la *Formación Política* y la *Religión*.

Carlos-Adolfo A Pesar Suyo explicaba que allí el problema principal era el hambre. Los padres de la mayoría de aquellos niños habían muerto en la guerra, o se encontraban en la cárcel, en campos de concentración o en el exilio. Los niños que no tenían a nadie y no recibían paquetes del exterior pasaban un hambre salvaje, porque las raciones de sopa de arroz, y garbanzos, del colegio eran muy escasas. Carlos-Adolfo A Pesar Suyo explicó a Lluís el significado del verbo *monear*: ponerse la comida disponible en la boca, en trocitos minúsculos, e irlos masticando, poco a poco, alargando lo más posible el asunto, para tener así la sensación de que se comía mucho más...

El *Reglamento* era muy severo. Todo iba a toque de pito. Estaba terminantemente prohibido hablar en otro lugar que no fuese el patio, durante el *recreo*. Como los niños, no obstante, acababan por hablar, las *guardadoras* los castigaban. El niño que había que castigar tenía que quitarse la alpargata y dársela a la *guardadora*, que le daba con ella un buen golpe en la mano. Si, instintivamente, retiraba la mano, el niño quedaba condenado a recibir dos golpes más. Existían otras formas de castigo. Cuando se iban a dormir, además de rezar las oraciones del caso, tenían que hacer la *promesa al niño Jesusín* de no hablar, una vez las luces se hubieran apagado. Cada día, a pesar de esa *promesa*, había niños que hablaban. A la mañana siguiente, cuando se tocaba diana y les hacían formar, la *señorita* Herminia, la más destacada de las *guardadoras*, una muchacha de dieciséis años, con temblores en la mano derecha, se paseaba entre las filas silenciosas y preguntaba:

—*A ver, ¿quiénes han quebrantado la promesa al niño Jesusín? Los que hayan sido, ¡un paso al frente!*

Generalmente, casi todos los niños que habían hablado se adelantaban entonces, por miedo al castigo divino que podía enviarles el cielo si el pecado de haber roto *la promesa al niño Jesusín* no era convenientemente expiado. Y la expiación consistía, a veces, en estar durante una hora seguida haciendo *flexiones*. En un rincón del patio, en formación, los niños castigados, con los brazos en alto, se agachaban y se levantaban. Muchos se echaban a llorar. Los que caían, agotados, al suelo eran levantados a golpe de alpargata por cualquiera de las *guardadoras*, advertidas por cualquier delator, ya que la delación era recompensada y cultivada como un elemento importante del mantenimiento del orden. Cuando acababan las *flexiones* siempre quedaban en el suelo de cemento del patio marcas húmedas... «*Sí* —decía Carlos-Adolfo A Pesar Suyo—, *las flexiones eran muy temidas. Pero el castigo peor, Lluís, era que a uno le dejasen sin comer o sin cenar.*»

En verano, en el patio del colegio se hacían siestas colectivas. A toque de pito, los niños se sentaban en el suelo en formación. A toque de pito, se echaban. Había que quedarse absolutamente inmóvil, con los ojos cerrados durante dos horas. La siesta se hacía intentando aprovechar la sombra de un porche en forma de U que había en el patio. Pero con el paso del tiempo, la sombra cambiaba de sitio y siempre quedaba uno u otro niño expuesto al sol violento de Castilla. Aparte de que, ya desde un principio, siempre había algunos que quedaban por los lados lejos de la sombra. Siempre en la sombra, sin embargo, la *guardadora* de turno vigilaba. Tenía al favorito al lado. A los favoritos los llamaban *jamaos* y acostumbraban a ser niños físicamente agraciados que las *guardadoras* vestían y alimentaban con mil pequeños sacrificios. Si la *guardadora* descubría a alguien que se movía, le enviaba a su *jamao*. El *jamao* se acercaba y decía a quien fuese, procurando adoptar la actitud autoritaria que las *guardadoras* copiaban de las *profesoras*:

—*¡Tú, el treinta y dos...! ¡A hacer flexiones!*

Había siestas colectivas que acababan con más gente haciendo *flexiones* que echada.

A Carlos-Adolfo A Pesar Suyo le gustaba explicar su llegada a Paracuellos —procedente del Colegio General Mola, de Madrid— cuando tenía siete años, con muchos otros niños...

Después de un largo viaje en autocar, por llanuras peladas, cantando himnos patrióticos y religiosos, y sin comer ni beber, los concentraron en el *campo de deporte*. Era al anochecer. El *campo de deporte* era un espacio cubierto de altas hierbas y los niños empezaron a jugar al escondite entre ellas. No se sabe quién, intentó comer hierba, acabó por encontrar una que tenía un gusto aceptable (*«las raíces sabían a paloluz»*, decía Carlos-Adolfo) y la recomendó a los compañeros. Carlos-Adolfo aseguraba que, al final, el campo quedó con calvas. Al cabo de poco rato, no obstante, los niños empezaron a vomitar violentamente aquella hierba tan suculenta. Por fortuna, todo acabó allí. Y los niños que habían vomitado, prueba evidente de su delito, fueron castigados como era debido: sin cenar.

En el colegio no había agua. Sólo daban un vaso al día, a la hora de merendar. Muchos niños, a escondidas de las *guardadoras* y *profesoras*, se quedaban, para bebérsela durante el día, la poca que había servido a las *profesoras* para lavarse. Algunos atrevidos iban sin permiso a los servicios del patio y procuraban sacar agua de los depósitos de los váteres, cosa nada fácil, ya que sólo quedaban unos centímetros para introducir la mano. Algunos conseguían sacar agua con tapones de gaseosa o cajas de betún. Muchos se contentaban con mojarse la mano, sacarla, lamerse los dedos, y así sucesivamente...

Un día, Carlos-Adolfo A Pesar Suyo, castigado injustamente —aseguraba— por la *señorita* Herminia, se escapó. Anduvo dando vueltas por el campo hasta que oscureció. Asustado, volvió. Le esperaban. La *señorita* Herminia y dos *guardadoras* más le dieron una paliza a golpes de alpargata. Agotado, sin cenar, fue conducido al dormitorio, donde los compañeros se ocuparon de él. Carlos-Adolfo A Pesar Suyo deliraba, pedía agua. No había. El 74, un compañero un poco mayor, con la cabeza rapada y llena de pupas, se ofreció para ir a buscar. Hizo el largo y arriesgado trayecto, del dormitorio a los servicios, con una vieja caja de betún como recipiente. Con los sobresaltos del trayecto, sólo llegaban a Carlos-Adolfo unas pocas gotas de agua. Pero el 74, diciendo «¡No importa! ¡No importa!», hizo tres veces el trayecto. Se la jugaba el 74. Una *profesora* le tenía entre ceja y ceja desde el día en que, mientras ella leía un periódico donde se explicaba la odisea de los pobres niños españoles, enviados por los «rojos» a Rusia («... y ahora por siempre jamás, entre las garras de la bestia soviética...»), el 74 bostezó ruidosamente, provocando la risa de toda la clase...

Carlos-Adolfo A Pesar Suyo soltaba la carcajada cada vez que explicaba el episodio de la inspectora. Los presentes le miraban sin comprender muy bien lo que le hacía reír de aquella manera tan siniestra. «*¡Oh, no creáis...!*» —decía él—. *¡Allí nos reíamos un rato!*»

Como aquel día vino una inspectora al colegio, dieron una buena comida. Después de comer, inmediatamente antes de irse, la inspectora pasó entre las filas de niños que esperaban el *¡rompan filas!* en el comedor, tras haber dado gracias a Dios con la oración correspondiente.

—¿Qué? ¿Os ha gustado el vaso de leche? —preguntó. Era una mujer gruesa y muy tiesa, de unos cincuenta años de edad, con una boca pequeña y dura y los cabellos peinados a lo Leni Riefensthal. Se le marcaban las varillas de la faja.

Los niños respondieron tímidamente que sí. Porque aquel día, excepcionalmente, habían tenido derecho a un vaso de leche.

A un grupo de pequeños la mujer preguntó:

—¿Tal vez querríais un poco más?

—¿De eso blanco? —preguntó uno de ellos. Calló, intimidado. Los otros también guardaron silencio.

—A ver, tú —dijo la mujer al más pequeño—: ¿Te tomarías otro vaso de leche?

—Sí, señora —dijo el niño.

—Y yo también —dijo el de al lado, al ver que el primero se decidía.

—¡Y yo! —dijeron todos los del grupo.

—¡Más leche aquí! —pidió la inspectora. Miró, enternecida, cómo los niños se bebían la leche, bajo la mirada de mal disimulada envidia de todos los que estaban en el comedor. Y al fin, se marchó. Se oyó arrancar su Stromberg, y la *señorita* Herminia ordenó el *¡rompan filas!* Pero antes, cumpliendo órdenes, dijo al grupito que había repetido:

—Vosotros no salgáis. Vosotros quedaos aquí.

Los niños la miraron, temerosos.

—Todavía os darán más leche —dijo la *señorita* Herminia, con una sonrisa helada. Mientras la inspectora estuvo allí, se había aguantado la mano derecha con la izquierda.

—¡Fíjate bien! —decía Carlos-Adolfo A Pesar Suyo a Lluís, al contarle aquello—. ¡Fíjate bien, que los que íbamos saliendo, envidiábamos a los que se quedaban y empezábamos a tratarlos de *jamaos*! ¡No valía, hombre! ¡Habían repetido y, ahora, todavía les darían más leche!

Los que habían salido se quedaron por el patio hasta la hora de clase de *Religión*. Y un poco antes, vieron cómo empezaban a salir los pequeños que habían osado pedir más leche. El primero, con la cara tan blanca como aquella misma leche, sólo tuvo tiempo de dar dos pasos desde la puerta del comedor, y se puso a vomitar. El segundo hizo lo mismo. Y el tercero. Y el cuarto...

Vaso tras vaso, los habían obligado a beber leche hasta no poder más.

Carlos-Adolfo A Pesar Suyo siempre concluía sus historias diciendo que la gente del pueblo vecino compadecía a los niños y los favorecía siempre que podía. Cuando pasaban en formación, cantando el *Cara al Sol*, o algo por el estilo, la gente siempre encontraba la manera de darles algo de comer, de lo poco que tenían. Carlos-Adolfo añadía que la *señorita* Herminia se casó con el dependiente del carbonero de otro pueblo, y que tuvo un niño mongólico. Y que la gente del pueblo decía: *¡Castigo de Dios!*

Una tarde, en el despacho de la lejía El Tigre, Vicente y Keller habían hablado durante largo rato de la guerra civil. Vicente habló de un hombre de su pueblo al que llamaban el Troncha-Rojos.

—*¡Qué malo era, en el mundo...!* —había dicho Vicente—. Era tan malo tan malo, que tuvieron que llamarle al orden y estuvieron a punto de buscarle las cosquillas. Felizmente para él, el secretario del obispado de la diócesis, que le conocía bien, intervino en su favor. Figuraos que el tipo había montado un puestecillo con los harapos, zapatones incluidos, de los pobres chicos que se cepillaban por la noche.

Lluís, al igual que Joan, escuchaba con gran interés. Pero tuvo que ocuparse del hermano del señor Nicolau, que acababa de llegar. Desde hacía unas semanas, el hermano del señor Nicolau formaba parte del equipo de corredores. Era un hombre bajito, delgado, de cabello blanco. Le olía el aliento.

Decían que se había pasado unos cuantos años en la cárcel y que, hasta entonces, su hermano le había mantenido, porque nadie se atrevía a darle trabajo.

Mientras se sentaba frente a la máquina de escribir, para anotar los pedidos que el hermano del señor Nicolau traía, Lluís preguntó:

—Oiga, señor Nicolau... ¿Qué es el comunismo?

El hombre palideció. Miró furtivamente hacia el despacho donde Keller, Joan y Vicente todavía hablaban.

—¿Por qué me preguntas eso? —quiso saber. Lluís soportó estoicamente su aliento fétido. Nicolau parecía agitado.

»Oye, ¿es el alemán el que te ha dicho que me hagas esta pregunta?

—¿Qué?

—Es el alemán, ¿verdad?

—¿El señor Keller? No, no. No me ha dicho nada. Al contrario. Él dice que ya era hora de que usted pudiera trabajar. ¿Por qué?

Al rostro de Nicolau volvía el poco color que tenía.

—Por nada, chico, por nada.

Lluís no se atrevió a insistir. Nicolau sacó sus notas y dictó:

—Colmado Salinas. Diputación, trescientos veintiuno. Seis cajas.

Lluís escribía a máquina con aplicación.

—Viuda Salieras. Diputación, trescientos treinta y dos. Diez cajas.

Nicolau se paró. Sacó de su bolsillo una petaca muy vieja.

—¿Fumas?

—No, señor.

—Haces bien. Una vez, en el Hospital Clínico, un médico amigo mío me enseñó los pulmones de un fumador... Y también los de otro que nunca había fumado. Los pulmones del que no había fumado eran de color rosa tierno... Pero ¿quieres creer que los del otro estaban negros como el hollín?

—¡Ostras, Pedrín! —dijo Lluís boquiabierto.

Nicolau sonrió. Mirando hacia el despacho vecino, murmuró:

—Uno de estos días, si quieres, ya volveremos a hablar de... de todo eso. Ya encontraremos la ocasión. No creas nunca las mentiras que cuentan de los comunistas. Los comunistas defienden a la clase obrera. ¡Y tú, tú perteneces a la clase obrera, no lo olvides nunca!

Como arrepentido, añadió enseguida:

—Parcerisa. Diputación, trescientos uno. Diez cajas.

Lluís escribía.

—Sobre todo, no te dejes liar por nadie —reemprendió Nicolau, en voz baja, mirando de nuevo hacia el despacho. Y prosiguió tan rápidamente que Lluís apenas si pudo seguir la explicación:

»El fascismo tiene siempre un lado engañoso, seudorrevolucionario, para embaucar a los trabajadores... Incluso, a veces, hasta un anticlericalismo que no tiene nada que ver con una concepción científica del mundo... Por eso te aviso... A veces, los dirigentes fascistas de "izquierda", por decirlo de alguna manera, se lo creen ellos mismos, que quieren la revolución... En Alemania, los nazis tuvieron a Otto y Gregor Strasser... Aquí, la Falange ha tenido a Hedilla... Pero éstos siempre acaban siendo liquidados por los otros, por las conveniencias de los verdaderos instigadores del fascismo: los grandes capitalistas.

—¿Qué? ¿Qué? —preguntaba Lluís. Con el esfuerzo que realizaba para entender todo aquello, abría ojos como platos. Entró otro corredor. Nicolau hizo un gesto de impotencia. Continuó dictando pedidos.

Al día siguiente, Lluís preguntó a Keller:

—Oiga, señor Keller, un día me gustaría que hablásemos del comunismo.

—¿Del comunismo?

—Sí, del comunismo.

—¿Y qué quiere que le diga, amigo mío?

—Qué es el comunismo. Quiero decir, qué quieren exactamente los comunistas... No sé cómo explicarme... En fin, me gustaría hacerme una idea...

—Bien, bien... Pero ahora hay que trabajar. Y en silencio, ¿eh? Sólo quiero oír el ruido argentino que hacen las gotas de sudor al caer de su frente.

Lluís insistió dos o tres veces más, pero comprendió finalmente que sus preguntas embarazaban a Keller. Keller estaba en contra del comunismo, pero Lluís sacó la conclusión de que no tenía unas ideas muy definidas por lo que se refería a aquella cosa tan terrible y misteriosa.

19

El paseo del General Mola está oscuro.

Ernest se sorprenderá mucho cuando sepa lo que le ha ocurrido al señor Falcón.

«Cuando llegué, la policía acababa de detenerle. Le pusieron las esposas. Me ha mirado con los ojos llenos de lágrimas y me ha dicho: "Di a tu tío que no vuelva por aquí. Podría ser que le mezclaran en este asunto. Yo no daré su nombre. Resistiré todas las torturas. ¡Adiós!"»

Adiós, no. «¡Salud!»

—¡Salud! ¡Viva la Anarquía!

Algunas luces se filtran por el desnudo ramaje de los árboles de la plaza de Tetuán, haciendo brillar, aquí y allá, con resplandor cobrizo, los cables de los tranvías. Las ramas tiemblan al soplar del viento, parecen llenar de grietas, con sus móviles sombras, el suelo y las fachadas de las casas.

Lluís baja hacia el Arco del Triunfo.

Pero, precisamente, ¿cómo explicar en casa el asunto de Falcón?

«¿Qué has ido a hacer allí, Lluís?»

«Nada, tía. Don Ramón me ha enviado a un recado y he pasado cerca de "Bofill y Serra, S. A. Había mucha gente en la calle... Estaba lleno de policías y también había dos curas con metralletas. Unos reflectores iluminaban la fachada. La luz, en blanco, con entramado de líneas finas a su alrededor, como hace Raymond, ¿sabes? No, claro, ¿cómo vas a saberlo tú, imbécil? Un policía ha hablado entonces por una especie de embudo:

»“*La casa está rodeada. ¡No nos obligues a disparar, señor Falcón! ¡Sal con las manos arriba!*”

»Y James Cagney, El Enemigo Público Número Uno, ha salido.»

Mejor será no contar nada, claro está. Lástima, porque el tema es bueno y hablando de eso se evitaría que le pregunten cómo ha transcurrido la tarde, en el taller...

El taller de don Ramón. Las cuarenta pesetas.

El miércoles por la mañana volvía al taller —había salido a comprar alcohol de quemar— cuando se encontró con el señor Panisello, un hombre grueso «muy campechano», según decían todos, representante de artículos de bisutería.

El señor Panisello venía muy a menudo al taller. Siempre era bien recibido, porque sabía muchos chistes verdes. El señor Panisello tenía negocios con don Ramón y estaba muy atento a sus menores gestos y palabras. A veces, dejaba de escuchar a cualquiera del personal para preguntar, apresuradamente: «¿Qué? ¿Qué? ¿Qué decía, don Ramón?»

—¿Y qué, chaval? ¿Te van bien las cosas? —preguntó a Lluís.

—Sí. He salido a comprar un poco de alcohol de quemar, para los infiernillos.

—Y hablando de alcohol, ¿qué? ¿Ya no mientes?

Lluís se puso rojo.

—No, no señor.

—¿De verdad?

—De verdad. Aquello ocurrió sólo un día en que no tenía dinero para el tranvía, ¿sabe? Como vivo en Pueblo Nuevo...

—Tuviste suerte de que don Ramón es una gran persona, porque si no, habría avisado a tu tío, quien seguramente te habría calentado las orejas. Y te lo habrías merecido. ¡Mira que engañar a todo el mundo diciendo que el alcohol costaba dos pesetas más caro! ¿No te da vergüenza? Ten cuidado, chico, ten cuidado, porque luego uno se acostumbra y acaba como aquel tipo de la lejía de quien hablaste un día... ¡Quien mal anda, mal acaba...!

—Sí, señor.

—Muy bien, muy bien. Anda, márchate. Y que te portes bien, ¿eh? Que, por cierto, ¡tienes unas ojeras...!

El señor Panisello movió un puño cerrado, arriba y abajo, y soltó una carcajada.

—Me parece que estás hecho un pícaro, tú... ¡Hala, adiós!

Lluís ya se iba, cuando el otro le llamó.

—¡Eh! ¡Ven aquí!

Sacaba la cartera.

«¿Me irá a dar algo?»

—Mira, dale esto a don Ramón. Se lo debo del otro día, del fútbol.

Puso cuarenta pesetas en manos de Lluís. Un billete de veinticinco y tres de cinco.

Cuando Lluís volvió a subir, nada dijo referente a las cuarenta pesetas. Al acabar el día, los billetes del señor Panisello se habían convertido en almendras, pasas, higos secos, gaseosa, una *plumilla* Perry, dos hojas de papel Guarro, un tebeo del *Hombre Enmascarado* y cinco pesetas de cupones de ciegos.

Tras haber caminado cien metros sin pisar las junturas de los adoquines de la calle, después de haber conseguido saltar a un tranvía, lejos ya de la parada, Lluís llegó a la conclusión de que al día siguiente le tocaría el cupón de los ciegos. Tenía el 412.

Salió el 053.

«Dale esas pesetas en cuanto llegues, ¿eh?», había gritado el señor Panisello, alejándose, llevándose su hedor a tabaco y a ropa interior sucia, sus pantalones relucientes de explicar chistes verdes a los clientes... Lluís abrió la boca, sonrió ampliamente al mover la cabeza, como diciendo: «Hombre, qué cosas tiene usted.»

La mañana del jueves fue horrorosa. Cada vez que llamaban, Lluís esperaba ver aparecer al señor Panisello. Dos veces consecutivas creyó oír su voz en el recibidor.

—¿Puede saberse qué te pasa hoy? —preguntó Gifré—. Te he pedido la goma laca cuatro veces.

—Perdone, señor Gifré... Es que...

No quería enfadarse con Gifré, que siempre le trataba bien.

—Cada día está más espabilado —se burló don Ramón—. Lo que le ocurre a éste es que siempre está en la luna de Valencia.

—Sí, sí, la luna... —rió Pellicer. Era un tipo alto y delgado, de cabello gris, ojos pequeños, muy juntos, y la nariz algo torcida—. A éste lo que le ocurre es que la malicia no le deja crecer. ¡Fíjese, don Ramón, qué ojeras tiene!

Soltero, las pasiones confesadas de Pellicer eran el excursionismo y el naturismo. Siempre estaba hablando del Matagalls, de las Agudes, del Turó de l'Home,* de «piolets» y «rappels»; de helioterapia, de trofoterapia y de nudismo integral. Elogiaba las virtudes terapéuticas del ajo, y afirmaba que, combinándolo con el jugo de limón, hacía batir en retirada incluso al cáncer.

Con aire de misterio, trajo un día al taller algunos números de *Pentalfa*, revista naturista de antes de la guerra, donde se veía a hombres y mujeres completamente desnudos, debidamente retocadas las pilosidades correspondientes, en posturas «artísticas», como decía Pellicer. Don Ramón y sus empleados miraron las revistas y comentaron las fotos. Y cuando Lluís quiso acercarse, don Ramón le repelió:

—¡Pero si Lluís ya es todo un hombre! —exclamó Pellicer—. Estas cosas requieren, sobre todo, naturalidad... Si cuando somos pequeños nos acostumbrásemos

* Accidentes de la geografía catalana. *(N. de la T.)*

a verlo todo, después no pasaría lo que pasa. ¡Don Ramón, don Ramón! ¿Ha visto qué tetamen...?

Ningún adulto, exceptuando Keller, había abordado nunca seriamente el tema del sexo delante de Lluís. Para los adultos españoles que él conocía, esta cuestión tenía mucho que ver con el libertinaje, el pecado y la vergüenza. Se hablaba raramente de ella y siempre en un tono de broma, o en un tono furtivo, lleno de sobreentendidos, o presentando la cosa desde un ángulo declaradamente grosero. En cambio, a Lluís le habían dicho que era un tema que se tocaba mucho en los confesionarios.

Excelentes funcionarios, buenos sacerdotes, armados de tijeras y lápices rojos, ponían, cada día, sus almas en peligro viendo antes que nadie todas las películas, todas las ilustraciones, leyendo todos los textos, para ahorrar a sus conciudadanos ocasiones de pecar a causa de imágenes o lecturas demasiado sugestivas. Esta inmensa tarea cívica no siempre era merecidamente apreciada. Había gente amargada, corrompida por el antiguo régimen, que la discutía y difamaba con recalcitrante testarudez.

Manuales de iniciación sexual —escapados de la purificación por el fuego de la primera hora— hacían todavía estragos, circulando a escondidas como si hubieran sido estampas japonesas de un raro erotismo. Hombres severos y bien adoctrinados para resistir a los más bajos instintos que todos tenemos, hacían reinar la decencia en las playas, oponiendo al maligno esplendor de la carne su decidida voluntad de hacer respetar la moral y las buenas costumbres. En aquellos días, habría hecho fortuna un inventor capaz de patentar una trampa para cazar parejas de enamorados en los parques públicos. Los atrapaban, allí, sin trampas, y también en los cines, en los descampados, en las callejuelas oscuras... Besos, abrazos y otras dulces caricias tenían un precio fríamente estipulado en impresos oficiales, precio que había que hacer efectivo entre lágrimas de vergüenza y dientes apretados... Si se hubiera podido hacer una estadística, tomando como base las almas salvadas, con todo esto, del fuego eterno, no cabe duda de que habría ocupado un lugar destacado, al lado de otros ejemplos de la reconstrucción nacional que se llevaba a cabo...

A veces, casi siempre de noche, bandadas de alumnos de colegios religiosos, inflamados de virtud, atacaban a golpes de tintero los cuerpos de piedra fría de impúdicas diosas de jardín público. Nunca se sabía si lo hacían con la intención de perfeccionar su castidad o por simple asco hacia las formas femeninas.

Los novios pobres esperaban durante largos años —de ejemplar conducta— el día de la boda. Señores acomodados, instalados en pisos confortables, proporcionaban pan y trabajo a muchachitas hambrientas. Madres solteras eran, como es debido, echadas de sus casas y, rechazadas por todos, iban a aumentar el ejército de putas del país. Buenos burgueses de Barcelona ponían de relieve la virtud de sus hijas —a veces demostrada a golpe de certificado médico— durante el interminable regateo de las dotes. Solteras maduritas se marchitaban dulcemente y morían con hímenes más o menos rotos por objetos diversos. Sádicos dispuestos a todo, robaban ropa interior de señora por las azoteas. Los adolescentes hacían cola a la puerta de los burdeles. Gente sofisticada, de la nobleza de la sangre y del dinero, gente que había viajado y tenía un criterio «europeo» de las cosas, organizaba *parties* secretas con hijas de obreros encerrados en la cárcel. En los lechos conyugales de la inmensa mayoría se procedía, disciplinadamente, a hacer el amor los sábados por la noche y, cuando fallaban Ogino, Knaus, las delicias del *coitus interruptus*, etc., se engendraban niños, según el mandamiento bíblico y las recomendaciones de encíclicas y pastorales. Mujeres embarazadas salvaban su honor tirándose al tren. Se hablaba de recién nacidos estrangulados por madres desnaturalizadas. Histéricas, frígidas, obsesos sexuales diversos y gente con enfermedades vergonzosas, iban al médico, y la desesperación y otras cosas roían a aquellos que, por pudor y falta de información, no iban. El placer solitario tenía innumerables adeptos y no era, de ninguna de las maneras, asunto de adolescentes y de provectos. En los cines se pervertía a niños y niñas. Se encontraban fetos, flotando suavemente en el agua de las cloacas. En el lenguaje coloquial de la buena gente, los atributos sexuales, masculino y femenino, salían a relucir, si así puede decirse, mucho más frecuentemente que en ningún otro país de Europa...

Después de los años de desorden de la República y de la guerra, parecía que por fin se empezaba a volver a tener en Barcelona, en toda aquella parte de España que había tenido la desdicha de estar sometida a los *sin Dios*, la conciencia del pecado. Todo iba, lentamente, volviendo al orden.

En defensa de sus concepciones naturistas, Pellicer decía frecuentemente:

—Si todos los medicamentos que hay en el mundo cayeran al agua, sería una gran desgracia...

Y añadía guiñando un ojo:

—¡... para los peces, naturalmente! ¡Je, je, je!

Para hablar con Lluís empleaba un lenguaje grosero, como si hubiera temido no ser comprendido de otra manera.

Una vez escondió una novela de Doc Savage, que Lluís había traído al taller. Al llegar la hora de salir, Lluís empezó a buscarla. Gifré y don Ramón, enterados del asunto, reían la ocurrencia. Lluís descubrió, por fin, la novela: estaba medio metida en el bolsillo del guardapolvo que Pellicer acababa de colgar en el perchero.

—¡Está aquí, en el guardapolvo! —exclamó, contento. Cogió la novela. Entonces Pellicer fue hacia él y le abofeteó:

—Toma. ¡Esto por ponerme las manos en el bolsillo! ¡Debías haberme pedido permiso, maleducado!

Lluís se puso a llorar y juró que se lo explicaría a su tío.

—¡Vamos, venga, muchacho! —concluyó don Ramón, que sólo intervenía en las peleas de sus empleados para atizarlas, si le divertían, o para recordarles que estaban allí para trabajar, si le aburrían—. ¡Si no pasa nada, hombre...! Si hubieras visto lo que se hacía a los aprendices, antes... En el taller de mi padre, Dios le haya perdonado, por ejemplo, tenían que aguantarlo todo: les hacían «la vaca», les ponían grasa en la pilila, los obligaban a trabajar los días de fiesta... Pero ¿ahora? ¡Venga, hombre, venga! ¡Si estáis mejor que queréis, los aprendices, ahora!

Gifré quiso consolar a Lluís y se marchó con él. Le acompañó hasta que el chico recobró la calma. Aquel día, al despedirse, Gifré rompió su habitual laconismo para decir:

—Es un mundo de chiflados, chico, un mundo de chiflados... Y en este mundo sólo las víctimas merecen respeto. Y sobre todo, ¿sabes?, la gente que lucha para ponerlo patas arriba y construir otro: no hay más verdad que ésta. Cuando seas mayor, tú mismo te darás cuenta de que lo que te digo es la pura verdad.

En el pasado de Gifré había habido un día de violencia, un 6 de octubre, en que había bajado a la calle con un Winchester. Durante uno de sus escasos momentos de expansión, había tenido la debilidad de explicar aquello en el taller. A partir de aquel día, el Winchester volvía a salir en las momentos más inesperados.

—Bueno, bueno, Gifré, no te sulfures —le decía Pellicer, si surgía alguna diferencia entre ellos—. ¡A ver si vas a sacar el Winchester!

Un día que Gifré se atrevió a expresar una tímida reivindicación, a la hora de discutir los sueldos con don Ramón, éste vociferó:

—¡Basta! ¡Son doce con setenta, o nada! ¡Lo toma o lo deja! ¡Venga, hombre, mira que hacerme esto a mí, a mí que he sido el único que le ha dado trabajo, cuando todo el mundo, en el oficio, se lo negaba a causa de sus antecedentes políticos...! ¡Mira que hacerme esto! Ponerme la pistola en el pecho... ¿Qué? ¡Qué digo la pistola...! ¡El Winchester!

Aunque no las practicaba, don Ramón aprobaba las concepciones vegetarianas de Pellicer. Tenía su punto de vista particular sobre la lucha de clases. Afirmaba que, en un país, todo va bien mientras las masas no tienen poder adquisitivo para comer ciertos alimentos.

—Pero, chico, a partir del momento en que los obreros pueden comer carne... ¡ya la hemos jodido! ¡Se crecen y es el caos!

Lluís recordaba muy bien lo que había pasado, en el taller, una tarde de verano...

De la calle subía, a través del balcón abierto, un hálito de calor. De pronto, se oyó música de un organillo.

Pellicer levantó los ojos de su mesa de trabajo y dijo:

—¡Vaya! ¡El *charnego** del organillo! ¡Todas las tardes la misma murga!

—¡Si tuviéramos aquí el Winchester de Gifré...! —dijo don Ramón. Él, Pellicer y Lluís rieron. Gifré sonrió.

La música continuaba.

—¡Ahora veréis! —añadió don Ramón—. ¡Chico, tráeme el infiernillo de alcohol!

Una sonrisa traviesa animaba el rostro del dueño del taller. Cogió con unas pinzas una moneda de diez céntimos y la expuso a la llama. La moneda pasó al rojo, al blanco... Cogió, entonces, tres o cuatro monedas más y, acercándo-

* Término despectivo que alguna gente penetrada por la ideología pequeñoburguesa da, en Cataluña, a los inmigrantes de otros puntos de España . *(N. de la T.)*

se al balcón, procurando no ser visto, las tiró todas juntas a la calle. Esperó, con los ojos muy abiertos, mostrando la punta de la lengua entre los dientes. Las monedas resonaron sobre el empedrado. El organillo dejó de tocar. En el taller, todos contuvieron la respiración.

—*¡Cabrón!* —gritó en la calle el hombre del organillo.

Don Ramón y sus empleados rompieron a reír.

—*¡Hijo de puta! ¡Me cago en tus muertos!*

Don Ramón dejó de reír. Miró a sus empleados.

—*¡Cobarde! ¡Baja si eres hombre! ¡Hijo de puta!*

—Si sigue con ésas, bajaré, ¿eh? —dijo don Ramón. Tenía las cejas fruncidas y le temblaba la boca—. Que ese murciano diga lo que quiera, pero que no insulte a mi madre. Que no me toque a mi madre, porque...

—¡Venga, don Ramón! —dijo Pellicer—. No le haga caso, hombre, no le haga caso. ¿No ve que es un ignorante? ¿No me diga que quiere bajar, hombre?

Había en él una punta de esperanza de que don Ramón, efectivamente, bajara, de que el del organillo le propinase seis puñaladas, y de que él, Pellicer, pudiera irse así a pasear por las Ramblas. Raras veces había visto las Ramblas, a aquellas horas, un día de diario, y el aire que subía del mar debía de ser delicioso. «Debo de estar loco, al pensar cosas así», se dijo, abatido, el pobre Pellicer. Pidió perdón mentalmente, a don Ramón.

—No le haga caso, hombre —dijo Gifré.

—*¡Gallina! ¡Ya verás! Te advierto que soy excombatiente, ¿eh?*

Don Ramón se sobresaltó. Fue hacia la puerta.

—¡Que no insulte a mi madre, el castellanufo este! —murmuró.

Pellicer se levantó, de pronto, como si quisiera impedir que don Ramón se perdiera. Don Ramón se sentó.

—¡Lluís! —mandó—. ¡Saca un poco la cabeza con cuidado, y mira lo que hace ese muerto de hambre!

Lluís se inclinó un poco y dijo:

—Don Ramón, don Ramón... Se ha acercado un guardia... ¡Discuten! ¡El guardia se lo lleva!

—¡Bien empleado le está! —dijo don Ramón—. ¡Así aprenderá a tener más modales!

Lluís añadió:

—Se van.

Se oía débilmente el ruido de las ruedas del organillo sobre el pavimento.

—¡Todavía no sé cómo he podido contenerme! —declaró don Ramón—. ¡A mí se me sube enseguida la sangre a la cabeza!

Tras un largo silencio, don Ramón tocó uno de sus temas de conversación favoritos: los errores del régimen republicano. Le gustaba mucho obligar a Gifré a compartir sus opiniones sobre lo que había pasado.

—A mí —concluyó, después de una larga repetición de lugares comunes— me dan lo mismo los «rojos» que los «blancos». ¡Los míos son los que me dejan trabajar y vivir! Si, además, ¡todos son iguales! ¡Todos quieren embolsarse el dinero! *Lus mismus perrus con distintus cullares*.* Nada, hombre, total todo es una mierda... Todo está podrido, ¿no es cierto, Gifré?

—Sí, señor, sí.

—No tiene por qué darme la razón como si fuera un loco, ¿eh, Gifré? Aquí mando yo, pero cuando hablamos, todos somos iguales...

—Sí, claro, claro, don Ramón. No quería...

—¡Ah, bueno!

«Lo que aquí pasó —había dicho un día Gifré, aprovechando que don Ramón se había ido al váter— fue que el pueblo español comenzaba a ser consciente y esto ponía en peligro los privilegios de los ricos. Por eso se levantaron contra la República, Lluís, por eso. Éste es el

* Mala pronunciación castellana de alguien que habla habitualmente en catalán. *(N. de la T.)*

misterio de todo lo que pasó. Ahora nos toca *tragar quina*. Pero algún día nos reharemos y entonces...»

Don Ramón abrió la boca. La cerró de nuevo. Pasaron unos minutos. Abrió de nuevo la boca y sus dientes de oro brillaron.

—Y yo, ¿qué podía hacer? ¿Ir al frente para que me pelasen, como a todos aquellos pobres diablos que se llevaban? ¿Usted qué opina, Gifré?

Los empleados se miraron entre sí, extrañados.

—No, no, claro, don Ramón...

—Y que conste que no fue por miedo, ¿eh? —añadió don Ramón. De pronto, la papada le tembló y se ruborizó.

Lluís se preguntó: «¿Qué le pasa? ¿Por qué dice todo eso ahora?»

—Yo no conozco el miedo. En fin, soy un hombre normal. Pero no me dio la gana de que me llevasen al matadero. Si me escondí, no fue por miedo. ¿Acaso cree que tenía miedo, Gifré?

—¡Pero qué dice usted, don Ramón!

Don Ramón tenía los ojos fijos. Miraba algún punto, algún punto más allá de las paredes del taller. Se sobresaltó un poco, y Lluís bajó los ojos cuando la mirada del amo se cruzó con la suya.

En el taller se había hecho un silencio penoso.

Si no hubiera ocurrido el asunto del alcohol... Si no hubiera faltado al trabajo... Tal vez don Ramón se lo habría creído, que había perdido las cuarenta pesetas del señor Panisello. En ese caso, habrían podido llegar a un acuerdo. Las habría pagado poco a poco...

Pero en las presentes circunstancias, esta solución era imposible.

20

Ha decidido tomar el tranvía en la parada de la calle Trafalgar y, mientras atraviesa la Ronda de San Pablo, mira hacia la plaza del Arco del Triunfo.

La plaza está poco iluminada. El monumento es una masa oscura de contornos hechos imprecisos por la llovizna, masa apenas definida por las luces del paseo de Víctor Pradera. Lluís se para, deja pasar un taxi y, apartándose de su camino, va hacia el Arco. Baja de la acera y empieza a caminar por en medio de la calzada. Al pasar bajo el monumento, adopta una actitud que él cree marcial y empieza a silbar el *Horst Wessel Lied*, un himno nazi. Después de haber pasado bajo el Arco, se para, da la media vuelta reglamentaria en el ejército alemán y empieza a caminar en dirección contraria. Continúa silbando y marca el paso de la oca.

Una voz dice:

—¡Pepe! ¡Pepe, mira qué mochales!

Lluís enrojece. Al pie del Arco ve dos siluetas que se recortan contra la luz de un farol. Lluís mira las manchas claras que los dos cuerpos arrancan de la sombra, goza de aquel efecto tan bueno para dibujar. Demasiado avergonzado para contestar, sigue su camino hacia la parada del tranvía.

Cuando llega, el 70 está a punto de partir. La señora Pilar se despide de alguien: un hombre joven, con gabardina, que da la espalda a Lluís. Cuando el tranvía, donde la mujer ha subido, arranca, el hombre se vuelve. Es Federico, el dependiente. A Lluís le choca aquello. Federico vive sólo algunas paradas más allá. ¿Por qué no ha cogido el mismo tranvía que la señora Pilar? Ha tenido tiempo de sobra para subir. Federico parece contento. Tararea *Sollozos*. Continúa esperando en la parada, y cuando otro 70 llega, lo toma. Lluís también. El tranvía va lleno. El cobrador dice:

—*Por favor... No empujen... Vienen dos coches más enseguida...*

Lluís queda entre dos guardias y una señora anciana. Los policías huelen a cuero, y la señora anciana a naftalina. Las bombillas brillan débilmente en el techo abovedado. Un hombre, sentado detrás de los policías, mira de pronto al suelo. Se agacha y dice:

—¡Eh, cobrador! ¡Aquí hay un guante!

Es un guante de mujer. El cobrador se lo mete en el bolsillo y dice:

—Ya me lo reclamarán.

Los guardias bajan. Lluís reconoce a uno. Le ha visto varias veces, con un compañero, montando guardia frente a un banco de la calle de Pedro IV, con el naranjero a punto. Estos últimos tiempos se habla mucho de bancos atracados, con finalidad política, por grupos armados que vienen de otros países. Hay pena de muerte, mediante el garrote vil, para los atracadores a mano armada capturados.

Suben tres chicas, acompañadas por una mujer de edad madura. Las chicas no paran de moverse y ríen a menudo.

«Van a bailar.»

El pelirrojo dice:

—Billetes, por favor... No me enfado si me pagan, ¿eh?

Federico se abre camino hasta las chicas. Un hombre que lleva un niño en brazos dice:

—*¡No ampuje! ¿Ca no vel nene?**

* Mala pronunciación del castellano de quien habla habitualmente en catalán. *(N. de la T.)*

Lluís paga. Mira a Federico.

—¿Bajas? —le pregunta un hombre. El aliento le huele a alcohol.

—No, no. Pase.

«Allí, contra la puerta, estaría mejor.»

Federico ha dejado caer su mano derecha a lo largo del cuerpo.

«Pero cada vez que abran me tendré que apartar.»

Se diría que Federico contempla las luces fugitivas de la calle, pero, insensiblemente, su mano se acerca a la cintura de una de las chicas. La nariz de Federico se dilata.

El tranvía está a punto de pararse. Lluís se aparta. Se pone de puntillas para poder seguir la maniobra de Federico.

—¿Bajas o qué? ¡Pues no te pongas delante de la puerta...!

—*Señora, señora... ¿Ha pagao?*

—*As claru que sí!* —dice la señora anciana—. *Miri, aquí lu tiene al billete. ¿Ca sa pansaba?*

—*No se enfade por tan poca cosa, abuela.*

—*Ascuche, ¿cas esto d'àbuela? ¿Cabuela ni cocha cuartus?*

—*Bueno, bueno...*

—*Oh, buenu, buenu... ¡Vaya a su pueblu! ¡Cavienen aquí acomerse al pan de los catalanes!*

—Señora —protesta un chico—. ¿Baja, o no baja?

Casi hacen que la señora anciana baje a la fuerza. Cuando el tranvía ya se va, todavía grita, enseñando su billete:

—*¡Qué bruja!* —dice el pelirrojo.

La chica va muy pintada. El maquillaje de fondo está mal puesto: la cara tiene un color terroso y el cuello le ha quedado más claro. El dorso de la mano derecha de Federico toca el abrigo de la chica. El tranvía frena con cierta brusquedad y Federico se inclina un poco hacia la chica, fingiendo ser víctima de la inercia. Lluís ve la mano palpar el abrigo, a la altura de las nalgas.

Las orejas le arden.

Una mujer dice a otra:

—Pero ¿ha visto qué tiempo?

—¡Ay, sí, qué lata!

Un hombre dice:

—Y mañana, otra vez duro que te pego. A mí, que no me digan...

A Lluís sólo le falta una parada.

Sube un chico de la edad de Papitu. Jadea. Tiene los cabellos empapados de agua.

—*Cobrador... ¿Ha encontrado un guante de mujer, por casualidad?*

Cuando Ernest le abre la puerta, Lluís huele el aire del piso.

«*Farinetes* para cenar.»

—¿Cómo está el abuelo?

—Igual. Duerme. Y ¿has estado en el taller hasta tan tarde?

—Sí. Es que resulta que hoy era el cumpleaños de Dorita, la hija de don Ramón... Lo han celebrado... He comido castañas y *panellets*.

—¡Anda!

—Hemos bebido moscatel.

—Ese don Ramón debe de ser buen hombre.

—Es una gran persona.

—¿Cómo? ¿De dónde has sacado eso?

—¿Te has limpiado los pies?

—Sí, tía. De dónde he sacado, ¿qué, tío?

—Eso... Eso de «una gran persona».

—Pues, no sé...

Al pasar por la cocina, ve a tía Aurelia preparando el sofrito de las gachas.

La radio dice:

—*... y respondamos, hoy, a esos irresponsables, con las pa-*

labras de un gran hombre cuya memoria es sistemáticamente calumniada por esos malos pastores, que actúan como pantalla del comunismo, el judaísmo internacional y todo lo que hay de más decadente en nuestro mundo de hoy: «Nunca se ha comprendido que la fuerza de un partido político no reside, de ninguna manera, en la inteligencia y la independencia de espíritu de cada uno de sus miembros, sino más bien en la obediencia y el espíritu de disciplina con los cuales éstos siguen al mando espiritual. Lo que resulta decisivo son los jefes mismos.» Stalin, el zar rojo, ha utilizado muy bien esta magistral lección política de Adolfo Hitler, y...

La débil luz del aparato de radio brilla en la sombra. Ernest vuelve al comedor. Lluís oye crujir la butaca de mimbre. Papitu no ha vuelto.

Lluís entra en la habitación. Enciende la luz. Mira la hoja de Dan Stone, *el Piloto Audaz*, por Lewis Marty. Decididamente, no le gusta. Sobre todo el segundo dibujo. Para dibujar el suelo cubierto de fango, ha utilizado la misma técnica que para dibujar los arbustos. Coge el periódico, el plumier, la carpeta de Caniff, la hoja.

—Pero ¿qué haces? Si vamos a cenar enseguida —dice Aurelia.

—Sólo un poco, tía Aurelia.

El sofrito huele bien.

Enciende la luz del comedor, procurando que el interruptor haga el menor ruido posible. Ahora, Ernest oye Radio España Independiente. El olor de sus alpargatas flota en el aire. La voz del locutor se aleja, se acerca, se aleja... Un rumor intermitente impide escuchar con precisión lo que dice.

Con una hoja de afeitar, Lluís empieza a rascar el suelo cubierto de fango. Abre la carpeta, busca una página de *Terry and the pirates* de la que se acuerda muy bien. Aquí está. Examina con atención algunos suelos cubiertos de barro, de Caniff. Borra lo que acaba de rascar y alisa el papel con la uña del dedo gordo.

«¡Vaya! Me parece que el Fairchild está mal proporcionado.»

Vuelve la página y la mira a contraluz. El Fairchild está algo desproporcionado, pero puede arreglarse.

Coge el lápiz y empieza a copiar el fango de Caniff. El lápiz ya casi no tiene punta. No obstante, continúa para no perder tiempo, hasta que la punta rasca el papel. Contrariado, se levanta.

—Tía, ¿me dejas el cuchillo?

Aurelia se está lavando las manos.

—Deja, deja... Lo cogeré yo mismo.

Abre el cajón donde guarda los cubiertos. En el fondo del cajón, el oro de los dientes del abuelo brilla débilmente. Aurelia se vuelve muy deprisa.

—¿No puedes esperarte?

Lluís ya ha cerrado el cajón. Como si nada, la mira con el cuchillo en la mano.

—Pero tía —se excusa—. Era para no molestarte...

Ella le mira desconfiando. Lluís retrocede prudentemente hacia la puerta. Ya está en el pasillo.

«No quiere que coma. No quiere que pueda masticar. Se morirá deprisa y así se lo quitará de encima de una vez.»

Pero, mientras saca punta al lápiz, se dice que, probablemente, no es ésta la verdad. El abuelo se morirá de un momento a otro y tal vez tía Aurelia quiere evitar, sencillamente, que le entierren con el oro. Cuando llegase el momento, Ernest no querría que le quitase la dentadura, y el oro se perdería. Tía Aurelia no quiere perderlo tan estúpidamente... O dejarlo a merced de los «arañas», los funerarios...

Lluís mira hacia la cocina, vagamente inquieto. ¿Se ha quedado, de verdad, persuadida de que no ha visto nada?

—¡Ay, Dios mío! —se queja, mirando al suelo—. ¿No puedes tener cuidado, Lluís? Aquí no sirve de nada pasarse el día barriendo.

—Ahora lo recogeré.

Recoge los minúsculos trochos de madera del lápiz.

«Sí, cree que no he visto nada.»

—Y qué, ¿tampoco te ha dado nada esta tarde don Ramón?

—Nada.

—Después de todo, le ha pagado con la merienda —dice Ernest.

«¿Qué merienda?», está a punto de preguntar Lluís. Se acuerda a tiempo.

Ernest cierra la radio. Después de cenar, si hay un poco de suerte y Aurelia no protesta por el gasto de luz, Lluís pasará a tinta lo que acaba de redibujar a lápiz.

—¡Papitu cada vez viene más tarde! —refunfuña Ernest—. ¡Me pregunto qué hace durante tantas horas!

Aurelia está otra vez en la cocina.

—¿Harás pitillos, después de cenar? —pregunta Lluís.

—No, los he hecho esta mañana.

Mira hacia la bombilla y añade:

—Parece que la luz ha bajado, ¿no?

La luz baja. Pero vuelve a brillar casi inmediatamente, como antes. Durante unos minutos, sólo se oye el ruido que Lluís y Ernest hacen al comer las *farinetes*. Y el ruido del cubierto de Aurelia, que cena en la cocina.

—Tío, ¿quieres hacer algún pitillo, por favor?

—Pero, hombre, ¿no te he dicho que ya los he hecho todos?

—Es que si me quedo solo, la tía protestará.

—Bueno, ¿sabes lo que haremos? Me quedaré un poco. Como si preparase las facturas para mañana...

Lluís lleva los cacharros a la cocina. Coloca nuevamente su periódico, manchado de tinta y *gouache* y cubierto de pequeñas partículas de goma de borrar, y se pone a trabajar.

Sin saber cómo, en la hoja ha aparecido una mancha de grasa. Coge el pincel del plumier y lo moja en el *gouache* blanco. Pero la pintura rehúsa quedarse sobre la grasa. Piensa en recortar un pequeño rectángulo de papel y en pegarlo sobre la mancha. Vacila. ¿Qué es más aceptable? ¿La mancha o el papel pegado?

«Más aceptable, ¿para quién, a fin de cuentas? ¡Cualquiera diría que esta página la tiene que ver un editor! No la verá ningún editor. ¡Nunca! Y posiblemente, tampoco verá ninguna otra mía. Nunca seré dibujante. El lunes tengo que ir otra vez al taller y darle las cuarenta pesetas a don Ramón. Y si no me paga el sueldo, no sé qué le diré a tía Aurelia. Quizás el señor Panisello ya ha ido al taller, y me esperan con impaciencia... Tendré suerte si no me exigen una nota del tío, certificando que he estado malo. ¡Nunca, nunca seré dibujante!»

Tiene ganas de romper la hoja y de clavar la pluma en la mesa. Pero eso traería represalias por parte de tía Aurelia y, además, está intrigado por ver cómo resolverá, por fin, el dibujo del suelo cubierto de barro.

«La romperé después, y nunca más volveré a dibujar.»

La luz baja otra vez y Ernest, que tiene frente a sí la carpeta de facturas, alza los ojos hacia la bombilla. Lluís piensa:

«Pasará como antes. La luz volverá.»

La luz vuelve.

«Si pasa otra vez, quiere decir que seré dibujante. Si no vuelve a pasar, quiere decir que no lo seré nunca.»

Durante unos momentos espera con cierta angustia, mientras pasa a tinta el suelo cubierto de barro. La luz baja otra vez. Ernest refunfuña:

—Pero ¿qué coño pasa con la luz? ¡Esta gentuza...!

Cuando la luz vuelve, Lluís se siente reconfortado. Pero ya no sabe si es a causa del buen presagio o porque hay, ahora, en el suelo de ese aeródromo, «*cerca de Luang-Prabang*», barro... Auténtico barro dibujado según la mejor técnica de Milton Caniff...

—Lluís —llama Aurelia.

«¡Se acabó!»

—Voy, tía.

Va hacia la cocina.

—Ten.

Le da una bolsa de papel, muy arrugada.

—¡Castañas!

—Las he comprado esta tarde al volver del cementerio. ¡Hacía tanto frío...! Anda, cómete las que quedan y vete a acostar. Quiero que ya estés durmiendo cuando venga Papitu.

Lluís vuelve al comedor, pero Aurelia le acompaña y dice:

—Anda, Ernest, ¿te queda mucho con esas facturas?

—No, no. Ya he terminado.

Ernest se sienta en la butaca de mimbre. Enciende la radio. Entonces, Aurelia apaga la luz. Lluís se come la primera castaña. Está fría, pero buena. Se acerca al balcón. Apoya la frente sobre el cristal. Ahora llueve mucho. La luz solitaria brilla como siempre, en el descampado, bajo la lluvia. Deja de masticar. Proyecta su aliento sobre el cristal y cierra un ojo: colores cálidos y cambiantes aparecen sobre la superficie pulida.

Apaga la luz y se echa.

«Cuánto tarda Papitu. Vendrá calado.»

Todo está oscuro. El rumor de la lluvia que cae sobre el patio llega hasta él. El domingo por la mañana irá al mercado de Sant Antoni. Quizá con el dinero que ahora tiene podrá comprar alguna cosa, a bajo precio, a algún tontaina. Algo que podrá revender, con un poco de ganancia. Pero este tipo de negocio nunca le sale bien. Y, de todas formas, una ganancia de veintiocho con ochenta no podrá conseguirla así como así.

No. Vale más no ilusionarse. Irá otra vez a ver a Keller.

En algún punto de la casa, el viento cierra un postigo con un golpe seco.

«Pero ¿qué demonios debe de querer decir *pignoración*?»

Dorita le invita a la fiesta de su cumpleaños y le da castañas, *panellets* y moscatel. Dorita le sonríe. Huele: tía Aurelia ha vuelto a poner las sábanas del revés. Suspira. Se oye una música lejana. Es el himno que tocan en Radio Moscú, después de su emisión. Tararea:

—Da-di... Daaa-da-di-daaa... Da-diiii-da-da-diiii-daaa...

La música se para. La butaca de mimbre cruje. Ernest se va a dormir.

Lluís se levanta. Cierra la puerta de la habitación que se había quedado entreabierta. Enciende la luz. Mira la hoja que estaba dibujando. Se tranquiliza. Había empezado a creer que el barro no parecía barro de verdad. «Sí, hombre, sí, es barro, no cabe la menor duda.» Sólo le molesta ya la pequeña desproporción del Fairchild. Deja la hoja en su sitio. Apaga la luz y se echa otra vez.

«¡Siempre me queda el recurso de vender las páginas de Milton Caniff!»

Las ha pagado a cinco y seis pesetas, pero bien sabe que, en el sitio donde las compró, no le darían más de dos. ¿Y si encontrase a alguien que se las comprase por cinco pesetas?

«¡Algún tontaina como yo!»

Las venderá. ¿Acaso no ha decidido dejar de dibujar?

«Aunque, ¡ahora que había aprendido a hacer tan bien el barro...!»

No. No puede venderlas. Hace años que se ha acostumbrado a los personajes de Milton Caniff. Desde *Mickey*, el tebeo *Mickey*, conoce a Terry, a Pat Ryan, a la Dama del Dragón... No quiere separarse de ellos. El viejo capitán Blaze coge por el cuello a la Dama del Dragón y ella le amenaza con un puñal. Fuera, en la noche, los lobos aúllan en la nieve. La Dama del Dragón se parece a la señorita Nuri. Lluís se estremece. Ahora no quiere acordarse de ella. Federico, en el tranvía, deja resbalar la mano...

«Hay que dormir.»

Se oye a alguien que sube la escalera.

«¿Papitu?»

No es Papitu. Se oye el ruido que alguien hace al tirar de la cadena de un váter. La lluvia moja la cara de Lluís. Alza los ojos y ve los plátanos de Barcelona, sus ramas grises chorreando agua... La luz de la habitación brilla en el techo. Papitu está sentado al borde de la cama. Sobre una silla, frente a él, ha colocado un montoncito de periódicos en miniatura, impresos en papel muy fino. Los coge, uno tras otro, los dobla en cuatro y los va metiendo en sobres.

—¿Qué haces, Papitu?

—Nada. Vuélvete de espaldas y duerme.

Lluís siente frío en el cogote. Se encoge. Se vuelve hacia la pared.

De las ramas grises, chorrea la lluvia.

OTROS TÍTULOS DE ESTA COLECCIÓN

JULIA

William Somerset Maugham

Londres, década de 1930. Con 46 años Julia Lambert es la actriz más famosa y cotizada de Inglaterra. Está en la cúspide de su carrera y es una mujer carismática en su papel de actriz y envidiada fuera de los escenarios. Su vida privada es estable, carente de emociones fuertes y arrebatos sentimentales, en aparente felicidad. Pero su marido y representante Michael Gosselyn insiste en explotar el éxito de la actriz hasta las últimas consecuencias y, de repente, la diva Julia se encuentra al borde del colapso nervioso. Sin embargo todo cambiará cuando aparezca un joven admirador de origen americano. Tom Fenell invitará a Julia a recuperar las ganas de vivir, de hacer teatro y, sobre todo, la pasión por el amor... Pero con el tiempo se convertirá en su mayor pesadilla.

LAS ABUELAS

DORIS LESSING

Cuatro relatos, cuatro historias que se sumergen en los vericuetos de la vejez. En «Las abuelas», dos amigas —Lil y Roz— reconstruyen sus vidas con los hijos varones de ambas, formando una familia ad hoc. En «Victoria y los Staveney», una mujer de clase humilde, Victoria, lucha por encontrar su propio espacio sirviendo en una casa acomodada. Los otros relatos narran las peripecias de Deria, la esposa de un dictador que toma el poder envenenando a su marido —«El motivo»—, y el sino de un hijo bastardo producto del encuentro entre una mujer casada y un militar británico en una fiesta en Ciudad del Cabo —«Un hijo del amor»—. Cuatro visiones sobre el inevitable proceso de senectud a medio camino entre la realidad y la fantasía, entre la ternura y la crudeza, al más puro estilo de Doris Lessing.

RANCHO APARTE

MARCOS ORDÓÑEZ

Tras un accidente de moto, el pintor Eduardo O. Frenhofer no logra percibir los colores y sus sueños le parecen vividos por otro. Su psiquiatra le recomienda entonces escribir unos cuadernos con fines terapéuticos. El pintor comenzará una exploración de su pasado que le llevará a Berlín, a Buenos Aires y al París de posguerra, y por la que desfilarán personajes como Olga Sacharoff, el cabalista Marcelo Stein y el misterioso tío Daniel, mujeres que han marcado su vida —la temible Pussy Galore, la evanescente Iris, la inaprensible Lisa—, viejos amigos como el escritor Pablo Sbértoli —en cuyas novelas recupera su juventud en la Barcelona de los sesenta— y el mítico Big Joe, encarnación del malditismo adolescente. Un viaje a las esperanzas y frustraciones de los jóvenes de los años sesenta y setenta.

ALONDRA

Dezső Kostolányi

Septiembre de 1899. En una pequeña ciudad de provincias del Imperio Austrohúngaro la hija única de los Vajkay, llamada cariñosamente Alondra, se dispone a pasar una semana de vacaciones con sus tíos. La despedida en la estación es dolorosa, pues los días que dure la separación se prevén insufribles para los Vajkay. Sin embargo, poco sospecha el anciano matrimonio que en la estación de ferrocarril se inicia precisamente un feliz período de redescubrimientos: la buena comida, la entrañable y divertida compañía de viejos amigos, la peculiar extravagancia de la farándula, la música, la risa. En una semana coincidirán la alegría de vivir con la ausencia de esa hija querida, de esa hija solterona y poco agraciada cuya presencia daba sentido y a la vez condicionaba la existencia de los Vajkay.

UN ARMA EN CASA

NADINE GORDIMER

La vida de los Lingord, una pareja de clase media y pensamiento liberal, sufre un vuelco cuando su hijo Duncan, arquitecto de 27 años, mata a uno de sus compañeros de piso. Ese asesinato —un hecho inconcebible para un padre católico convencido y para una madre médico dedicada a la defensa de la vida— hace que la pareja empiece a replantearse muchas cuestiones y que se pregunten hasta qué punto conocen a su hijo, quien ha confesado desde el principio su culpa pero se niega a revelar el motivo del crimen. Para afrontar el proceso —un juicio de suma gravedad, pues la pena de muerte sigue vigente en Sudáfrica— los Lingord recurren a un famoso abogado negro recién regresado del exilio, una elección no exenta de complicaciones en un país donde sólo formalmente se ha puesto fin a la discriminación racial.